Amerikanen zijn niet gek

Eerder verschenen werk van Charles Groenhuijsen bij Balans:

Oorlog in Irak

CHARLES GROENHUIJSEN

Amerikanen zijn niet gek

Over Bush en baseball, misdaad en miljonairs, kerken en casino's, porno en politiek

UITGEVERIJ BALANS
2005

Dertiende druk

Omslagontwerp Studio Jan de Boer
Omslagfoto Remco van den Berg
Boekverzorging Studio Cursief
Druk Wilco, Amersfoort

ISBN 90 5018 660 2
NUR 740

www.uitgeverijbalans.nl

INHOUD

INLEIDING 9

1 LAND VAN EXTREMEN:
GOD, GOKKEN, LIEFDE EN LIEFDADIGHEID 15

Amerikanen zijn gulle gevers:
De 'mythe' van de hardvochtige samenleving? 17
Seks in preuts Amerika:
Eeuwen van wilde lust & dubbele moraal 24
God is oppermachtig in Amerika:
Een thuiswedstrijd met heel veel trouwe fans 36
Casino's zijn een miljardenindustrie:
Verslavend voor gokkers én politici 49

2 DE JACHT OP WELVAART EN WELZIJN:
GELIJKE KANSEN ONGELIJK VERDEELD 61

De keiharde Amerikaanse sportwereld:
Zelfs winnaars zijn soms verliezers 63
Gezondheidszorg – geen recht, maar vóórrecht:
Patiënten en politici falen: eigen schuld, dikke bult 72
De race naar peperduur onderwijs:
'Goed, beter, best' als levensles 88
Ontembare geldjacht in de rechtszaal:
Miljoenen aanklachten werken verlammend 102

3 *ARMOEDE EN OVERVLOED:* ECONOMIE IN DE VS 113

Amerikaanse economie groeit en bloeit:
1000 jaar in 100 jaar ingehaald 115
Roekeloze rijken hebben nooit genoeg:
Gretige geldzucht vergroot inkomensverschillen 122
Werken in Amerika:
In het zweet uws aanschijns... 131
Machteloze armen stemmen niet:
Politici laten probleem links liggen 139

4 *AMERIKA SLAAT ZELFVERZEKERD RECHTSAF:* REPUBLIKEINEN STAAN MET 3 – 0 VOOR 149

Rechtse coalitie vol zelfvertrouwen:
Linkse idealen verder weg dan ooit 151
Geld als politiek smeermiddel:
Een democratie op afbetaling 159
Krant, radio & tv onder vuur:
Zijn ze te links en anti-Amerikaans? 167

5 *OP LEVEN EN DOOD:* STRAF & BOETE BINNEN EN BUITEN DE GEVANGENIS 177

Maken vuurwapens Amerika veiliger?
Machtige lobbygroepen tegen strengere wetten 179
Het nadeel van de twijfel:
Amerika straft misdadigers hard 188
Doodstraf gaat weer levenslang mee:
Executies worden steeds minder wreed 200

6 *AMERIKA EN DE WERELD:*
BRUTE TIRAN OF BAKEN VAN HOOP 209

Immigratie geen probleem maar uitdaging:
Miljoenen nieuwkomers zijn van harte welkom 211
Amerika: een wereldrijk tegen wil en dank:
Europa vertrouwt George Bush niet 220
Amerikaanse leger is onverslaanbaar:
Geducht wapen op slagveld en in politiek 231
George Bush: stuntel of staatsman:
Dankzij God twijfelt hij nooit 241

7 *SLOT* 251

Nederlanders en Amerikanen willen niet ruilen:
VS is een hard land met goede manieren 253

Verantwoording 259
Literatuur 260

INLEIDING: AMERIKANEN ZIJN NIET GEK
OPGEWEKTE VERBAZING OVER EEN ZELFVERZEKERDE SUPERMACHT

Amerikanen begaan alle stommiteiten
die je maar kunt verzinnen.
Plus een paar die je niet verzint.
Charles de Gaulle

Je kunt ervan uitgaan dat Amerikanen
altijd de juiste oplossing kiezen
nadat ze eerst alle andere opties
hebben geprobeerd.
Winston Churchill

Iedere Nederlander heeft een mening over Amerikanen. Geen wonder: wij eten Amerikaanse hamburgers, drinken cola, luisteren naar muziek uit de VS, kijken naar hun films en tv-series, gebruiken steeds meer woorden uit het Engels en rijden graag in hun auto's. Als er iets mis is met de Amerikaanse cultuur, dan is ook iets mis met ons. Waarom nemen we er anders zoveel klakkeloos van over?

Europeanen kijken met afschuw naar de vele dikkerds in de VS, maar Europa gaat in rap tempo dezelfde kant op. De kolossale Amerikaanse achtcilinder-auto's zijn slecht voor het milieu, maar ook in Nederland rijdt menigeen graag met zo'n monsterauto over dorpsplein en woonerf. We denken dat Amerikanen altijd uit zijn op geld, maar er is geen land waar burgers zoveel aan liefdadigheid doen. We spreken schande over de doodstraf in de VS, maar de helft van de Nederlanders is niet principieel tegen de doodstraf.

Europeanen luisteren geërgerd naar de diepgelovige politici die dit land regeren. We oordelen snel en hard over de preutse 'seks-bestaat-niet'-opvoeding die Amerikaanse ouders hun kinderen geven. En over al die vuurwapens waarmee elk jaar weer duizenden onschuldige burgers worden vermoord? Vanuit onze Hollandse polder denken we: waarom verbieden ze dat niet gewoon?

Maar wat weten we echt over het land dat geregeerd wordt door een president aan wie de meeste Nederlanders de pest hebben, maar die toch met ruime meerderheid werd herkozen? Kunnen wij iets van de VS leren? Wie zijn er gekker? Zij of wij?

Vooroordelen: amusant aan de borreltafel

Na twaalf jaar in de VS weet ik steeds minder dingen zeker. Heel bijdehand je Hollandse mening klaar hebben is gemakkelijk en amusant aan de borreltafel, maar het doet geen recht aan de 280 miljoen mensen die dit prachtige land bevolken. Ze onthaalden mij en mijn gezin met open armen en met ons zo veel miljoenen andere vreemdelingen.

Toch is dit geen jubelend 'Amerika-is-fantastisch'-boek. Evenmin is het een aanklacht à la Michael Moore tegen de arrogante supermacht die zich voor zijn idealen moet schamen. Bij mij overheersen na al die jaren nog steeds gretige nieuwsgierigheid en opgewekte verbazing.

Waarom stromen de kerken in Europa leeg en zitten ze hier overvol? Europa griezelt bij het idee van meer immigranten, maar in de VS zijn ze nog steeds van harte welkom. Waarom werken Amerikanen zoveel en genieten ze zo weinig? Amerikanen zijn boos en bezorgd over misdaad, maar waarom kopen ze dan miljoenen nieuwe vuurwapens per jaar? Ze zijn ook preuts en openbaar bloot is taboe, maar Amerika heeft wel de grootste porno-industrie ter wereld.

De verleiding is groot dat allemaal hypocriet te vinden. En dan is het nog maar een kleine stap naar het geijkte cliché over de 'oppervlakkige' Amerikanen. Maar in vergelijkingen voldoet de Nederlandse maatstaf vaak niet. Werken, godsdienst, misdaad, de politiek, de overheid, het leger, seks: het zijn stuk voor stuk onderwerpen waarvoor in de VS andere normen en regels gelden.

Stel dat een Amerikaanse politicus zich laat inspireren door het Nederlandse gedachtegoed. Dan zou hij pleiten voor minder vuurwapens, afschaffing van de doodstraf, verhoging van de benzineprijs met 300 procent, invoering van wegenbelasting, kleinere verschillen in inkomens, bezuinigingen op defensie, strengere regels voor casino's, een kortere werkweek, minder armoede, betere ontslagbescherming.

Dat is een indrukwekkend lijstje. Maar geen Amerikaanse politicus zou er hier succes mee boeken. De Amerikaanse kiezers zouden helemaal niks van hem begrijpen en hoofdschuddend de zaal verlaten.

Het omgekeerde geldt ook. In Nederland het toneel opklauteren met een Amerikaans verhaal over God en Vaderland zou weinig stemmen en veel spottende artikelen in de media opleveren. Het zijn twee gescheiden denkwerelden. Het is als water en olie: ze lijken op elkaar, maar je kunt ze nooit mengen, hoe lang je er ook in roert.

Zwerven in het Midden-Westen

Wie Amerika wil begrijpen moet er gaan rondrijden. Een bezoek aan steden en toeristische tripjes naar Disneyland, Hollywood, het Empire State Building of de Golden Gate Bridge zijn leuk, maar je leert er niet veel over het 'echte' Amerika.

Ga eens ver weg. Zwerf rond in de onafzienbare verten van het Midden-Westen. Elke onervaren Nederlandse bezoeker roept dan een keer verbijsterd uit: 'Dat kleine stukje op de kaart was vijf uur rijden en toen waren we er nóg niet!'

Die ruimte maakt Amerika tot wat het is. De Amerikaanse economie, politiek en cultuur zijn ondenkbaar in een volgepropt landje als het onze. Reken even mee: elke Amerikaan heeft gemiddeld ruim 33.000 vierkante meter ter beschikking. De Nederlander heeft amper 2500 vierkante meter. Als Nederland de bevolkingsdichtheid van de VS had, woonden er in ons land geen 16 miljoen mensen, maar iets meer dan 1 miljoen!

Hoezo volle treinen, winkelcentra en stranden? Met zo veel ruimte en zo weinig mensen praat je heel anders over immigratie, vuurwapens, landschapsparken, varkensmest of windmolens. In de afgelopen twintig jaar is het gemiddelde nieuwbouwhuis in Amerika meer dan verdubbeld in omvang. Kom daar eens om op een krap bemeten Vinex-locatie in een Hollandse polder.

En een zuinige auto? Waarom zou je? Milieuvervuiling is het laatste waar je je zorgen over maakt als je elke ochtend wakker wordt onder de grenzeloze hemelkoepel boven de vlakten van Kansas of Kentucky, Montana of Minnesota. Wie tobt er dan over broeikaseffect of zure regen? Het woord 'file' moeten ze er in het woordenboek opzoeken. Hier heerst de oude 'frontier'-mentaliteit. Ze zijn trots op deze traditie en de natie die eruit opbloeide.

Zet tijdens zo'n lange autorit de radio eens aan. De kans is groot dat er country-and-westernmuziek uit de boxen schalt of je hoort een radiozender die non-stop rechtse praatshows uitzendt. Er zijn tientallen van die programma's waar miljoenen Amerikanen elke dag op afstemmen. Blijf luisteren en na een uurtje snap je beter waarom John Kerry geen president van de VS is.

Met een beetje geluk hoor je ze dan ook praten over die 'gekke, linkse Europeanen'. Want wij staan graag klaar met ons oordeel over Amerikanen, maar omgekeerd gaat het er ook niet zachtzinnig aan toe. Nederland moet het daarbij nogal eens ontgelden. Wij geven onze kinderen nog net geen marihuana als ontbijt; onze hoerenbuurten zijn een internationale schande; we vermoorden zwaar gehandicapte baby's; we gooien de waarde van het huwelijk te grabbel door homo's met elkaar te laten trouwen. Hoezo begrip?

'Amerikaanse toestanden': goed of slecht?

Wie tijdens het lezen van dit boek af en toe denkt: 'Amerikanen zijn wél gek!' heeft soms een beetje gelijk. Maar als je hier lang woont is een houding van 'ze doen zo raar' op den duur nogal vermoeiend. Het leidt zelden tot begrip en vaak tot zelfingenomenheid, iets wat we Amerikanen juist verwijten. Ik heb daarom geprobeerd uit te leggen waarom Amerikanen doen wat ze doen en hoe dat past in het Amerikaanse denkpatroon.

Als Nederlanders over 'Amerikaanse toestanden' spreken, heeft dat een akelige klank. Wie graag aan dat gemakkelijke vooroordeel over Amerika vasthoudt moet dit boek niet lezen. Het is wél bedoeld voor wie mijn nieuwsgierigheid en verbazing over dit unieke land deelt. Het is een soort reisgids voor de Amerikaanse samenleving. Ik koos met opzet onderwerpen waarbij de verschillen tussen Amerika en Europa het scherpst zijn. (Reacties kunt u mailen naar GekkeAmerikanen@aol.com).

Dat is riskant, want het is onjuist te schrijven over 'de' Amerikanen. Er zijn Amerikanen die rechtser zijn dan George Bush en anderen die linkser zijn dan Femke Halsema en Jan Marijnissen samen. En minstens evenveel kiezers zitten er CDA-achtig tussenin.

Ja, er zijn veel voorstanders van de doodstraf, die het liefst weer ouderwetse openbare executies zien, maar er zijn ook heel veel tegenstanders van de doodstraf. Er zijn conservatieve actiegroepen die de belastingen het liefst afschaffen, maar veel progressieve burgers willen best meer belasting betalen om zo de armen te helpen. George Bush wil het homohuwelijk in de grondwet verbieden, maar veel Amerikanen vinden dat belachelijk. Er rijden miljoenen grote zes-, acht- en tiencilinder-auto's rond (ik beken schuld...), maar milieuvriendelijke auto's zijn ook mateloos populair.

Dit boek gaat vooral over wat Amerikanen van zichzelf vinden, en ze zijn niet ontevreden, integendeel. En wees eerlijk, waarom zou je als onbetwiste supermacht twijfelen aan je waarden en normen? Miljoenen immigranten staan te dringen om met gevaar voor eigen leven binnen te dringen in de Amerikaanse Droom.

Geen land ter wereld produceert per hoofd van de bevolking zoveel als de VS; Amerika heeft het grootste leger, de meeste Nobelprijzen, de meeste olympische medailles, de meeste buitenlandse studenten en de grootste economie. Stel dat Nederland zo'n supermacht was met een oppermachtig leger en technologie waar de rest van de wereld niet aan kan tippen. Hoe bescheiden zouden Nederlanders dan zijn? Zouden wij echt aardiger, begrijpender, toleranter zijn dan Amerikanen nu?

I *Land van extremen:* God, gokken, liefde en liefdadigheid

AMERIKANEN ZIJN GULLE GEVERS: *DE 'MYTHE' VAN DE HARDVOCHTIGE SAMENLEVING?*

Liefdadigheid is prijzenswaardig.
Maar de gever mag nooit over het hoofd zien
welk onrecht liefdadigheid noodzakelijk maakte.
Martin Luther King

De gelukkigste mensen zijn degenen
die meer om anderen geven dan om zichzelf.
Ted Turner, CNN

Amerika is het liefdadigste land ter wereld. Het is een harde samenleving, waar iedereen voor zichzelf moet vechten, maar pechvogels kunnen heel vaak met succes een beroep doen op hulp van anderen. Per jaar geven Amerikanen 240 miljard dollar weg.

Even snel rekenen: dat is gemiddeld 750 dollar per persoon. Een gezin met twee kinderen besteedt dus 3000 dollar aan liefdadige doelen. Nederland blijft daar ver bij achter. Amerikanen geven drie tot vier keer zoveel weg als Nederlanders.

Dit zijn natuurlijk gemiddelden. Rijkaards als Bill Gates van Microsoft en Ted Turner van CNN trekken dat gemiddelde omhoog, doordat ze met één pennenstreek honderden miljoenen zo niet miljarden dollars kunnen overmaken. Maar dat neemt niet weg dat – anders dan de mythe over egoïstische Amerikanen ons wil doen geloven – in dit land veel vrijgevige mensen wonen.

Zonder liefdadigheid had dit land misschien helemaal niet bestaan. Het begon immers ooit met liefdadigheid, want de indianen verwelkomden in 1620 de Pilgrim Fathers uit Europa met een feestmaal. Wat was er van Amerika terechtgekomen als de indianen die blanke indringers – want dat waren ze – de zee weer op hadden gejaagd in plaats van kalkoen en maïs aan hen te eten te geven?

Dat feestelijke karakter hoort in de VS onlosmakelijk bij liefdadigheid. Scholen, kerken, musea, sociale hulporganisaties en politieke partijen maken er altijd wat leuks van. Het is geen anoniem girootje dat je portvrij op de bus doet, nee, het zijn grote feestavonden, waar de plaatselijke middenstand eten, drank en muziek sponsort. Verlotingen zijn daarbij populair, waarbij je kaartjes voor honkbal kunt winnen of een gratis weekend in een luxe hotel, een tegoedbon van een warenhuis of een antirimpelkuurtje bij de lokale beautysalon.

Geef je grote bedragen, dan staat je naam eervol vermeld in het programma van zo'n feestavond. De grootste gevers staan vetgedrukt bovenaan en dan naar beneden tot je bij de gewone stervelingen bent aangeland, want Amerikanen houden van hiërarchie.

Liefdadigheid is de smeerolie van de Amerikaanse samenleving. Tegenover het hoge bedrag aan liefdadigheid staan de lage belastingen. In Nederland betalen we welzijn, onderwijs en gezondheidszorg uit onze *gedwongen* belastingen. In de VS draait dat voor een flink deel dankzij de *vrijwillige* giften van particulieren.

De echt grote liefdadigheid kwam in de VS op gang met de groei en bloei van de industrie. Zodra grote bedrijven en handelsbanken hun intrede deden, ontstond er een kleine club van multimiljonairs. Velen hielden al dat geld voor zichzelf; anderen gaven het met bakken tegelijk weg.

Andrew Carnegie bijvoorbeeld doneerde in 1889 bijna alles wat hij had: 350 miljoen dollar. Dat zou in dollars van vandaag 3 miljard zijn. John D. Rockefeller, evenals Carnegie een succesvol ondernemer, gaf in 1907 nog meer: 540 miljoen (nu bijna 6 miljard). Henry Ford stopte zijn persoonlijke kapitaal in de Ford Foundation, die jaarlijks nog steeds grote bedragen aan goede doelen geeft.

Carnegie vond het een plicht van rijke mensen om iets nuttigs met hun geld te doen: 'Rijke mensen zijn gezegend. Het ligt in hun vermogen gedurende hun leven goede daden te verrichten waar hun medemensen voordeel van hebben. Op die manier geven ze waardigheid aan ons leven.'

Amerika is, als het om liefdadigheid gaat, een land van grote getallen. Bladen als *Businessweek* en *Fortune* houden nauwkeurig bij wie hoeveel geeft, want van alles wordt hier een soort wedstrijd gemaakt. Er is een jaarlijkse topvijftig van de grootste gullerds. Sinds een aantal jaren staat Bill Gates met stip op 1. We ronden voor het gemak (even niet op de kleintjes letten) af op hele miljarden. Gates en zijn vrouw Melinda zijn goed voor 27 miljard dollar, dat voor een groot deel naar gezondheidsprojecten in de Derde Wereld gaat. En de pot is nog lang niet leeg. Op een eervolle tweede plaats staan Gordon en Betty Moore (van Intel, de microchipfabrikant): 7 miljard (veel milieudoelen). Ook in de toptien staan superinvesteerder Warren Buffett (3 miljard) en financiële goeroe George Soros (2 miljard).

Warren Buffett is een interessant geval. Het grootste deel van de tientallen miljarden, die hij met slim investeren vergaarde, geeft hij pas na zijn dood weg. Dat is niet uit zuinigheid of omdat hij het lekker wil oppotten. 'Nee,' zegt Buffett, 'laat dat geld nu maar bij mij. Ik heb bewezen er handig mee om te gaan. Ik kan als geen ander dat bedrag door goede beleggingen verder verhogen.'

Het blad *Businessweek* wijst erop dat Buffett dat wel goed moet organiseren. Geld weggeven lijkt heel simpel, maar als het om miljarden dollars gaat is het een hele klus om dat goed te doen. Bij de Bill & Melinda Gates Foundation zijn 230 mensen in dienst om al die megabedragen verantwoord weg te zetten. Gates geeft het, anders dan Warren Buffett, liever nú weg: hij redt kinderlevens in de Derde Wereld. Waarom zou je daarmee wachten tot je dood bent?

Nieuw in de topvijftig van 2004 zijn Oprah Winfrey (175 miljoen voor onderwijsdoelen) en Veronica Atkins (weduwe van dieetgoeroe dr. Atkins): 500 miljoen voor de bestrijding van suikerziekte. Net buiten de topvijftig staan andere sterren uit de showbizz: Steven Spielberg, Angeline Jolie, Michael J. Fox en Bill Cosby.

Er wordt altijd goed naar deze lijstjes met de grootste gevers gekeken. Wie staan erop en wie niet? De goede gevers die hun gulheid liever geheimhouden zijn in het nadeel. Ze geven wel, maar krijgen er geen waardering voor. Ze kunnen zelfs het verwijt krijgen vrekkig te zijn. De toch al imposante *charity*-lijstjes zijn dus verre van volledig; er wordt waarschijnlijk veel meer gegeven dan het officiële getal van 240 miljard.

Met de internetboom van de afgelopen tien jaar is een groep Nieuwe Rijken ontstaan. De tijd is voorbij dat 60-plussers de grootste gevers waren. Vaak zijn het nu dertigers of veertigers die zich net als hun rijke voorgangers van ruim honderd jaar geleden van hun vrijgevige kant laten zien.

De internetrevolutie heeft veel ondernemers stinkend rijk gemaakt. In het lijstje van internetfilantropen staan (behalve de familie Gates): Paul Allen (ook Microsoft), computerfabrikant Michael Dell en Pierre Omidyar, de oprichter van eBay.

Ook Ted Turner, de oprichter van CNN, mag niet onvermeld blijven. Hij beloofde 1 miljard dollar aan de Verenigde Naties, maar de waarde van zijn aandelen kelderde, waardoor hij 7 miljard dollar verloor. Toch houdt Turner zich aan zijn belofte, al moet hij daarvoor de betalingen een beetje spreiden.

Turner maakt zich zorgen over de veiligheid in de wereld. De duizenden atoombommen die her en der klaarstaan bedreigen de wereldvrede, zegt Turner. Hij steunt initiatieven om dat wapenarsenaal te verkleinen. Turner: 'Dit probleem moet nú worden opgelost. Niet pas over twintig jaar. Als we de komende vijftig jaar alles góéd doen, leven we in het paradijs. Maar als we dat nalaten, verdwijnen we of we leven in "hot, burning hell".'

Vaak zijn giften religieus geïnspireerd. Opvallend was de donatie van Joan Kroc. Een onbekende naam, maar zij en haar inmiddels overleden man leidden een overbekend bedrijf: McDonald's. Ze gaf anderhalf miljard dollar aan het Leger des Heils. Dat is mooi, maar het veroorzaakte een netelig probleem. Mevrouw Kroc had het geld bestemd voor nieuwe opvangcentra van het Leger des Heils, maar wie geeft het geld om die glimmende centra te exploiteren? De duizenden kleumende collectanten met hun belletje en kerstcollectebussen moeten heel wat *nickels and dimes* inzamelen om dat voor elkaar te krijgen.

Het Leger des Heils weigerde ook wel eens een gift. De 71-jarige lottowinnaar David Rush wilde 100.000 dollar doneren van die 14 miljoen dollar die hij had gewonnen. Maar het Leger des

Heils is tegen gokken en bedankte. Rush vond dat onzin: 'Er is geen grotere gok dan investeren in aandelen. Ik vind het overdreven een loterij als gokken te beschouwen.' Maar Rush respecteerde het besluit en hield de 100.000 dollar in zijn zak.

De kolossale donatie van McDonald's was niet de enige gift uit de wereld van fastfood. Thomas Monaghan, oprichter van Domino's Pizza, is ook diep godsdienstig en trok 540 miljoen dollar uit voor de oprichting van een streng katholieke universiteit.

Die lijstjes met grootste gevers en al die bedragen met zo veel nullen mogen overigens niet de indruk wekken dat alle steenrijke Amerikanen begaan zijn met de minder bedeelde medemens. De rijkste één procent van Amerika bezit 40 procent van alle welvaart, maar geeft slechts 2 procent, hoewel giften aftrekbaar zijn van de belasting. Mensen met de laagste inkomens geven percentueel meer (6 procent).

Samenleving kan niet zonder liefdadigheid

Miljoenen mensen profiteren van die gulheid. Liefdadigheid vult voor een deel de gaten die de Amerikaanse overheid laat vallen. De sociale zorg is hier beperkter dan in Europa. Een Nederlands overheidsloket lost problemen op waar Amerikanen de collectebus of bedelbrief voor gebruiken. Dit is het land van de individuele oplossingen, niet van een zorgzame overheid die van de wieg tot het graf over je waakt.

De overheid verzorgt het kale minimum. Het gevolg is dat sociale zorg vaak een gunst is, geen recht. Miljoenen Amerikanen zijn voor huisvesting, eten, kleding en schoolgeld aangewezen op anderen. Wie dakloos wordt of geen baan heeft, is de pineut. Zelfs een fulltime baan met minimumloon is niet genoeg om van rond te komen.

En niet alleen armen moeten een beroep doen op andermans hulp. In een welgestelde wijk even buiten Washington kwam een werkloze vader terug van een sollicitatiegesprek, werd aangereden en raakte voor zijn leven invalide. Omdat hij werkloos was had hij geen ziektekostenverzekering. De buurt kwam onmiddellijk in actie. Er wonen succesvolle advocaten, artsen en zakenmensen, die collega's, vrienden en hun bedrijven inschakelden. Het gezin kan daar onbezorgd blijven wonen, want de buurt betaalt mee aan de kosten van het levensonderhoud en straks zelfs voor het hoge collegegeld van de kinderen. In totaal gaat het om honderdduizenden dollars.

Maar er is meer. Onderwijs bijvoorbeeld. De regering betaalt openbare scholen, maar anders dan in Nederland is er geen subsidie voor christelijke, katholieke, joodse of islamitische scholen. Dat mag niet vanwege de strikte scheiding van kerk en staat. Er zijn duizenden niet-openbare scholen en universiteiten. Die kunnen zonder particulier geld niet bestaan.

Hetzelfde geldt voor ziekenhuizen. Die krijgen weliswaar overheidsgeld, maar moeten vaak tientallen procenten van hun budget zelf bij elkaar bedelen. Ook de brandweer- en ambulancediensten worden voor een deel betaald met particulier geld.

Liefdadigheid is een groeisector. Amerikanen geven steeds meer. In 1960 was het totale bedrag (gecorrigeerd voor inflatie) nog maar 80 miljard. Dat groeide gestaag naar 100 miljard in 1980, 150 miljard rond 1990 en nu dus 240 miljard. Dat is iets meer dan 2 procent van het bruto nationaal product van de VS.

Zoals zo vaak in de Amerikaanse samenleving draait het ook bij charity vaak om godsdienst. Salt Lake City is de vrijgevigste stad van Amerika. Daar is het hoofdkwartier van de mormoonse kerk gevestigd. De bewoners geven maar liefst 15 procent van hun inkomen weg, vooral aan religieuze doelen. Uit een studie blijkt dat de staat minder sociale diensten hoeft te verlenen doordat de kerk er al voor zorgt.

Een goede tweede is het – eveneens streng religieuze – gebied rond Grand Rapids in Michigan, waar ook het stadje Holland ligt. Er wonen daar veel mensen van Nederlandse komaf die er ooit vanwege hun godsdienst naartoe vluchtten. De inwoners van deze streek geven 10 procent van hun inkomen aan liefdadigheid.

George Bush is een groot voorstander van liefdadigheid via de kerk. Maar er is ook kritiek. De president wil belasting op erfenissen afschaffen, omdat dit geld is waar ooit al belasting over is betaald. De verwachting is dat afschaffing van de *death tax* vooral bij grote erfenissen tot flink minder giften kan leiden. Erfgenamen kunnen een deel van een erfenis nu belastingvrij weggeven. Als die aftrek vervalt houden ze, als ze niets geven, de volle mep zelf. Voor menigeen is die verleiding vast te groot.

Daar staat tegenover dat in de komende tientallen jaren de Babyboomgeneratie uitsterft. Niet leuk voor de babyboomers, maar wel voor de liefdadige instellingen, want dit is de doorgaans welgestelde naoorlogse generatie.

In de komende vijftig jaar komt in de vs een bedrag van 52.000 miljard aan erfenissen vrij. Als tien procent daarvan naar liefdadigheid gaat is dat een onvoorstelbaar bedrag. Het is zoals Amerikanen graag zeggen: 'Our best days are yet to come.'

SEKS IN PREUTS AMERIKA:
EEUWEN VAN WILDE LUST & DUBBELE MORAAL

Ik zie het als een vorm van kunst. Ik treed op.
Dat doe ik niet voor de bevrediging van anderen.
Het is mijn baan, en entertainment voor een groot publiek.
Het is als bij Julia Roberts. Alleen gaat het ietsje verder.
Net één stapje verder.
Jenna Jameson, pornoster

De Pilgrim Fathers lieten nadat ze in Amerika
waren aangekomen geschriften na waaruit
blijkt wat voor normen en waarden ze hadden.
Maar in de archieven van rechtbanken zie je
alle soorten ontucht, overspel en bestialiteit.
Robert Thompson, Syracuse University

Amerika is in veel opzichten een malle mengeling van ouderwets en modern. Seks is er een treffend voorbeeld van. Veel Amerikanen houden er heel preutse, negentiende-eeuwse ideeën op na. Niks mag, alles is bedekt, maar via internet, satelliet en kabel is een eindeloze variëteit aan porno te koop. Prostitutie is, behalve in de staat Nevada, verboden. Maar niets menselijks is de Amerikanen vreemd en het 'oudste beroep ter wereld' is dan ook niet uit te bannen.

Kinderen mogen op veel scholen niet horen over seks voor het huwelijk. Voorlichting over voorbehoedsmiddelen is steeds vaker taboe. Maar veel teenagers hebben op vaak zeer jonge leeftijd seks. En natuurlijk weten ze alles over voorbehoedsmiddelen, hoewel ze vaak onbeschermd vrijen.

Amerikanen zijn niet erg praktisch in dit soort zaken. Alles wordt in de sfeer van goed en kwaad getrokken. Oplossingen moeten passen in een strak ideologisch stramien. Discussies zijn bij voorbaat zinloos. Veel conservatieve Amerikanen kijken daarom met diep afgrijzen naar Nederland. Het is naar hun oordeel een giftige poel van zedelijk verderf vol legale drugs, openlijke prostitutie en vrije homoseks. Het is twijfelachtig of we nog van de ondergang te redden zijn.

Hun morele oordeel blijft ook overeind als ze horen dat in dat Nederlandse Sodom en Gomorra het aantal abortussen en tienerzwangerschappen veel lager is dan in het zo strenge Amerika. Ons Hollandse gedrag is vies en fout en schandelijk en daarmee basta. Het ligt voor de hand hier een 'gekke-Amerikanen'-etiket op te plakken. Maar deze in onze ogen gefrustreerde seksuele moraal is – lachwekkend of niet – een onlosmakelijk deel van de Amerikaanse cultuur.

Je ziet dat vaker bij culturele verschillen tussen de VS en Europa. Tegenover de morele, sterk religieus geïnspireerde principes van de Amerikanen staat de meer resultaatgerichte, nuchtere Nederlandse benadering. Condooms, onthouding, seks voor het huwelijk, homohuwelijk, euthanasie en abortus zijn in de VS zwaarbeladen onderwerpen.

Amerikanen zoeken bij elke praktische oplossing een principieel probleem. Het gaat direct om verheven zaken als het begin van menselijk leven, het bijbelse oordeel over homoseksualiteit en het al dan niet van God gegeven instituut van het huwelijk. Nederlanders doen het omgekeerde. We praten eerst over de principiële aspecten en verzinnen dan in de politiek een praktische oplossing. Amerika en Nederland, en in het algemeen Europa, spreken een volstrekt verschillende taal.

Ook binnen de VS woedt deze richtingenstrijd. Lang niet iedereen is het eens met de aanhangers van die strenge benadering. De meer Europees denkenden beschuldigen de anderen van 'Talibangedrag' of een 'ayatollahaanpak' – ze laten immers geen ruimte voor ander gedrag. Seksuele onthouding is de enig aanvaardbare manier; het homohuwelijk moet in de grondwet verboden worden; euthanasie is moord.

De conservatieve benadering wint binnen en buiten Washington steeds meer terrein. George Bush en zijn republikeinse vrienden willen Amerika graag in dat strakke stramien persen. Het is een soort collectieve kuisheidsgordel die een dam moet opwerpen tegen opstandige jeugdige hormonen.

Kloof tussen denken en doen in 'Fucking Creek'

Doen Amerikanen 'het' eigenlijk wel? En als ze het proberen, weten ze dan hoe 'het' moet? Rare vragen? Niet echt, want dit is het land van de grote ontkenning. In Nederland zond de publieke omroep een programma uit onder de titel *Neuken doe je zo*. In de VS is dat ondenkbaar. Zelfs het woord 'neuken' is verboden. Ze piepen het *f-word* weg. Zelfs in kranten en tijdschriften zul je geen 'vieze woorden' aantreffen. Toch is *foul language* (smerige taal) niet altijd taboe geweest. Neem plaatsnamen. In Europa zijn die vaak al vele honderden jaren onveranderd en als we iets nieuws aanleggen noemen we het heel braaf Lelystad of Emmeloord. Dat pakten de Amerikaanse pioniers die eenzaam door honderden mijlen onontgonnen land trokken heel anders aan. Die lieten hun fantasie graag de vrije loop.

Zo komen we aan – inmiddels vanwege politieke correctheid geschrapte – namen als Shithouse Mountain, Cold Ass Creek, Fucking Creek, Dead Bastard Peak, Two Tits, Nipple Mountains, Tickle Cunt Branch, Superior Bottom, Puke and Shitbitches Creek, Whiskey Dick Mountain en Sugar Tit. Zo te horen werd er bij kampvuurtjes heel wat af gehunkerd in die tijd.

In het openbare leven bestaat seks amper in Amerika. Er is het beroemde geval van een bar in Nashville, Tennessee, waar een levensgrote foto hing van een naakte vrouw. Heel aanstootgevend was de foto niet – een bloot achterwerk, dat was alles. Geen *frontal nudity* dus.

Niettemin ontstond er gedonder toen een cafégast er zijn vrouw in herkende. Hij wist niet dat zij ongekleed bijkluste en stapte naar de rechter. Het werd een reuzerel met veel publiciteit en het gevolg was dat veel meer mensen naar de foto kwamen kijken dan de boze echtgenoot lief was.

De rechter bepaalde dat in een bar (waar in de VS alleen gasten van 21 jaar en ouder naar binnen mogen) zoiets niet gepast is. Hij vond het zelfs obsceen. Had de foto maar in een kunstgalerie opgehangen, suggereerde hij, dan had het wel gemogen, hoewel daar iedereen – ook beneden de 21 jaar – mag komen.

In Nederland gaat dat heel anders. Daar neemt niemand aanstoot aan het feit dat in elke boekwinkel het boekenweekgeschenk van Jan Wolkers ligt met op de omslag onverhuld het achterwerk van zijn vrouw. Dat zou in de VS ondenkbaar zijn. Hier zou het boek verboden worden of – iets minder waarschijnlijk – een peloton uitzendkrachten zou op een zeer geheime plek dagenlang druk zijn om al die boekomslagen zedig af te plakken.

Kroon op Gods schepping blijft bedekt

Amerika is een diepchristelijk land, maar de kroon op Gods schepping moet zorgvuldig bedekt blijven. Dat ondervond tv-station CBS in 2004 tijdens de pauze van de SuperBowl, de razend populaire finale van American Football. Janet Jackson trad op. Ineens floepte tijdens een wilde dans heel even één borst uit haar jurk.

Heel Amerika stond op z'n kop. Was het opzet? Greep Justin Timberlake, met wie ze danste, haar iets te vrijpostig vast? De officiële verklaring was een foutje in de kleding ('a wardrobe malfunction') van la Jackson. De boete die CBS kreeg was hoog: 500.000 dollar en niemand vond dat gek. Sterker, er ontstond een lobby om boetes voor dit soort onfatsoenlijk en aanstootgevend gedrag te verhogen. Wie niet horen wil, moet betalen. Er was opnieuw geen protest.

Seks bestaat in het Amerikaanse openbare leven eigenlijk niet. Je mag het niet zien en er mag in het openbaar niet over worden gepraat. Je mag van alles suggereren, maar het niet echt benoemen. Als het toch een keer gebeurt is er stampij.

Neem Arnold Schwarzenegger, oud-bodybuilder en destijds kandidaat voor het gouverneurschap van Californië. Met zijn vrouw Maria Shriver verscheen hij bij Oprah Winfrey en vertelde smakelijk over het ruige leven dat hij ooit leidde en de idiote dingen die hij toen zei. Het werken met gewichten, vertelde der Arnold, gaf soms meer bevrediging dan een orga... Klets, Maria sloeg resoluut haar hand voor zijn mond. Gelukkig had de CNN-presentatrice de kijkers gewaarschuwd dat er een heel schokkend fragment aankwam.

Al die voorbeelden – billen in de bar, de borst van la Jackson en de bevrediging van Arnold – hebben één ding gemeen: door al dat preutse gedoe komt er voor zoiets onbeduidends juist veel meer aandacht, want de tv-beelden worden eindeloos herhaald onder het motto: 'Dit is zo vies en voos dat we het u nóg een keertje laten zien.'

Het blootaboe dringt door tot in de hoogste politieke kringen. De minister van Justitie liet in de hal van zijn departement een beeld van Vrouwe Justitia met een gordijn van vele duizenden dollars afdekken (hoezo zuinige overheid?). Want à la Janet Jackson had het beeld één blote borst. De minister in kwestie was de ultieme zedenmeester die ten strijde trok tegen drugs, drank en seks. In de krant verschenen foto's van een persconferentie van de minister waarop die blote borst van Vrouwe Justitia uit zijn linker oor leek te komen. Dat is niet fijn voor 's lands ijverigste fatsoensridder. De borst is nu voor een hoop geld onzichtbaar gemaakt.

Al die zedenprekerij komt mede voort uit de strenge religieuze achtergrond van veel blanke Amerikanen. Vroege immigranten kwamen uit die streng puriteinse traditie. Het opleggen van strikte zedenwetten hoort daarbij. Dit is in Europese ogen extreem en overdreven, maar is in de VS meer geaccepteerd. Het verklaart ook de opwinding die steevast ontstaat bij elke streep openbaar bloot.

In zo'n maatschappelijk klimaat is het ook niet verbazend dat sekswinkels in de meeste Amerikaanse staten verboden zijn. Blote blaadjes zijn wel te koop, maar worden zorgvuldig met zwart plastic afgeplakt.

Een seks- en pornoloos land dus? Een kleine onwetenschappelijke test bewijst het tegendeel. Neem het verbod op prostitutie. Amerikanen zijn daar nogal trots op en spreken graag schande van de openlijke sekshandel in Nederland.

Ter vergelijking pak ik de *Yellow Pages* van Washington erbij en zoek bij 'sex'. Vergeefs, niks te vinden. Maar kijk onder de 'e' van escortservices en de wilde dames springen je vanaf de gele bladzijden tegemoet. Bijna overal in de VS staan in de *Yellow Pages* (die in het nachtkastje van je hotelkamer naast de bijbel ligt), ondanks het prostitutieverbod, aanbiedingen voor de 'hottest hotties in town'.

Het is ook allang niet meer een business voor louche achterafsteegjes. De escortbedrijven bieden 'zakenrekeningen' voor het geval het uitstapje als zakelijke kosten wordt geboekt. De romantische diensten staan uitnodigend en uitdagend aangeprezen, maar je zoekt vergeefs naar 'sex'. Het woord komt in geen van de advertenties voor.

Dat is kennelijk het juridische handigheidje waardoor de seksondernemers onder de wet uitkomen. Je huurt de dames (en heren) als prettig gezelschap voor een goed gesprek en stemmig etentje bij kaarslicht. Niet voor seks dus, want dat is tegen de wet. Op sommige van de duizenden websites voor escorts staat het er zelfs bij: 'Dit is geen aanbod voor seks.' Oh, really?

San Pornando Valley: zedenprekers staan machteloos

Amerika heeft de grootste porno-industrie ter wereld. Dankzij video's, dvd's, satelliet-tv en natuurlijk de laatste tien jaar internet is het een explosief groeiende bedrijfstak. Per jaar komen ten behoeve van de seksindustrie via mensensmokkel 50.000 vrouwen Amerika binnen. Ze komen vooral uit Latijns-Amerika, Azië en de voormalige Sovjet-Unie. Het is *booming business* met zeer hoge winstmarges.

De meeste pornofilms worden in Californië gemaakt. San Fernando Valley in de buurt van Los Angeles is het Mekka van de *adult*-filmindustrie. In de volksmond heet het dan ook al San Pornando Valley of Sillicon Valley. En net als in de prostitutie in Nederland is het allemaal legaal en betalen de filmbedrijven waar zo'n 12.000 mensen werken gewoon belasting. Een bedrijf als Vivid Video zet honderden miljoenen dollars per jaar om.

Elk jaar is in Las Vegas een tentoonstelling waar de sekssector zijn waren aanprijst. Het is een toepasselijke locatie, want Las

Vegas is behalve van het gokken rijk geworden van seks. Niet voor niets is de slogan van de stad 'What happens in Vegas, stays in Vegas'. Op de vakbeurs blijkt hoe groot het *aanbod* is. Geen wonder, de *vraag* is enorm.

Elk jaar bezoeken naar schatting ruim 20 miljoen Amerikanen een website met porno. Jaarlijks worden er in de vs 800 miljoen seksfilms verhuurd. Videobaas Paul Fishbein: 'En dat zijn heus geen 800 mannen die elk één miljoen films huren'. Hotelketens zeggen dat bijna de helft van de gasten op hun kamer naar seksfilms kijkt. De hotels verdienen er kapitalen mee. Het levert meer op dan het flesje sap of de knabbelnootjes uit de minibar.

De seksindustrie heeft zelfs al een lobbyist in Washington. Bill Lyon, die in het verleden voor wapenfabrikanten lobbyde, maar nu voor de seksindustrie werkt, zei in een interview: 'Eerst merk je een schok bij de mensen. Maar wanneer je dan uitlegt hoe groot de industrie is beseffen die politici dat het hier ook om stemmen gaat en om geld. Bedrijven willen geld verdienen. En dit is een zeer grote bedrijfstak met prachtige winstkansen.'

Dat is ook precies de reden waarom conservatieve zedenprekers kansloos zijn: er valt te veel geld mee te verdienen. Gevestigde hotelbedrijven als Marriott, Holiday Inn, Hilton en Hyatt lopen er niet zo mee te koop, maar kunnen niet meer zonder. Gasten vragen om een verwarmd zwembad, breedband internet én harde porno. Ze willen er flink voor betalen en het is geen product waarover je bij de hotelreceptie luid gaat klagen dat het wat prijzig is. Er zit een soort 'schaamheffing' op. Klanten betalen, al is het duur. De seksondernemers varen er wel bij.

Dat is slecht nieuws voor de conservatieve actiegroepen die een dam willen opwerpen tegen de pornovloedgolf. Conservatieve politici zitten tussen twee vuren. Aan de ene kant zijn er de fundamentalistische anti-pornogroepen die onder traditionele kiezers nogal wat rumoer maken. Aan de andere kant zitten de bedrijven die porno verkopen en forse financiële bijdragen storten in de campagnekas van lobbygroepen en politieke kandidaten.

Bovendien komt hier het altijd belangrijke principe van *free speech* (de vrijheid van meningsuiting) om de hoek kijken. Wat kan de overheid tegenhouden? Verbied je porno? Waar ligt dan de grens? Wie weet wat politici daarna gaan verbieden? En wat doe je met internetseks? Vaak zijn de pornosites veilig buiten de VS gevestigd. Die krijg je juridisch niet gemakkelijk te pakken. Het resultaat is dat er bijna niets tegen gebeurt.

De productie van pornomateriaal blijft dus op volle toeren draaien. Naar schatting komen er in de VS per jaar 4000 nieuwe seksfilms uit. Er gaat in *adult entertainment* zo'n 10 miljard dollar om. In 2004 ging er even een schokgolf door de industrie toen een aantal van de acteurs HIV-positief bleek te zijn. Het leidde tot veel negatieve publiciteit. Een paar weken werd er niet gefilmd.

Producenten pleitten ervoor dat acteurs ter voorkoming van aids condooms gingen dragen. Maar dat is commercieel onaantrekkelijk, want dan verkopen de video's en dvd's minder goed. Van de naar schatting 1000 seksvideobedrijven hebben er nu welgeteld drie een 'condom only'-regel. Na een paar weken was de schrik over de HIV-besmetting over en zoemden de videocamera's als vanouds.

De opmars van seks en erotiek heeft ook geleid tot veranderingen bij de televisie. De mensen zijn minder gauw geschokt. Twintig jaar geleden was een serie als *Sex and the City* en *Temptation Island* niet mogelijk geweest. Nu wordt er af en toe wel over geklaagd, maar het financiële belang gaat voor het principiële bezwaar.

Als die tv-series goed scoren blijven ze, hoe pikant ze ook zijn. Het conservatieve tv-station Fox, waar in keiharde commentaren veel en vaak wordt gemopperd over zedelijk verval, zendt veel van die suggestieve tv-series uit. Opvallend is dat de kijkcijfers van deze series heel hoog zijn in streken met veel Republikeinen. Hun preutse principes sporen dus niet altijd met hun dagelijkse daden.

Wedergeboren maagden voeren actie op 'The Strip'

Onlangs was er in het zondige Las Vegas (het heet niet voor niets 'Sin City') een bijeenkomst die daar niet erg thuis leek te horen: een landelijke conferentie van 'wedergeboren maagden'. Ze vergaderden er dagenlang over seks, of liever gezegd over geen seks. Er is namelijk een groeiende beweging in de VS die pleit voor *abstinence,* seksuele onthouding tot het huwelijk. Als je een keer in de 'fout' bent gegaan, is er nog geen reden voor paniek. Dan word je eenvoudig een BAV, een 'Born-Again Virgin', een 'wedergeboren maagd'. De BAV-constructie is toegankelijk voor zowel zondige jongens als zondige meisjes.

De BAV's leggen plechtig een 'kuisheidsbelofte' af en dragen een speciale abstinence-ring. Er is intussen een hele serie boeken over onthouding (*Why say* no, *when my hormones say* go.) en natuurlijk de onvermijdelijke guitige T-shirts. 'We zijn dol op seks. En de beste seks is binnen het huwelijk', zeggen ze. En de jongens dragen hun slogan uit: 'Keep your pecker in your pants.'

Op de 'strip' in hartje Las Vegas krijg je altijd een bombardement van commerciële seks over je heen. Op elke straathoek duwen ze je de foldertjes in de hand met ongeklede dames die slechts zijn bedekt door een prijsstickertje waarop hun uurbedrag staat vermeld. De wedergeboren maagden gingen de straat op om *good girl*-kaarten uit te reiken. Daarop stonden foto's van aangeklede, blije jonge vrouwen die onthouding propageren als tegenwicht voor de seksuele vrijheid-blijheid waartoe Las Vegas zijn miljoenen bezoekers probeert te verleiden.

'Geen seks' moet gewoon worden, zeggen ze. 'Je bent geen kansloze muurbloem als je besluit het tot na je huwelijk uit te stellen. Je hoeft je daar niet voor te schamen.' 'Ain't no shame in the abstinence game!' Dat is een slogan waar de gemiddelde bezoeker van Las Vegas even aan moet wennen.

De abstinence-aanhangers, die meestal sterk religieus geïnspireerd zijn, maken enthousiast reclame voor het huwelijk. Getrouwd zijn geeft zekerheid en stabiliteit in het leven. Dat is natuurlijk een gevoelig thema in Las Vegas waar je met een creditcard in een opwelling binnen een kwartier getrouwd kunt zijn. Maar het kan ook weer zo voorbij zijn. Zangeres Britney Spears trouwde er, maar bedacht zich binnen één dag. Dat is niet het voorbeeld dat de pro-huwelijkactivisten in gedachten hadden.

De betekenis van de beweging, die propageert dat alleen geen seks veilige seks is, gaat verder dan zo'n conferentie in Las Vegas doet vermoeden. Bill Clinton – zelf niet het ideale rolmodel op dit vlak – trok als president al 50 miljoen dollar uit ten behoeve van voorlichting over onthouding.

De veel conservatievere George Bush heeft het thema gretig overgenomen. Er komt meer geld voor. Bush: 'We zullen de subsidie voor onthoudingsprogramma's verdubbelen. Scholen kunnen deze levensles dan onderwijzen: Onthouding is voor jonge mensen de enige zekere manier om geslachtsziekten te vermijden.'

Om 'echte seks' te vermijden is onder veel tieners nu orale seks heel populair. Ze volgen daarmee het voorbeeld van president Bill Clinton die immers stug volhield dat zijn orale seks met Monica Lewinsky geen 'sexual relationship' mocht heten. Dat is meer dan een komische echtelijke uitvlucht. Want de tieners worden er weliswaar niet zwanger van en blijven strikt genomen 'maagd', maar het gevaar van geslachtsziekten blijft groot. Van halve seks kun je heel ziek worden.

Het probleem is dat er steeds meer politieke druk komt om onthouding als alleenzaligmakend aan te prijzen. Sterker, het wordt steeds moeilijker overheidsgeld te krijgen voor programma's die een andere benadering hebben. In Texas, de thuisstaat van de president, hebben de conservatieven een enorme overwinning geboekt bij de selectie van schoolboeken die gebruikt worden bij seksuele voorlichting.

Tot nu toe behandelden die boeken de optie van onthouding, maar noemden ook voorbehoedsmiddelen, zoals condooms. Onder druk van groepen ouders en leerkrachten is dat nu teruggedraaid. Het gaat alleen nog maar over onthouding. De vraag hoe je een zwangerschap en besmetting met geslachtsziekten en aids kunt voorkomen blijft nu in de meeste nieuwe boeken onbesproken.

De pro-abstinence-activisten zeggen dat als je tieners ook informatie over anticonceptie aanbiedt, je hen maar in verwarring brengt. Je wekt ook de indruk dat seks met meerdere partners gewoon is. Je kunt die kinderen beter een eensluidende boodschap geven: onthouding dus.

Het besluit van Texas heeft verstrekkende gevolgen. Voor uitgevers van schoolboeken is Texas een belangrijke markt die in het verleden vaak de trend zette voor de rest van het land. Als Texas voor of tegen de aanschaf van bepaalde boeken heeft besloten volgen veel andere staten. Ook schrijvers van nieuwe schoolboeken moeten daar – of ze willen of niet – rekening mee houden.

Veel leraren en ouders zijn daar woedend over. Ze zijn niet tegen onthouding, maar vinden het onverantwoord scholieren zo eenzijdig voor te lichten. Texas heeft landelijk al een van de hoogste percentages zwangerschappen onder tieners. Dat zal alleen maar erger worden, vrezen ze. Een enquête onder 15-17-jarigen laat zien dat veel jongeren onthouding een goed idee vinden. Maar tweederde van de ondervraagden voegt eraan toe: 'Niemand doet het.'

In de VS wordt 40 procent van de meisjes vóór ze twintig zijn zwanger. Dat is ongeveer tien keer zo hoog als in Nederland. Dat verschil was een aantal jaren geleden nog groter. Het is dus geen wonder dat elk denkbaar middel wordt aangegrepen om daar iets tegen te doen. Onthouding kan dan – los van de uitwassen – een middel zijn.

Onderzoek in de VS laat zien dat de daling van het aantal tienerzwangerschappen voor een kwart te danken is aan uitgestelde seks. De rest van de daling wordt aan meer gebruik van anticonceptie toegeschreven.

Culturele oorlog

Conservatieven hebben een haat-liefde verhouding met de overheid. Ze maken er graag gebruik van als het hen uitkomt; bijvoorbeeld als het gaat om defensie, politie en zedenmeesterij. Maar diezelfde conservatieven zijn als het om een ander hot issue als wapenbezit gaat, juist weer ouderwets anti-overheid ('I love my country, but I hate my government'). Waarom proberen ze dan als het om seks gaat iedereen in hun gareel te krijgen? Waarom mogen ouders, scholen en stadsbesturen niet zelf kiezen? Hun morele doel heiligt alle middelen.

Strenge christenen, die altijd klagen over de verderfelijke invloed van linkse landgenoten, steken niet onder stoelen of banken dat ze willen dat Amerika een strikt bijbels land wordt en gelooft in de letterlijke tekst van Gods woord. Vandaar de kruistocht tegen seksuele losbandigheid en het pleidooi kinderen het scheppingsverhaal te vertellen, terwijl tot nu toe ook daarover beide visies werden behandeld.

GOD IS OPPERMACHTIG IN AMERIKA: *EEN THUISWEDSTRIJD MET HEEL VEEL TROUWE FANS*

We zijn een nieuwe generatie conservatieven. We zijn tevreden met de huidige situatie maar willen de machtsstructuur van dit land veranderen.
Paul Weyrich, religieus activist

De botsing tussen gelovigen en niet-gelovigen zal de verhouding tussen de VS en Europa voor een deel beheersen.
Het verschil in normen en waarden is in
de Europees-Amerikaanse relatie sinds 1945
niet zo scherp naar voren gekomen.
Jacques Delors, oud-voorzitter van de Europese Commissie

God won de verkiezingen van 2 november 2004. Hij heeft het Witte Huis in handen en kan steunen op een solide meerderheid op Capitol Hill. Zijn wil is wet in de Senaat en het Huis van Afgevaardigden. Hij wordt bij de volgende verkiezing vast herkozen en heeft het voordeel dat hij – anders dan een president die na maximaal acht jaar weg moet – tot in de eeuwigheid mag blijven.

Het gaat goed met de politieke carrière van God. De overgrote meerderheid van de Amerikanen gelooft in hem. Amerikaanse kiezers zijn het in meerderheid eens met God als het gaat om liefdadigheid (dat moet), seks voor het huwelijk (geen sprake van), euthanasie en abortus (onder geen voorwaarde) of de doodstraf (dat schijnt weer wél van God te mogen).

Amerikanen zijn er ook van overtuigd dat je in de hemel komt als je je op aarde netjes hebt gedragen en braaf naar de kerk bent gegaan. Dat laatste doen de meeste Amerikanen. In andere rijke landen rennen de mensen de kerk uit. In Amerika zitten de kerken vol.

God speelt een thuiswedstrijd in Amerika. Hij is populairder dan ooit, maar daarvoor heeft God wel van politieke partij moeten switchen. Zo'n 25 jaar geleden was hij nog Democraat. Nu niet meer. Hij heeft zijn klinkende verkiezingszege van 2004 vooral te danken aan de Republikeinen van George Bush.

Bovenstaande alinea's zijn niet oneerbiedig bedoeld. Het is een ruwe schets van het Amerikaanse politieke landschap waarin godsdienst zo'n prominente rol speelt. Amerika staat aan het begin van de tweede ambtstermijn van George Bush die, gevraagd naar zijn favoriete politieke filosoof, zonder dralen antwoordde: 'Jezus Christus.' Dat is veelzeggend.

In Europa is veel weerzin tegen politiek gedweep met God. Europeanen vinden het ouderwets en naïef, maar in de VS ligt dat anders. George Bush zegt het nét niet letterlijk, maar hij komt er heel dichtbij: 'Wat ik doe, is in opdracht van God.' Kom daar maar eens aan. God als reserve-vice-president? President misschien zelfs? Hij is op zijn minst de morele opperbevelhebber van de natie.

Ongelovig in Amerika: 'Wij geloven niet in de paashaas of in God.' 'Beyond belief' ('Het geloof voorbij') was het thema van het landelijk congres van Amerika's atheïsten. Het is bijna niet voor te stellen dat in dit gelovige land ook een actieve beweging is van principieel óngelovigen. Maar ze zijn er en maken het gebrek aan massale aanhang goed met de gedrevenheid waarmee ze hun boodschap uitdragen. En zoals het ware activisten betaamt, onderschatten ze hun eigen kracht en invloed bepaald niet.

Toch is het moeizaam ploegen voor Amerika's anti-Godbeweging, want geen politicus van de grote partijen wil in hun gezelschap gezien worden. Een ambtsdrager die twijfel laat over zijn religieuze inspiratie pleegt politieke zelfmoord. Het 'God bless America' ligt elke politicus in de mond bestorven. Geen speech zonder genade te vragen voor 'God's own country'.

Sommige atheïsten noemen zichzelf niet zonder eigendunk *'brights'*, helderen van geest. Universitair docent Daniel Dennett: 'Wij "brights" geloven niet in elfen en geesten of de paashaas, of in God. Veel geestelijken zijn stiekem ook brights. Eigenlijk zijn we de morele ruggengraat van de natie. We zijn de stille meerderheid.'

De conferentie van de atheïsten was in het paasweekeinde. Dat is voor hen geen bezwaar, want ze hoeven op Witte Donderdag, Goede Vrijdag en paaszondag niet ter kerke. Genoeg tijd dus voor een mooi congres in San Diego. Deze congresgangers komen er rond voor uit principieel goddeloos te zijn. Ze gebruiken de term die homoseksuelen gebruiken als ze voor hun seksuele geaardheid uitkomen. 'Coming out' is soms ook voor atheïsten een hele stap.

Durfden maar meer ongelovigen die stap te zetten, zegt Jeffrey Lewis van de organisatie American Atheists, want dan zouden ze een politieke factor van betekenis kunnen zijn. Uit opiniepeilingen blijkt dat 30 miljoen Amerikanen niet geloven of ten minste twijfelen aan het bestaan van een almachtig opperwezen. Als al die ongelovigen en twijfelaars nu eens actief werden, zeggen de atheïsten.

Het zal niet gebeuren. Het is een onmogelijke taak. Als andere Amerikanen een schijnbaar onhaalbare opdracht zien opdoemen, vallen ze op de knieën om de hulp van God in te roepen. Dat hulpmiddel ontbeert de kleine, strijdbare groep atheïsten natuurlijk.

Onderwijs thuis: miljoenen gelovige kinderen gaan nooit naar school

Hoe anders ligt dat voor een veel invloedrijkere actiegroep aan de andere kant van het religieuze spectrum. Het zijn de *home schoolers,* ouders die uit religieuze overwegingen hun kinderen niet naar een gewone school sturen. Naar schatting anderhalf à twee miljoen kinderen krijgen thuis onderwijs en dat aantal groeit gestaag.

Soms is het gewoon handig omdat kinderen ver van een school wonen. Veel vaker is het ingegeven door godsdienstige overwegingen. Het speelt ook in op de afkeer van een te bemoeizuchtige overheid, want die dringt je wereldse opinies op die strijdig zijn met je geloof.

In Nederland bestaat 'thuisonderwijs' ook, maar het stelt niet veel voor. Waarschijnlijk gaat het om niet meer dan ongeveer 100 leerlingen. Wat in Amerika ondenkbaar is staat in Nederland gewoon in de wet. Kinderen móéten naar een erkende school. Alleen in zeldzame gevallen is een uitzondering mogelijk. Een ouder die zijn kind zonder toestemming thuishoudt is formeel zelfs strafbaar. De vraag is overigens hoeveel Nederlandse ouders bereid zouden zijn de zware taak van *home-schooling* op zich te nemen. Het is nogal een klus.

De home schoolers hebben sterke argumenten. Hun leerlingen doen het zowel op het niveau van de lagere als op dat van de middelbare school gemiddeld beter dan de leerlingen van een gewone school. Tegen de tijd dat ze een jaar of veertien zijn liggen ze gemiddeld ver voor op leeftijdgenoten, zeggen de homeschoolouders.

Officieel is home-schooling niet per se godsdienstig. Maar de diverse websites hebben allemaal een streng religieuze toon. Veel homeschoolkids stromen door naar het Patrick Henry College in Purcelville in het conservatieve Virginia.

Het motto van de universiteit laat niets te raden over: 'For Christ & For Liberty'. Het spreekt voor zich dat deze privé-universiteit zonder overheidsgeld draait. Ze zouden niet eens geld van de overheid willen en hebben het ook niet nodig. Er zijn genoeg kapitaalkrachtige religieuze activisten om de begroting van de universiteit sluitend te maken.

Deze universiteit gaat uit van de letterlijke tekst van de bijbel: de schepping van hemel en aarde in zes dagen, de zondeval van Adam en Eva, de maagdelijkheid van Maria en de verrijzenis van Jezus. Ze zijn tegen seks voor het huwelijk, vandaar dat op de campus jongens en meisjes (homorelaties zijn natuurlijk verboden) samen mogen wandelen en elkaars hand mogen vasthouden op voorwaarde dat ze erbij blijven lopen. Je weet anders maar niet wat er kan gebeuren.

Vanuit dit rechts-religieuze bolwerk zwermen de studenten uit naar stages op het Witte Huis en bij Republikeinse Congresleden. Ze hebben als de leiders van morgen een opdracht. Amerika moet terug naar God en strenge bijbelse gedragsregels.

In Amerika is een kerk vaak veel meer dan een godshuis. Het is tegelijk een soort sociale dienst, waar vooral arme Amerikanen zwaar op leunen voor financiële steun, eten, kleding, gezondheidszorg en onderwijs. Bij een verhuizing kijken Amerikanen behalve naar een huis en een nette buurt naar de kerken in hun nieuwe woonplaats.

Die sterke sociale functie leidt bij niet-gelovigen soms tot de cynische conclusie dat wereldse belangen gewichtiger zijn dan het geloof in God. Geloven ze wel echt of is het wel gemakkelijk, zo'n sociale hulppost met een kruis op het dak?

Waar in de Europese welvaartsstaat een overheidsdienst uitkomst biedt voor veel problemen, ben je in de VS op God en liefdadigheid aangewezen. De sociale geborgenheid en aanvullende hulp van de kerk komen heel goed uit.

Maar miljoenen Amerikaanse gelovigen kiezen de laatste jaren een geloofsrichting waarbij die persoonlijke zorgfunctie vervalt. Ze hebben de traditionele kerken ingeruild voor de minder hiërarchische religieuze gemeenschappen. Ze gaan naar de massakerken op commerciële basis die overal in het land uit de grond schieten. Het is een gat in de markt.

Velen geloven thuis vanaf de bank. Hun enige band met de tv-kerk is de creditcard waarmee ze dvd's en boeken bestellen en – nog belangrijker – gulle giften overmaken naar deze ultramoderne omroeppastoors en -predikanten.

Maar waar ze ook bidden, waar ze ook ter kerke gaan, Amerikanen doen dat massaal. Theoloog Michael Novak herinnert zich een Europese journalist die nieuwsgierig was naar de uitbundige religiositeit van de Amerikanen. Hij vroeg Novak om advies. Waar moest hij gaan kijken?

Dit was het advies van Novak: 'Ga naar steden in het midden van het land. Columbus, Minneapolis, Kansas City, wat je maar wilt. Gooi een pijltje op de kaart en ga. Bezoek dan een katholieke kerk op zaterdagavond en ga de volgende ochtend om 8 uur naar een zwarte kerk, en daarna om 9, 10 en 11 uur naar andere kerken en laat het maar gebeuren. Maar bereid je erop voor dat je overal problemen hebt om te parkeren en dat je moeite zult hebben om binnen te komen.'

De meeste Amerikanen zijn in hun geloof heel traditioneel gebleven. Het heeft voor de Nederlandse waarnemer vaak een hoog Staphorstgehalte. Maar het is misleidend en te gemakkelijk het daarmee af te doen. In de VS is het meer dan een randbeweging. Integendeel, het is juist de toonaangevende religieuze stroming. Het is gemeengoed in een groot deel van de VS.

Alle opiniepeilingen bevestigen dit beeld. Tweederde van de ondervraagden zegt dat godsdienst een oplossing biedt voor alle hedendaagse problemen. Driekwart van de Amerikanen denkt dat God zich actief met hun leven bemoeit. Een nog hoger percentage (83 procent) zegt dat godsdienst 'heel belangrijk' is in hun leven.

Er gaapt een enorme kloof als je deze gegevens vergelijkt met uitkomsten van dezelfde vragen in Europa. De ineenstorting van religieus leven is het sterkst in de landen van Noord-Europa, waaronder Nederland. Amerika wijkt daar radicaal van af. Er is geen ander rijk, ontwikkeld land met zó veel gelovigen. Zelfs de verschillen met buurland Canada, dat cultureel min of meer tussen de VS en Europa in zit, zijn groot.

Hoe komt dat? Eén sluitende verklaring is er niet. Veel oorspronkelijke Europese bewoners kwamen hier als religieus vluchteling. Ze waagden hun leven om hun godsdienst te kunnen beleven zoals ze dat wilden. Die morele erfenis is overgedragen op latere generaties immigranten. Daarnaast was er ook toen al de geringe sociale zorg. Het leven was vol gevaar en onzekerheden. Dat heeft vast de hang naar godsdienst versterkt.

Ontstaan van de wereld: heidense Darwin vaak taboe

Hoe zit het ook alweer met de dinosauriërs? God schiep ze op de zesde dag van de schepping. Toen later de zondvloed de aarde overspoelde wandelde een dinosaurusechtpaar (samen met stelletjes van alle andere diersoorten) aan boord van de Ark van Noach. Toen de zondvloed voorbij was, gingen ze aan land en vermenigvuldigden zich.

In het Museum of Earth History in Arkansas staan negen kolossale modellen van dinosauriërs. De bezoekers horen er dit bijbelse scheppingsverhaal bij en kunnen op video's het wetenschappelijke bewijs zien ('Geloof het ongelooflijke') dat fossielen en rotsformaties dankzij onmeetbare goddelijke kracht niet in miljoenen jaren, maar in één enkele dag gevormd werden.

Bioscopen durven sommige natuurfilms niet meer te vertonen, omdat ze uitgaan van natuurlijke evolutie en niet van goddelijke schepping. Er worden bittere vetes uitgevochten over de inhoud van schoolboeken. Mag de evolutieleer van Darwin genoemd worden? Is dat dan dé verklaring voor het ontstaan van de wereld of wordt het afgedaan als 'een heidense theorie'? Of mag Darwin helemaal niet en horen de schoolkinderen alleen het bijbelse scheppingsverhaal?

Meer dan de helft (57 procent) van de Amerikanen gelooft in het scheppingsverhaal of neigt daartoe. Slechts 33 procent geeft de voorkeur aan de evolutieleer van Darwin. Meer dan tweederde van de Amerikanen denkt dat de hemel – net als de hel – een plek is waar je echt naartoe kunt gaan.

Veel Amerikanen geloven ook onvoorwaardelijk in directe invloed van God op hun levens. In een enquête was de vraag: 'Helpt bidden?' Ja, zegt driekwart van de ondervraagden. Uit een ingezonden brief: 'Ik moest een openhartoperatie ondergaan. Voor drie geblokkeerde bloedvaten. Vrienden en familie gingen voor me bidden. De volgende ochtend vertelde mijn dokter me dat mijn aderen en bloedvaten zo schoon waren als die van een teenager.'

Nog een voorbeeld van een verhoord gebed: 'De motor van mijn auto werd steeds te heet. Ik bad dat het vanzelf op mysterieuze wijze zou overgaan, omdat ik de reparatie niet kon betalen. Een paar dagen later werd de motor ineens niet meer heet. Hij doet het sindsdien prima.'

EO zou hier de grootste omroep zijn

De invloed van tv-predikanten is enorm in de VS. Het uiterlijk vertoon is on-Europees. Het lijkt een beetje op EO-jongerendagen, maar dan elke zondag en op tientallen plaatsen tegelijk. De EO zou hier de grootste omroep zijn.

Al die nieuwe religieuze gemeenschappen staan los van bestaande kerken. Ze hoeven aan geen paus of synode verantwoording af te leggen. Ze zijn ook het toppunt van commerciële religieuze marketing waarbij de klant koning is. En die klanten stromen toe, met miljoenen tegelijk. In deze religieuze bedrijven worden godsdienst, een opgewekte levenshouding en liefde voor Amerika samengesmeed tot een handzaam en goed verkoopbaar reliproduct.

Neem de populaire pastor Joel Osteen die zelf tot de jongere generatie behoort, maar ook veel ouderen aanspreekt. Op de website staat een foto van zijn nieuwe kerk. Hij verbouwt een overdekt sportstadion dat plaats biedt aan 16.000 mensen. Die zitplaatsen heeft hij hard nodig, want zijn kerk is de snelst groeiende in Amerika met wekelijks 30.000 bezoekers. Osteen, die nooit een theologische opleiding kreeg, erfde de 'business' zes jaar geleden van zijn vader en heeft de kerk sindsdien in omvang verviervoudigd.

Hij is in de VS en in 150 andere landen op televisie. Zijn basis is Houston in Texas, de conservatieve thuisstaat van George Bush. Maar Osteen gaat ook op tournee binnen de VS en preekt – ver verwijderd van de conservatieve Bible Belt – net zo gemakkelijk in hartje New York twee keer voor een uitverkocht Madison Square Garden (ruim 20.000 plaatsen).

Glimlachende tv-dominees: er wacht een fantastische toekomst

Ze heten megakerken en daar is dus niets te veel mee gezegd. Er is zelfs een speciale organisatie, Church Growth Today, die de ontwikkeling van deze kerken op de voet volgt. Wie zelf zo'n kerk wil oprichten kan daar terecht. Er is voor 1000 dollar een speciaal computerprogramma ('Build the church of your dreams') te koop met handige tips hoe dat moet.

Er is in een paar jaar een hele reeks van deze superkerken uit de grond geschoten. Daarnaast zijn er de oude getrouwen als James

Dobson, Billy Graham en Jerry Fallwell. Dat zijn nog een beetje de predikanten van hel en verdoemenis. 'Wij mensen zijn zondig, het gaat helemaal mis met de wereld en alleen God kan uitkomst bieden.'

Hier zit ook de harde kern van de Bush-aanhangers die alles doen om de Republikeinse heerschappij in de Amerikaanse politiek te verstevigen. Ze zijn fel tegen abortus en homohuwelijk en laten het Witte Huis weten dat ze hun massale achterban binnen de kortste keren kunnen mobiliseren zo gauw ze vermoeden dat de president politiek slappe knieën heeft als het om een van hun geliefde onderwerpen gaat.

De modernere predikanten van de nieuwe superkerken zijn ook overwegend conservatief, maar hebben een veel opgewektere boodschap. Joel Osteen, die niet voor niets de 'Smiling Preacher' heet, is een treffend voorbeeld van de nieuwe trend. In een interview zei hij: 'Heel lang hebben kerken mensen naar beneden geduwd. Maar mensen zoeken inspiratie en bemoediging. Gedurende de week zijn er zo veel negatieve stemmen die ons naar beneden trekken. Mensen reageren wanneer je hun vertelt dat ze een fantastische toekomst voor zich hebben en hun verleden achter zich kunnen laten.'

Natuurlijk zijn er critici die moeite hebben met het commerciële karakter van deze kerken. Zo krijgt predikante Joyce Meyer, die haar boodschap op 1000 radio- en tv-stations uitzendt, het verwijt in een huis van een paar miljoen te wonen en rond te vliegen in een privé-jet.

Ook Joel Osteen leeft er goed van, maar excuseert zich daarvoor niet. Tegen *The Washington Post* zei hij: 'God wil dat we het goed hebben. Mijn vader groeide op tijdens de Grote Depressie. Het is niet Gods wil dat we onze gezinnen niet kunnen onderhouden.' Osteen voegt eraan toe dat als hij de belofte van armoede had afgelegd hij nu geen 80 miljoen dollar in de verbouwing van zijn nieuwe gebedsstadion had kunnen investeren.

Als zo veel Amerikanen zich met zo veel enthousiasme overgeven aan deze nieuwe verkondigers van Gods woord, is er echt iets aan de hand. Het bevredigt kennelijk een spirituele behoefte die in Europa al lang ontbreekt. De omzet van deze religieuze 'multinationals' is indrukwekkend. Weekblad *Time* maakte een overzicht van de 25 meest invloedrijke *evangelicals* en hun massale aanhang.

Pastor Rick Warren verkocht 20 miljoen exemplaren van zijn boek over het doel in ons leven (*The Purpose Driven Life*). Bij een finalewedstrijd van American Football trad hij op voor 82.000 sportfans. Hij werd toegejuicht alsof hij het winnende punt had gescoord.

Predikant T.D. Jakes maakte een bestseller van zijn zelfhulpboek over mannenproblemen (*Even Strong Men Struggle*) en hij heeft twee films in voorbereiding. Zijn kerk in Dallas heeft 35.000 leden.

Charles Colson mag ook niet onvermeld blijven. Hij was als medewerker van president Richard Nixon een van de beruchte architecten van de misdrijven in het Watergate-schandaal. Hij bekende schuld en zat er zijn gevangenisstraf voor uit. Colson runt nu een organisatie (omzet: 50 miljoen dollar per jaar) die gespecialiseerd is in geestelijke begeleiding van gevangenen. Intussen geeft hij ook nog wat politieke adviesjes aan topmedewerkers van president Bush. Watergate is allang vergeven en vergeten.

Een geval apart is Tim Lahaye. Vijftien jaar geleden kwam Lahaye (79) op het idee het einde van de wereld en de terugkeer van Jezus op aarde op een science-fictionachtige manier in boekvorm te beschrijven. Hij is – met medeauteur Jerry Jenkins – inmiddels toe aan zijn elfde boek. Op de dag dat een nieuw boek uitkomt staan de mensen er 's ochtends vroeg voor in de rij. In totaal gingen er al meer dan 60 miljoen exemplaren over de toonbank. Critici zeggen dat de boeken de wereld te simplistisch en onbijbels voorstellen. Het gaat steeds over zwart en wit, goed en kwaad, en ademt de sfeer van 'als je niet voor ons bent, ben je tegen ons'.

Tim Lahaye is niet onder de indruk en praat graag over zijn politieke gedrevenheid. Links maakt volgens hem misbruik van Jezus. 'De "liberals" hebben een Jezus gecreëerd zoals zij hem willen, maar het is een Jezus die onbijbels is. Zij willen dat God hun grote, vriendelijke grootvader is die hen toch wel in de hemel toelaat.'

Er stort zich dus een ware lawine van religiositeit over Amerika uit. Wie had dat dertig, veertig jaar geleden zien aankomen? Natuurlijk, Amerika was altijd al een religieus land. Maar evenals in de rest van de westerse wereld leek ook in de VS goddelijk gezag aan betekenis in te boeten toen de flowerpower en vrijheid-blijheid van de roerige jaren zestig elke vorm van autoriteit ter discussie stelde.

In Europa luidde dit een tijdperk in van leeglopende kerken. De welvaart groeide spectaculair, maar tegelijk verdampte de geestelijke en morele inspiratie. Dat is ook de gebruikelijke combinatie: *meer* welvaart leidt tot *minder* godsdienst. Europa volgt die regel. Amerika is de uitzondering.

De VS hebben de naam het paradijs van het materialisme te zijn. Dat klopt. Nergens in de wereld wordt zo overdadig en schaamteloos geconsumeerd. Maar tegelijk is de religieuze consumptie ook ongekend hoog. Het is niet aan te slepen. Die combinatie is uniek.

En – nog een typisch Amerikaans verschijnsel – de herleving van godsdienstigheid heeft grote politieke gevolgen. Ooit hadden de Democraten de zuidelijke staten stevig in handen. Die zijn ze kwijt sinds de burgerrechtenbeweging van de jaren zestig.

Ook in het Midden-Westen verloren ze gestaag aan invloed. Zelfs de steun voor de Democraten van vakbondsleden en katholieke kiezers is niet meer vanzelfsprekend. De Amerikaanse bisschoppen gaven de katholieke John Kerry er zelfs fors van langs vanwege zijn pro-abortusstandpunt.

De politieke kaart van Amerika is nu erg overzichtelijk. Aan de oost- en westkust en rond de grote meren in het noorden (en daar weer vooral in de steden) hebben de Democraten nog veel aanhang. Overal elders zijn de Republikeinen stevig in de meerderheid.

In de Europese verhoudingen zou je verwachten dat zo'n conservatieve beweging langzaam vergrijst. In de VS zal dat niet gebeuren, want ook jongeren zijn in overgrote meerderheid zeer godsdienstig. Op het gebied van seks, drugs en drank spoken ze van alles uit, maar hun vertrouwen in God en de bijbel is groot. Ruim 90 procent van de tieners beschouwt de bijbel als het letterlijke woord van God of op zijn minst als een boek dat direct door God is geïnspireerd.

Deze religieuze vloedgolf zwiept het fundament onder de argeloze Democratische partij vandaan. Democraten zijn ook gelovig, hun kandidaten gaan braaf naar de kerk en vragen om 'Gods Zegen voor Ons Land'. Maar voor veel kiezers klinken hun woorden steeds minder overtuigend. De Democraten hebben geen idee hoe ze het tij moeten keren (zie ook hoofdstuk 4).

Natuurlijk zijn er ook gelovigen die wel Democratisch stemmen. Jim Wallis is een activist die zich inzet voor de bestrijding van armoede. Hij is links gebleven en schaamt zich daar niet voor. Wallis is boos dat 'rechts' de godsdienst heeft 'gekaapt'. De evangelicals doen alsof zij als enigen de waarheid in pacht hebben, aldus Wallis. Ze zullen die positie keihard blijven verdedigen.

Godsdienst is in het verleden wel een progressieve kracht geweest bij de bestrijding van armoede en slavernij. Wallis: 'Ik ben een negentiende-eeuwse evangelical die toevallig in de verkeerde eeuw is geboren. Evangelicals in de negentiende eeuw vochten tegen slavernij, voor vrouwenkiesrecht en tegen kinderarbeid. Er was de burgerrechtenbeweging geleid door zwarte kerken. Er is onder evangelicals dus een lange traditie van progressief denken en handelen.'

De politieke agenda wordt beheerst door conservatieve denkbeelden. Het gaat daarbij over onderwerpen als banen, milieu, gezondheidszorg en onderwijs. Maar de emoties lopen pas echt hoog op als niet-materiële zaken aan de orde zijn. Veel Amerikanen zijn bozer over abortus, euthanasie en homohuwelijk dan over armoede, banenverlies of de 43 miljoen onverzekerden in de VS.

Zelfs in het Congres, tientallen jaren een onneembaar Democratisch bolwerk, zijn de Republikeinen van George Bush nu heer en meester. Geen wonder dat de president elke dag in alle vroegte begint met gebed. Hij heeft een hoop om dankbaar voor te zijn.

CASINO'S ZIJN EEN MILJARDENINDUSTRIE: *VERSLAVEND VOOR GOKKERS ÉN POLITICI*

Ik heb zelfs het geld voor mijn begrafenis vergokt.
Mijn kinderen walgen van me.
Ze willen niet meer met me praten.
Ik kan mezelf niet stoppen.
June L., gokverslaafde

Gokken is heel lang als een zonde beschouwd
en als maatschappelijke kwaal.
Nu is het deel van het politieke beleid:
de meest agressieve promotor van gokken
is de Amerikaanse regering.
Conservatief commentator George Will in Newsweek

Amerika is een gelovig land. Politici maken de bijbel de leidraad van hun handelen. Alles wordt met de bijbelteksten verdedigd, maar voor gokken kunnen ze vast geen passend citaat vinden. In de bijbel wordt heel wat gegokt en gedobbeld, maar het wordt niet als deugd beschreven. Integendeel. De gokkers verpatsen geld dat ze verstandiger kunnen besteden en de gokbazen handelen allesbehalve in opdracht van God.

Toch rukt in het bijbelvaste Amerika de gokindustrie onstuitbaar op. Er zijn honderden casino's in dertig staten. In nauwelijks 25 jaar is in Amerika de grootste gokindustrie van de wereld uit de grond gestampt. Jaarlijks gaan er tientallen miljarden dollars in om.

Je kunt als christelijk politicus niet altijd bijbelvast zijn. Soms moet je een beetje praktisch zijn. Gokken komt gewoon goed uit. Je raakt er als gokker én als politicus aan verslaafd. Met één beslissend verschil: de gokker raakt doorgaans veel geld kwijt; de politici halen er via de belastingen veel geld mee binnen. Gokkers én politici kunnen niet meer zonder. Van elke vergokte dollar gaat al gauw zo'n 30 dollarcent naar de overheid.

Amerikanen vinden gokken niet verwerpelijk. In een enquête werd gevraagd wat mensen moreel afkeuren. Buitenechtelijke seks, zelfmoord en homoseksualiteit scoren hoog. Maar met gokken hebben de meeste Amerikanen geen enkele moeite. Dat 15 tot 20 miljoen Amerikanen tekenen van gokverslaving vertonen, doet daar niks aan af.

De cowboyman was ineens multimiljonair

Brenda verdiende een schamele zes dollar per uur in coffeeshop Super Serve. Ze leidde een karig bestaan, maar dat viel niet op in Hurricane in de straatarme staat, West-Virginia. Het ligt in het rijkste land van de wereld, maar ziet er Derde-Wereldachtig uit.

Vanaf 's ochtends vroeg serveerde ze werklieden ontbijt. Een van de vaste klanten was de tandeloze man met de cowboyhoed die op een ochtend behalve zijn gebruikelijke ontbijt een lot in de Powerball Lottery kocht. Eentje maar, voor één dollar. De kans op de jackpot van 300 miljoen dollar was bijna nihil, maar je weet maar nooit.

Het verhaal is zo Amerikaans als het maar zijn kan. Want, inderdaad, met dat ene lot won de 'cowboyman'. Aannemer Jack Whittaker was van de ene op de andere dag steenrijk. Op tv beloofde hij veel geld aan de kerk te zullen geven en arme inwoners van West-Virginia konden ook op hem rekenen. Brenda kreeg van Jack een huis, een gloednieuwe Jeep en 44.000 dollar. Jack gaf in korte tijd 20 miljoen dollar aan goede doelen. Hij was rijk en populair en moest misschien maar gouverneur worden, zeiden ze in Hurricane.

Het liep verkeerd af met Jack. Hij bleef ontbijt kopen bij Brenda, maar elke keer stonden hem daar al mensen op te wachten. Ze konden zonder verzekering hun ziekenhuisrekening niet betalen of waren hun baan kwijtgeraakt. Er zaten vast bedriegers tussen, want onder de hulpvragers waren opvallend veel ouders van kinderen met ongeneeslijke kanker. Maar de meesten waren zonder twijfel wel echt in nood.

De familie Whittaker kreeg politiebescherming. Jack huurde drie mensen in om alle post te beantwoorden. Zelf was hij steeds vaker weg. De 'happy-go-lucky'-man van vroeger was steeds vaker in striptenten te vinden waar hij te veel dronk en handtastelijk was. 'Hij had grijpgrage vingers', zeiden ze in de Pink Pony. De dikke fooien die hij gaf maakten dat niet goed, want Jack was zo bazig geworden. 'Ik heb meer geld dan God. Je doet wat ik zeg.'

Het werd van kwaad tot erger. Whittaker reed rond met 500.000 dollar cash en vertelde dat aan iedereen die het maar wilde horen. Hij bood een barmeisje 10.000 dollar voor een striptease. De politie haalde Jack dronken van de weg. In zijn huis werd herhaaldelijk ingebroken.

Zijn kleindochter gaf geld uit als water, raakte aan de drugs en werd dood onder een viaduct gevonden. Het geld dat hij voor de bouw van de nieuwe kerk ('The Tabernacle of Praise') had gegeven was ineens minder welkom. Niemand wilde meer met hem te maken hebben, want zijn naam was besmet.

Jacks vrouw Jewel Whittaker heeft zo'n spijt. 'Ik wou dat het allemaal nooit gebeurd was. Had ik dat lot maar verscheurd.' Brenda raakte ook in opspraak vanwege een fout vriendje en verkocht haar nieuwe huis. Ze werkt nu weer bij Super Serve. De jackpot was afgelopen Kerstmis geen 314 miljoen, maar slechts 28 miljoen. Brenda had intussen wel opslag gekregen: haar uurloon steeg met twee kwartjes naar $ 6,50.

Het verhaal van Jack Whittaker is bijzonder omdat het om zo ontzettend veel geld ging. Het is tegelijk een treffend voorbeeld van de hoop en wanhoop van miljoenen Amerikanen die elke week of elke maand weer hopen hun grote slag te slaan. De sloebers die Whittaker om hulp smeekten zijn niet verzonnen. En er zijn miljoenen Brenda's die zich dag in dag uit voor een hongerloon kapot sloven.

Onder deze groep Amerikanen zijn loterijen ongekend populair en er zijn alleen hele grote prijzen. Vergelijk het maar eens met de prijzen van een Nederlandse loterij waar 10 of 15 euro al een 'prijs' wordt genoemd. De Staatsloterij heeft in een 'spectaculair nieuw prijzenpakket' maandelijks meer dan anderhalf miljoen prijzen (1.787.500 om precies te zijn) van beneden de 100 euro. Zijn er nog ergens sukkels te vinden die niets wonnen? De Postcodeloterij ('Er zijn meer prijzen te winnen dan ooit') let helemaal op de kleintjes. Als je meedoet met de PostcodeLingo behoor je al vanaf twee euro tot de gelukkigen. Intussen wordt de hoop op een riantere prijs wel levend gehouden: 'Ook miljonair worden? Bestel dan snel loten.'

Typisch Hollands is ook het 'eigen geldje'. Je krijgt precies het bedrag terug dat je had ingelegd. Waar is het gokelement dan nog? Als je in een Nederlandse loterij iets wint staat er gul op je bank- of giroafschrift: 'Gefeliciteerd met uw prijs!' Dit is in Amerika ondenkbaar. Je kunt hier met deze prijzen niet glunderend vertellen dat je 'gewonnen' hebt. In de VS loopt de loterijkoorts pas op bij prijzen boven de 50 miljoen.

In Nederland verdelen we graag en smeren het prijzengeld uit. Als je een prijsbedrag van 50 miljoen opknipt in 50 prijzen van elk 1 miljoen zijn 50 gezinnen blij en rijk. Maar zo werkt het in de VS dus niet. Dit is een land van winners en losers. Er is geen tussenweg. Er zou hier geen lot meer worden verkocht als je de Nederlandse aanpak koos.

Elke keer als in de VS zo'n superprijs valt, verschijnen er steevast artikelen in de krant over vorige winnaars. Dat is leerzame lectuur. Sommigen zijn vast blij en gelukkig, maar altijd zijn er die Whittaker-achtige treurnisverhalen. Over Evelyn Adams uit New Jersey bijvoorbeeld die twee keer won, maar haar miljoenen verspeelde en nu berooid in een stacaravan woont.

Of William 'Bud' Post uit Pennsylvania. Hij won 16 miljoen dollar. Zijn vroegere vriendin sleepte hem voor de rechter omdat ze haar deel eiste. Zijn broer stuurde een huurmoordenaar op hem af. Andere familieleden verleidden hem tot investeringen die rampzalig afliepen. Post raakte aan lager wal en kreeg zelfs deurwaarders aan huis. Hij beschoot een van hen en belandde ervoor in de gevangenis. Post leeft nu van een magere uitkering.

Een enkeling lukt het wel te winnen en daarna het gewone leven op te vatten. Ken Proxmire won in de Michigan-loterij en verhuisde naar Californië waar hij geld in de autohandel belegde. Dat had hij beter niet kunnen doen. Het liep radicaal verkeerd af. Hij ging failliet en is nu weer kraandrijver. Zijn zoon is laconiek: 'Het was fantastisch en opwindend voor drie of vier jaar. Hij leeft nu weer eenvoudig. We praten niet meer over helikoptervluchten of ritjes in dure auto's. We zijn weer hele gewone mensen.'

Ondanks al die gruwelverhalen werkt het aanstekelijk als je bij elke benzinepomp de rijen lottoklanten buiten ziet staan die allemaal op jacht zijn naar een jackpot van ver boven de 100 miljoen. Op de lokale tv-stations gaat het bijna nergens anders meer over. Voortdurend flitst het kolossale jackpotbedrag met al die nullen over het tv-scherm. Het bedrag stijgt per uur. De trekking komt steeds dichterbij. Al voor één dollar kun je dromen over rijk zijn en plannen maken voor als je dat ene lot trekt. *Keep hope alive.* Ook al is de kans 1 op de 314 miljoen.

Winnen of verliezen: Amerika houdt niet van gelijkspel

Die lottocultuur zegt iets over dit land. Dit is een cultuur van winnen. Voetbal zal hier alleen daarom al nooit echt populair worden. Amerikanen vinden het saai en de televisie kan tijdens de wedstrijd geen reclame uitzenden.

Maar het ergste is misschien wel dat je met een beetje pech 90 minuten zit te kijken om vervolgens met een sullige 0-0 of 1-1 naar huis te sjokken. 'Is dat bij jullie nog steeds volkssport nummer 1?' vragen Amerikanen verbaasd.

Bij de populaire sporten hier (American football, honkbal, basketbal en ijshockey) gaan ze bij een gelijkspel in *overtime*. Er zijn baseballwedstrijden geweest die tot ver na middernacht doorgingen. Ze spelen door tot er een winnaar is. En een verliezer.

In de sport en het maatschappelijk leven kan de glorieuze winnaar van vandaag – kijk naar Jack Whittaker – de verliezer van morgen zijn. En omgekeerd. Dit is een land van hoge bergen en diepe dalen. Niemand klaagt daarover. Dat verklaart voor een deel de ontembare gokwoede.

Veel gokkers hebben niet het geduld een wekelijkse of maandelijkse lottotrekking af te wachten. Voor hen zijn er de – ook in Nederland populaire – krasloten. In de VS is het een gigantische business. Er gaan per jaar bijna 25 miljard krasloten over de toonbank. Dat zijn gemiddeld bijna 400 krasloten voor elk gezin met twee kinderen. Veel Amerikanen doen er níét aan mee, dus degenen die ze wel kopen zijn meestal grootverbruikers. En in dollars gaat het hard als je krasloten van 10 of 20 dollar per stuk koopt. Binnenkort komen er loten van 50 dollar op de markt. Dan gaat het helemaal snel.

Veel gokkers hebben die aangeboren optimistische levenshouding van 'je-weet-maar-nooit'. De kolonisten van de achttiende eeuw gokten al. Af en toe was er verzet van de bezorgde burgerij. Maar dat ging ook steeds over en dan mocht er weer gewoon gegokt worden. Gokken paste ook bij de mentaliteit van veel vroege pioniers die dit onmetelijke land verkenden en veroverden. Er waren veel avonturiers onder voor wie in het oude Europa te weinig uitdaging was. In de tijd van de goudkoorts was het helemaal raak. Dat was sowieso een tijd van grote rijkdom en – veel vaker – diepe armoede. Alles of niks dus. Een typische gokkersmentaliteit.

Er zijn ook heel vroege voorbeelden van loterijen. Daarbij speelde de overheid – net als nu – een dubbelzinnige rol. Aan de ene kant was er het risico van verslaving, misdaad en fraude. Daar had een stadsbestuur geen belang bij. Aan de andere kant was er de belastingopbrengst van casino's en loterijen waar stadsbestuurders begerig naar keken.

'Dat gebeurt niet in mijn familie.'

Casino's verrijzen vaak in arme streken waar geld ontbreekt voor basale voorzieningen als een riolering of nieuwe school. Er is geen geld voor het opknappen van bibliotheek, gymzaal of gemeentehuis. Een casino biedt dan uitkomst en politici nemen de sociale nadelen op de koop toe. De vraag is of de totale balans uiteindelijk positief is of negatief. Het hangt ervan af aan wie je het vraagt. En wanneer.

Aan Betty Burch kun je het vragen. Ze was ooit onderwijzeres op een christelijke school in Riverside, Missouri en werd later burgemeester. Er waren plannen voor een casino in het dorp. Maar Betty had het er niet zo op. Ze was eigenlijk principieel tegen, maar ging vanwege het geld overstag. Riverside moest onderhoud plegen aan de wegen aangezien er niet eens riolering was. Al die beerputten in achtertuinen konden behoorlijk stinken.

In krantenartikelen wordt beschreven hoe Betty in 1994 heel trots zelf de eerste slotmachine bediende. Er kwam uiteindelijk zo'n 50 miljoen dollar binnen. De straten zijn opnieuw geplaveid en er is nu riolering. Langs de rivier de Missouri is een dam aangelegd die overstromingen voorkomt en er was zelfs geld voor een nieuwe brandweerauto. Prachtig nieuws allemaal. Tot dat telefoontje kwam. Dat was in 1999, een jaar of vijf na de opening van het casino.

De zus van burgemeester Burch belde. Linda zat diep in de schuld door het gokken. Ze moest haar huis verkopen. Betty: 'Ik was zo geschokt. Ik huilde. Je denkt altijd dat zoiets nooit van zijn leven in je eigen familie voorkomt.' Linda heeft het nu heel krap. Uit nood is ze bij een van haar kinderen ingetrokken. Maar zo gauw ze even wat geld heeft gespaard, zit ze weer in het casino.

De meningen over het casino van Riverside zijn verdeeld. Ja, het leverde geld en banen op, maar er kwam ook veel ellende van. Het casino zegt dat ze probleemgokkers goed in de gaten houden. Maar kennelijk kijken ze erg vaak de andere kant op. Want Linda Burch is bepaald niet de enige inwoner van Riverside die diep in de problemen kwam.

De keuze van Riverside is niet uniek. Neem een stad als New York. In omliggende staten als New Jersey en Connecticut wordt wel gegokt. Laat je de belastingopbrengst daar naartoe wegvloeien of sta je gokken toe en houd je het geld zelf? Geen wonder dat de meeste staten voor de bijl gaan. Het is te aanlokkelijk en de directe opbrengsten zijn gemakkelijker te berekenen dan de indirecte kosten van gokverslaving.

Het is niet te stoppen. In 1985 waren er alleen casino's in Las Vegas in de staat Nevada en in Atlantic City in New Jersey. Nu hebben 30 staten casino's. De meeste Amerikanen wonen op minder dan 300 mijl van een casino. Voor Nederlandse begrippen een fikse rit, maar Amerikanen draaien er hun hand niet voor om. Helemaal niet als je tot de miljoenen probleemgokkers of regelrechte verslaafden behoort.

Arme indianen stinkend rijk door casino's

Je hebt twee soorten casino's in de VS: indianencasino's en de rest. Die eerste categorie is het interessantst. Indianen lijden meestal een miserabel bestaan. Ze wonen in reservaten en maken een puinhoop van hun leven. Te veel drinken, ongezond eten, massale werkloosheid, veel misdaad.

Er is natuurlijk het historische schuldgevoel over de wrede manier waarop Amerika's oprukkende pioniers de daar al eeuwen wonende indianen opruimden. Tegenover de nabestaanden van de overlevenden viel wat goed te maken. Bovendien kreeg de regering in Washington een beetje genoeg van al het geld dat ze in de kansloze indianenreservaten pompten. Bezuinigingen van de overheid werden vermomd tot een daad van politieke correctheid. De indianen mochten voortaan in hun reservaten op zeer gunstige fiscale voorwaarden casino's openen.

Dat hebben ze in Washington geweten. De actie bleek iets te succesvol. In heel Amerika staan nu casino's met een omzet van honderden miljoenen dollars. Want toen die regeling er eenmaal was, bleken er veel meer indianenstammen te zijn dan men vanuit de bureaucratische ivoren toren had durven denken.

Weekblad *Time* beschreef de casinocarrière van Maryann Martin. Een jaar of twintig geleden hoorde zij dat haar moeder de laatst overlevende van de Cahuilla Mission-indianen was. Dat klonk goed. Maria en haar twee broers werden een paar jaar later als indianenstam erkend. Daarmee verworven ze het recht een casino te openen.

Toen haar broers kort daarna beide werden vermoord, was ze als enige over. Maar de stam bleef bestaan en Maryann had haar casino in de buurt van Palm Springs, waarvoor ze van de overheid vele honderdduizenden dollars subsidie ontving. Politieke correctheid mag wat kosten. In dit casino staan zo'n 350 slotmachines en tien speeltafels. Het is daarmee een kleintje.

De meeste indianencasino's zijn veel groter. Mega-investeerders die geen druppel indianenbloed hebben zijn gretig in deze markt gesprongen. Het nadeel is dat een groot deel van de winst niet terugkomt in de plaatselijke economie, maar spoorloos verdwijnt naar de Bahama's of een ander belastingparadijs. De voordelen van die gokpaleizen voor zo'n regio worden daarmee veel kleiner.

De Mashantucket Pequots is een indianenstam die het uitzonderlijk goed heeft gedaan. Hun bedrijf Foxwoods Casino's in Connecticut zet een miljard dollar per jaar om. De website van Foxwoods laat een sprookjesachtig *resort* zien dat in geen enkel opzicht meer doet denken aan het primitieve wigwamleven. Er lijkt nu ook weinig reden meer om hier met overheidsgeld te voorzien in de eerste levensbehoeften van de bewoners daar. Ze zijn stinkend rijk en worden met de dag rijker.

Op de website staat kort de geschiedenis van de Mashantucket Pequots uitgelegd. Er staat een pittoresk plaatje bij van een indianenoma met kettingen en vlechten die dromerig in de verte staart. Er wordt braaf uitgelegd dat de vos ooit het symbool was van deze jagende indianenstam.

Nu jagen ze dus op het grote geld. Want op diezelfde website staat twee muisklikken verderop het bericht van een grote uitbreiding van Foxwood. Het gaat om een investering van maar liefst 700 miljoen dollar. En er is net een uitbreiding van 300 miljoen dollar afgerond. Deze moet 2300 banen opleveren. Er komt een theater in met 5000 zitplaatsen. Als alles in 2008 klaar is heeft Foxwoods Resort 14.000 werknemers. Je kunt dan niet alleen gokken, maar ook naar een congres gaan of gewoon luxe relaxen. Het casino blijft natuurlijk het hart van de onderneming. Foxwood heeft dan maar liefst 380 goktafels en 7400 slotmachines.

Volgens de laatste telling zijn er verspreid over de hele VS zo'n 300 indianencasino's met een omzet van 13 miljard dollar. Het valt met geen mogelijkheid meer terug te draaien.

Is gokken slecht? Of hebben politici die casino's toelaten gelijk? Of zijn de tegenstanders verstandiger die op de nadelen van verslaving en misdaad wijzen. Het hangt ervan af. Las Vegas groeit en bloeit als nooit tevoren. Een paar jaar geleden hadden ze nog de slogan een *family destination* te zijn. Maar dat hebben ze snel laten varen. Gokken en seks brengen meer op dan een modelgezinnetje uit Kalamazoo dat een hotdog en een cola koopt.

Las Vegas heeft het grote voordeel dat de meeste gokkers van ver komen. Ze bezoeken Las Vegas een paar dagen, besteden hun geld en vliegen weer naar huis. Zo heb je wel de voordelen (banen, omzet), maar schuif je de meeste nadelen lekker van je af (de meeste gokkers wonen immers een eind verderop). Anders is het met plaatselijk gerichte casino's die vaak in armere gebieden van de VS staan. Dan heeft de regio de voor- én de nadelen.

Waarom gokken Amerikanen zoveel? En waarom gokken (en verliezen) juist arme en oude mensen zoveel? Voor een deel is het onverklaarbaar, omdat verslavingsgedrag nu eenmaal niet rationeel is. Maar er is voor een deel een verklaring te geven. Het is voor veel mensen een leuk uitje. Een bezoek aan het casino geeft je vanwege alle glitter even de illusie van rijkdom, hoewel het exclusieve karakter van vroeger er allang vanaf is. Toen droeg je in het casino een chique smoking of smaakvolle avondjurk. Nu ben je welkom in de uniseks campingsmoking met gympies.

Veel casino's zijn op bejaarden ingericht. De rollators staan klaar bij de ingang, er is altijd hartapparatuur en kortademige gokkers kunnen soms zelfs gratis hun zuurstofflessen bijvullen. Dat kan handig zijn voor astmapatiënten die het te kwaad krijgen. De kans daarop is extra groot, want terwijl bijna overal in de horeca in de VS roken allang verboden is, mag het in de meeste casino's nog wel. Veel bezoekers zijn niet alleen aan het gokken verslaafd. Het aantal kettingrokers ligt er ver boven het landelijk gemiddelde.

Gokkers worden dus verwend. Tegelijk is het een deel van de Amerikaanse levensfilosofie om te denken dat je het ooit in je leven nog kunt maken. Boven elke slotmachine knippert het aanlokkelijke bedrag van de jackpot. Dat kan in de miljoenen dollars lopen.

Amerikanen blijven daarin geloven. De resultaten van een Gallup-enquête zijn illustratief. Ze vroegen aan jongeren van 18 tot 29 jaar: Verwacht je in je leven rijk te worden? Maar liefst 51 procent antwoordt dat ze verwachten ooit rijk te worden. Hier wringt iets. Maar de optimistische verwachting drijft hen voort.

Veelzeggend zijn ook de resultaten van vragen aan 65-plussers. Van hen vindt slechts 2 procent zichzelf rijk, maar niet minder dan 8 procent denkt alsnog rijk te worden. Daar zitten de casinoklanten. Amerikanen hebben een mentaliteit die uitgaat van 'zoek-de-zonzijde'. Hoe komen zo veel oudjes anders immers op het idee dat in de herfst van hun leven alsnog onverwacht de zilvervloot zal binnenvaren? De conservatieve *Wall Street Journal* wijdde zelfs een hoofdredactioneel commentaar aan de enquête en koppelde er een bitse opmerking aan vast over de meer verzuurde Europese levensfilosofie. 'Retoriek over de klassenstrijd werkt misschien in de sociaal en financieel vastgeroeste culturen in Europa. Maar Amerikanen begrijpen dat mensen voortdurend fortuin maken en het ook weer verliezen. Amerikanen bepalen hun stem niet aan de hand van afgunst, maar op grond van hun aspiraties.'

Het houdt de honderdduizenden slotmachines in Amerikaanse casino's in bedrijf – 24 uur per dag, zeven dagen per week.

2 *De jacht op welvaart en welzijn:* Gelijke kansen ongelijk verdeeld

DE KEIHARDE AMERIKAANSE SPORTWERELD:
ZELFS WINNAARS ZIJN SOMS VERLIEZERS

Ik lees in de krant altijd eerst het sportkatern.
Daar lees je over de *prestaties* van mensen.
Op de voorpagina gaat het alleen over *mislukkingen.*
Earl Warren, oud-rechter

Universitaire sporten zijn verraderlijk.
Is er nog iets te redden van het ideaal van de sport?
Bob Costas, sportverslaggever

Amerikanen zijn dol op sport en ze zijn er goed in. De VS staan op de olympische medailleranglijst met stip op één. Geen land won zo veel medailles. De VS behaalden in totaal bijna 2400 keer olympisch goud, zilver of brons. De Sovjet-Unie is tweede, maar komt niet verder dan 1200 ereplakken. Vooral op de zomerspelen zijn de Amerikanen oppermachtig.

Sport is in Amerika nóg belangrijker dan in Nederland. Wie denkt dat er in Nederland veel sport op televisie is, moet in de VS eens een uurtje voor de buis gaan zitten. Op bijna elk moment van de dag kun je naar alle soorten sportwedstrijden kijken.

In Nederland hebben we één nationale sport. Natuurlijk gaan we soms ook uit ons dak met schaatsen of vinden we zwemmen leuk en tijdens de Olympische Spelen kijken we lekker veel televisie. Maar echte gekte is er toch alleen met voetbal.

In de VS hebben ze niet één, maar vier nationale sporten: baseball, basketbal, American football en – in mindere mate – ijshockey. Amerikaanse sporters spelen per seizoen ook veel meer wedstrijden. Een professioneel baseballteam speelt 162 wedstrijden per seizoen. De competitie in professioneel basketbal heeft 82 wedstrijden. Door play-offs en World Series is het aantal wedstrijden nog hoger.

IJshockey heeft 82 reguliere wedstrijden, hoewel er in het seizoen 2004-2005 geen enkele wedstrijd werd gespeeld door een ruzie tussen de clubeigenaren en de spelers over de vraag hoeveel miljoen dollar ze mogen verdienen. Alleen American football heeft weinig wedstrijden in de competitie: 16.

De laatste jaren is er in de professionele sport het ene na het andere schandaal. Vooral in baseball, waar controle op het gebruik van spierversterkende middelen tot voor kort ontbrak, gaat de ene na de andere superster voor de bijl. Hoeveel van die prachtige homeruns van recordhouder Barry Bonds en Marc McGwire kwamen uit een potje? Jason Giambi was een goede slagman, maar ook hij pepte zich illegaal op met verboden pillen. Hun records staan in de officiële baseballboeken. Worden die nu geschrapt? Wat doe je met de honderden wedstrijduitslagen die niet kloppen?

Een typisch Amerikaans fenomeen zijn de universitaire sporten. Dat is geen gezellige hobby voor de zaterdagmiddag met een handjevol toegewijde, kleumende fans langs de zijlijn. In Amerika worden de *college sports* massaal bekeken. Het stadion van de University of Michigan, bijvoorbeeld, heet terecht 'The Big House', want het heeft 107.000 zitplaatsen. De finalewedstrijden van de 'college sports', waar miljoenen Amerikanen naar kijken, leiden tot Europacupachtige opwinding.

Sportieve topprestaties zijn een fantastische reclame voor de universiteiten. Wie dit jaar succes heeft kan volgend jaar weer meer supertalenten aantrekken.

Vrolijke verbroedering onder fans van beide clubs

Sport is in Amerika feest. Bezoek aan een wedstrijd is een veilig, onbezorgd familie-uitje. Wie gewend is aan Nederlandse voetbalstadions, die op zondagmiddag vaak veranderen in grimmige belegerde vestingen, kijkt in Amerika zijn ogen uit. Op de plek waar in Nederland dreigend de busjes van de Mobiele Eenheid klaarstaan, hebben Amerikaanse sportfans pret voor tien.

Tailgate parties heten de fuifachtige bijeenkomsten die sportfans voor de wedstrijd op het parkeerterrein van het stadion organiseren. De achterklep ('the tailgate') van de zes- en achtcilinderterreinwagens en familiebusjes gaat open. Daaruit komen de barbecue, de koelboxen, uitklapstoeltjes, opvouwbare keukentafel, *six-packs* bier, zakken chips, bakken sla, kratjes frisdrank, een gettoblaster en minstens één draagbare televisie te voorschijn. *Let's party!* Er zijn gespecialiseerde winkels met tailgate-benodigdheden waarbij de op gas draaiende Marguerita-mixer niet onvermeld mag blijven. Hoe deden we het ooit zonder?

Uren voor aanvang van de wedstrijd draaien de kolossale Amerikaanse auto's al het parkeerterrein op. Iedereen wil een mooi plekje. De fans van de thuisclub en de bezoekende club staan broederlijk naast elkaar en delen elkaars bier. Het is een volks gebeuren, hoewel ook rijkere Amerikanen er gek op zijn.

Dat is maar goed ook, anders zou de firma Galpin in Californië allang failliet zijn. Daar verkopen ze voor 70.000 dollar een Tailgate pick-uptruck. Je kunt er makkelijk met zijn zessen in zitten en als je de kolossale achterklep opent, komen er twee ingebouwde gekoelde vaatjes bier en een mammoetbarbecue te voorschijn.

Deze feestjes gaan zomer en winter door, al is het 's zomers gezelliger. Bij voetbalwedstrijden (*soccer* dus, niet te verwarren met het Amerikaanse football) gaat het er helemaal uitbundig aan toe. Onder de vele latinofans is er altijd wel een die een gitaar bij zich heeft.

Tailgating begon in de negentiende eeuw. Toen was het bittere noodzaak, want sportfans kwamen met paard en wagen naar het stadion en hadden tegen de tijd dat ze arriveerden flinke honger en dorst. Ook nu hebben de sportliefhebbers vaak een lange reis achter de rug. Ze hebben soms de hele nacht of langer in de auto gezeten om hun idolen te zien spelen.

Als er al politie is, dan heeft die zich heel verdekt opgesteld. Hoogstens staan verderop een paar agenten het verkeer te regelen. Tegen de tijd dat de wedstrijd begint kan de sfeer niet meer kapot; zelfs fans die geen kaartje hebben komen om het feestje maar niet te hoeven missen.

In het stadion geldt een blikjesverbod. Dat is simpel geregeld. In een dikke stroom trekken de fans het stadion binnen. Aan weerszijden staan containers voor de blikjes en midden tussen de fans staat een goedmoedige 65-plusser in een feloranje hesje die er nog even op wijst dat de blikjes – ook als ze halfvol zijn – écht in de container moeten. Wie zich vergist wordt door medefans gecorrigeerd: 'Je vergeet wat.'

Amerikanen zijn in het openbare leven veel gedisciplineerder dan Europeanen, zelfs na consumptie van een six-pack. Wie de regels overtreedt, weet dat de straf fiks is. Je hebt al heel snel een veroordeling te pakken voor rellerig gedrag. Het blikjesverbod wordt strikt afgedwongen. Geen excuses of flauwe smoezen.

Opvallend is de zelfcorrectie van de fans. Orde en rust zijn een gezamenlijk belang. Er zijn ook geen traliehekken tussen de vakken van de tribunes. Langs het veld staat een schuttinkje van amper een meter hoog. De fans schreeuwen en zingen de longen uit hun lijf, maar blijven op hun plek. Er zijn zelden incidenten. Geen wonder dat er veel ouders met kinderen bij zo'n wedstrijd zijn, met baby's zelfs. Het is massaal, onbekommerd sportplezier. Amerika op zijn best.

Tv-rechten: KNVB en John de Mol zouden omrollen

Deze jolige taferelen zie je bij professionele wedstrijden, maar ook bij de bijna even populaire wedstrijden van de universitaire teams. Formeel zijn dat geen profs, maar dat is betrekkelijk, al was het maar vanwege de tv-contracten die bedragen opbrengen waar de KNVB en zelfs John de Mol van zouden omrollen. CBS-televisie kocht voor elf jaar de rechten voor college basketbal en telde daar 6 miljard dollar voor neer! Dat is pakweg 500 miljoen per jaar. Daar steken de tientallen miljoenen voor Nederlandse voetbalrechten schamel bij af.

Sport is van onschatbare waarde voor de universiteiten. Ze kunnen er hun prestige een geweldige oppepper mee geven. Sportief succes is ook een prachtig marketingmiddel. Een topteam trekt veel publiek en stimuleert saamhorigheid onder de studenten. Toegegeven, bij deze universitaire wedstrijden zijn wel een paar keer rellen geweest, maar het blijven uitzonderingen.

De universitaire sportteams zijn voor de atleten soms het opstapje naar hun echte ideaal: een profcontract met een miljoenensalaris. En daar zit meteen ook de kneep. Dit zijn sporters, geen studenten. De jongens die in deze collegeteams spelen zijn niet geselecteerd omdat het zulke bollebozen zijn in wiskunde of omdat ze al vanaf jonge leeftijd de geheimen van Romeins recht wilden doorgronden.

Wat doen universiteiten dus? Die knijpen een oogje dicht als ze de atleten toelaten. Op de universiteit wordt alles gedaan om hen te laten slagen. Het ene na het andere fraudeschandaal komt aan het licht. Er wordt geknoeid met examenresultaten, iemand anders komt stiekem een tentamen in hun naam doen en het bijwonen van colleges is voor deze studenten allesbehalve verplicht. Zelfs met al die illegale opstapjes studeert een groot deel van deze atleten nooit af.

De atleten zijn dus op de universiteit voor de sport, niet voor intellectuele topprestaties. Daarbij valt op dat veel vrouwelijke sporters (vrouwenbasketbal is erg populair) veel harder studeren dan de mannelijke atleten, die er wel érg vaak een potje van maken.

Voor de meeste universitaire atleten is de sportcarrière niet van lange duur. Het lukt hen niet door te dringen tot de begeerde profclubs. Oud-basketballer Tom McMillen zegt: 'Een jongeman die erop gokt een profcontract te krijgen, is net als een arbeider die een lot in een loterij koopt en vervolgens, in de verwachting de hoofdprijs te winnen, zijn baan opzegt.'

Een aantal universiteiten neemt maatregelen om academische fraude tegen te gaan, maar de vraag is of het helpt. Wie heeft er immers belang bij de topscorers van football, basketbal en baseball als oplichters te ontmaskeren? Pessimisten zeggen dat strengere regels juist tot nog meer fraude leiden.

Coach Gordon Gee van VanderBilt University in Tennessee weet als geen ander hoe verrot het systeem is. Hij probeert op zijn universiteit de academische en sportieve prestaties met elkaar in lijn te brengen. Hij is nog een uitzondering. Hij zegt: 'Er zijn coaches die zich hebben misdragen, er is academische fraude, omkoping, misschien zelfs moord. Het systeem is kapot. Er is meer nodig dan wat geroep vanaf de zijlijn om het te repareren. Studentatleten moeten echt deel gaan uitmaken van het academische instituut waarvan ze de naam en kleuren met zo veel trots in wedstrijden dragen.'

Kinderen en sport: the sky is the limit

Als Amerikaanse kinderen vroeg aan sport beginnen, is er nog geen sprake van competitie. De coaches – meestal vaders – zorgen ervoor dat er geen winnaars en verliezers zijn. De stand wordt niet eens bijgehouden. Het is on-Amerikaans relaxed.

De piepjonge sporters maken ook geen fouten. Later in het leven zullen ze merken hoe lelijk je onderuit kunt gaan. Maar deze *sluggers* van amper een meter hoog zijn fantastisch, hoe belabberd ze het ook doen. Het is de fase in de Amerikaanse opvoeding waarin falen een taboe is. Er wordt veel aangemoedigd en je zult een coach nooit horen zeggen dat de jongens en meisjes staan te suffen en beter hun best moeten doen. Dat is te wreed voor de nog prille kinderziel. Als de kleine sportheld bij baseball fors misslaat, roep je als ouder heel opbeurend: 'Goed gezien.' Als de bal er bij basketbal net niet ingaat, klap je enthousiast: 'Heel goed geprobeerd.' Bij soccer klinkt het bij een belabberd schot dat meters naast gaat: 'Bijna raak!' Verder roep je elke paar minuten een paar keer opgetogen: 'Good job, guys', en: 'Great hussle!'

Dit is een mooi voorbeeld van de Amerikaanse *feel good*-mentaliteit. Het hoort een beetje bij de cultuur waarin je in elke mislukking nieuwe kansen ziet. Verliezen is 'bijna winnen'. Naast schieten is 'bijna scoren'.

Het sportleven van die allerjongsten is een onbezorgd paradijsje vergeleken met de keiharde concurrentieslag waarin sporters later terechtkomen. Echt getalenteerde kinderen slaan die kindvriendelijke fase in hun sportcarrière over. Onder druk van ouders begint voor hen de concurrentieslag heel jong. De ouders weten dat goede atleten door hun sportieve prestaties later kans maken op studiebeurzen op goede universiteiten. Het collegegeld is er tienduizenden dollars per jaar. Een beurs kan voor die ouders veel geld uitsparen.

Maar dan moet een kind van jongs af hard trainen. Amerikaanse sportartsen zien dagelijks wat deze jonge topsporters doormaken. Er zijn vaak ernstige blessures die normaal alleen voorkomen bij veel oudere atleten.

Er zijn voorbeelden van jonge baseballpitchers met kapotte schouders of ellebogen, voetballertjes met verknalde knieën, basketballertjes die de rest van hun leven mank lopen. Sportarts James Andrews zegt: 'Dit zijn blessures als gevolg van overbelasting. Zo simpel is het. Je krijgt kinderen op de operatietafel waarvan je zegt: "Het is onmogelijk dat een 13-jarige zo versleten is." Er is een epidemie aan de gang.'

Sportarts Eric Schmall vindt dat ouders hun kinderen te veel onder druk zetten. 'Het is niet meer genoeg dat ze op het schoolteam spelen, met twee teams rondreizen en in de zomer naar vier sportkampen gaan. Ze hebben een paar keer per week een privé-instructeur en dan moeten ze 's avonds nog even in de achtertuin oefenen.'

Voor deze jonge kinderen is het ontspannen partijtje voetbal of baseball op het schoolplein een onbekende luxe. Voor een familiemaaltijd of samen op vakantie is steeds minder tijd. Kind zijn is een luxe waar ze nauwelijks aan toekomen.

Jeret Adair was een veelbelovende baseballpitcher, maar hij kreeg last van zijn elleboog. Hij is eraan geopereerd. 'Ik ben het levende voorbeeld van iemand die te veel deed. Ik zou nu tegen jonge kids zeggen: "Probeer niet de held uit te hangen. Take a rest." Ik kijk nu terug op alle wedstrijden die ik won toen ik 14 of 15 was. Dat betekent nu niet zoveel meer. Het was het allemaal niet waard.'

Bezorgde ouders vergelijken het met een 'wapenwedloop'. Coaches noemen het 'gelegaliseerde kindermishandeling'. Het is te mal voor woorden als 12-jarigen 135 honkbalwedstrijden of 100 voetbalwedstrijden in een seizoen moeten spelen. Onder fanatieke ouders braken vechtpartijen uit waarbij al zeker twee doden vielen.

Artsen zeggen dat ze zich over twee groepen kinderen zorgen maken. Het zijn – op zijn Amerikaans – twee uitersten. William Roberts is directeur van het American College of Sports Medicine. 'Ik zie blessures door overbelasting. Maar ik ben nog meer bezorgd over al die kinderen die te weinig bewegen en te dik worden. Heel veel kinderen moeten eens wat *meer* doen. Een paar kinderen moeten *minder* doen.'

Injectiespuiten, zelfmoord: steroïden funest voor sporters

Niet alleen op universiteiten ook op high-schools is sport al veel meer dan alleen ontspanning. Bij sommige wedstrijden komen tienduizenden toeschouwers. De concurrentie tussen de scholen is bikkelhard en dus komen de jonge atleten in de verleiding domme dingen te doen.

Lori Lewis stuitte er min of meer toevallig op. Er lag een onbekende sporttas in de kast van haar 17-jarige zoon. In de tas zaten injectiespuiten en buisjes met een onbekende vloeistof. Ze ging ermee naar een apotheek, waar bleek dat het steroïden waren. Op school wilden ze er niet van horen en de footballcoach noemde Lewis een leugenaar. Haar verhaal werd niet serieus genomen. Ten onrechte, het probleem was levensgroot. Zeker negen leerlingen op dezelfde school hebben bekend steroïden te gebruiken. De zoon van Lori Lewis werd bedreigd en zit nu op een andere school.

Intussen was tot de schoolleiding doorgedrongen dat er echt iets aan de hand was. Ouders kregen voorlichting over de gevaren van het gebruik van steroïden. Sommige atleten gaan er geweldig door presteren. Anderen raken in diepe depressies. Een van de sprekers op een voorlichtingsavond was Don Hooton. Don weet alles van die gevaren. Zijn zoon gebruikte ook steroïden en hing zich na gebruik ervan op.

Aan de ene kant is er dus de opgewekte discipline van de honderdduizenden stadionbezoekers en zien we de onovertroffen prestaties van veel Amerikaanse topsporters. Aan de andere kant is er de nietsontziende selectie van jonge sporters en horen kinderen over het systematische bedrog bij de universitaire sporten. Dan is het voor sommigen een regelrechte hel. Wat wordt het rolmodel van jonge kinderen?

Amerika is ook het land van hard straffen. Wie iets verkeerd doet moet ervoor boeten. *Zero tolerance* is vaak het uitgangspunt. De nieuwe dopingregels in baseball zijn een verbazende uitzondering. Die zijn wel erg soepel. Wie voor het eerst betrapt wordt, ligt er 10 dagen uit; bij een tweede overtreding loopt dat op tot 30 dagen; een derde keer 60 dagen, en wie een vierde keer de zaak bedondert is een jaar geschorst. Vier keer en dan mag je nóg terugkomen?

Baseball heeft normaal de regel 'Three strikes out'. Maar voor wie de zaak met doping belazert, geldt dat zelfs na vier strikes nog niet. En boetes? Geen boetes. Wat is de les hier? Wie beschermt wie? Maar het is al een verbetering ten opzichte van al die jaren waarin er bij baseball helemaal geen dopingtest was.

De stadions worden er vast niet leger door. Het menu van hotdogs en bier blijft duur maar lekker. De petjes, T-shirts, affiches en clubjacks gaan grif van de hand. De sfeer blijft opgetogen en vrolijk. Er moet meer gebeuren om Amerikanen hun uitbundige sportplezier te ontnemen.

GEZONDHEIDSZORG – GEEN RECHT MAAR VÓÓRRECHT: *PATIËNTEN EN POLITICI FALEN: EIGEN SCHULD, DIKKE BULT*

> Dikzijn en niet kanker is nu de belangrijkste vermijdbare doodsoorzaak in Amerika.
> *Dr. Phil, tv-psycholoog*

> Kun je je een andere situatie voorstellen
> waarbij een epidemie 60 procent van de bevolking aantast,
> maar de verantwoordelijke bestuurders niets doen?
> *Democratisch senator Sean Faircloth (Maine) over vetzucht*

Amerika heeft het duurste stelsel van gezondheidszorg ter wereld. Het kost bijna 14 procent van het bruto nationaal product; Nederland blijft net onder de 9 procent. De kosten in de VS rijzen de pan uit. Maar tegelijk regent het klachten dat de gezondheidszorg faalt. Meer dan 40 miljoen Amerikanen leven in angst ziek te worden of een ongeluk te krijgen, omdat ze geen verzekering hebben. Hoge medische kosten storten velen in een faillissement.

Patiënten kunnen er overigens zelf voor zorgen dat de medische kosten snel dalen. Een van de beste manieren om te bezuinigen is afvallen. Want er worden vele miljarden dollars per jaar uitgegeven aan de behandeling van ziekten die met vetzucht en overgewicht te maken hebben.

Er is een nieuwe tweedeling in de maatschappij: dik, arm en ongezond aan de ene kant; slank, rijk en gezond aan de andere. Oud-minister van Volksgezondheid Tommy Thompson zegt: 'Overgewicht is de snelst groeiende ziekte in Amerika. Als we de medische kosten echt onder controle willen houden en de gezondheid van onze burgers willen verbeteren, dan moeten we daar echt iets aan doen.'

Europeanen maken graag grapjes over monstrueus dikke Amerikanen. Pas op, Europa volgt in rap tempo het slechte voorbeeld van al die waggelende Amerikanen. Europeanen worden namelijk ook snel dikker. Deskundigen noemen het 'een tijdbom voor onze toekomstige gezondheid'.

De Europese Unie werkt aan plannen het tegen te gaan. Eurocommissaris Markos Kyprianou zegt letterlijk: 'Ons continent heeft een epidemie van overgewicht die in alle opzichten even erg is als in de vs.' In Nederland zijn steeds meer dikke mensen, maar Oostenrijk, Portugal, IJsland en Spanje zijn nog dikker. Zweden, België, Polen, Denemarken, Frankrijk en Zwitserland hebben minder dikkerds.

In de vs zijn er aanwijzingen dat door overgewicht de gemiddelde leeftijd al iets daalt, maar misschien is er tegelijk ook al een kentering ten goede. Volgens de meest recente cijfers stijgt het aantal dikkerds niet meer. Is de eetepidemie over zijn hoogtepunt heen? Zeker is dat Amerika hysterisch aan het lijnen is en de politieke druk toeneemt kinderen gezonder te laten eten. Jong geleerd, oud gedaan. Dat geldt voor ongezonde én voor gezonde eetgewoonten.

De vs liepen ooit voorop in het bestrijden van roken. Toen lachte de wereld Amerika uit vanwege al die mallerds die bibberend op straat hun sigaretje rookten. Dat vonden we overdreven, maar nu zie je het overal. De Amerikaanse overheid sleepte de tabaksbazen voor de rechter en haalde een recordschadevergoeding binnen van een paar honderd miljard dollar. Dat waren geen halve maatregelen en het ging verder dan een Europese regering ooit durfde. Misschien gaan de vs in de nabije toekomst bij de bestrijding van zwaarlijvigheid wereldwijd ook voorop.

Met een dubbele cheeseburger naar de dokter?

Voorlopig is het nog het land van tomeloze vetzucht. Hartspecialist Toby Cosgrove kon het niet langer aanzien. Zijn hartkliniek in Cleveland, Ohio, is beroemd. Veel hartpatiënten hebben hun leven te danken aan dokter Cosgrove en zijn collega's. Maar waarom, vroeg de dokter zich af, geven we zelf zo'n slecht voorbeeld? In de hal van het ziekenhuis waren een Pizza Hut en een McDonald's gevestigd.

Cosgrove: 'We moeten het goede voorbeeld geven met het eten dat we onze patiënten en personeelsleden serveren. McDonald's is niet echt het symbool van gezond eten dat goed is voor je hart. En Pizza Hut ook niet.' Het personeel van de kliniek moest zich verstandiger gaan gedragen. Voor je het weet zien patiënten hun cardioloog gezellig een dubbele cheeseburger oppeuzelen en al dat lekkers met een halve liter Coke wegspoelen.

Pizza Hut vertrok stilletjes. Maar McDonald's gaf zich niet zomaar gewonnen. McDonald's heeft nooit verantwoordelijkheid aanvaard voor het lichaamsgewicht van zijn klanten, want die beslissen immers zelf wat ze eten. Je klaagt een autofabrikant ook niet aan omdat een chauffeur met een dronken hoofd een voetganger doodrijdt.

McDonald's wees er fijntjes op dat in de snackautomaten van het ziekenhuis een overdaad aan chocola en andere ongezonde snoeperijen te koop was. Waarom werd juist McDonald's aan de schandpaal genageld?

Waar bemoeien ze zich mee, zegt John Moorer die niet te porren is voor de weelderige saladbar in het restaurant van het ziekenhuis. 'Ik kan niet steeds sla eten. Dat is konijnenvoer. Als ik van het eten van McDonald's doodga, is dat mijn keus.'

Dikke klanten van McDonald's hebben geprobeerd het bedrijf aan te klagen zoals rokers en overheden met succes tabaksfabrikanten voor de rechter sleepten. De fastfoodketens hebben zo'n rechtszaak tot nu toe met succes weten af te wenden.

Advocaten hebben de moed nog niet opgegeven en proberen aan te tonen dat de fastfoodbazen willens en wetens ongezonde producten blijven verkopen. Maar hoe geloofwaardig is een klacht van een jongen van vijftien jaar die bijna 200 kilo weegt, vanaf zijn zesde bijna dagelijks bij McDonald's at en nu beweert: 'Ik had geen idee dat het ongezond was.'

De zaak tegen Big Tobacco blijft het beste voorbeeld. Het duurde lang voor daar iets uitkwam, maar toen ex-rokers, hun familieleden en diverse overheden eenmaal wonnen, leverde dat enorme schadevergoedingen op. Geduld en doorzettingsvermogen werden rijkelijk beloond.

Miljoenen dikke mensen gaan te vroeg dood

Amerika is het rijkste, machtigste én dikste land ter wereld. In de afgelopen 100 jaar werden Amerikanen steeds ouder. Dat is een trend in alle rijke landen. Hogere welvaart, gezonder leven en betere medische zorg houden ons langer in leven. Maar veel Amerikaanse deskundigen waarschuwen dat binnenkort het omgekeerde zal gebeuren: een structureel lágere levensverwachting.

De belangrijkste oorzaak? Inderdaad, de vroegtijdige dood van miljoenen dikke mensen die bezwijken aan vermijdbare hartkwalen, beroerten, kanker of suikerziekte. Kijk maar naar straatfoto's uit de jaren vijftig: bijna geen dikke mensen. Leg ze naast het straatbeeld van vandaag: je ziet veel oergezonde *slanke* mensen die net zwetend en puffend uit de fitnessclub lijken te komen, maar er zijn vooral veel meer *dikke* mensen. Amerika ligt in de wereldwijde jacht op de calorieën onbedreigd op kop.

Reizen in Amerika is comfortabel. Het land is ingesteld op particulier massavervoer, maar niet alle reisgemakken zijn gezond. Of je nu per auto, trein of vliegtuig reist, je wordt blootgesteld aan een bombardement van ongezonde, vette happen.

Je bent geneigd te denken dat McDonald's en al die andere hamburgerpaleizen er altijd al waren, maar niets is minder waar. In 1970 gaven Amerikanen 6 miljard dollar uit aan die snelle happen. Nu ligt dat bedrag ver boven de 100 miljard dollar. Elke dag stapt bijna een op de vier Amerikanen een fastfoodtent binnen. In 1968 had McDonald's 1000 restaurants, nu zijn er 30.000 restaurants in 119 landen met elke dag 47 miljoen klanten.

De eerste *drive through*-restaurants verschenen in Californië in de vroege jaren veertig. Het paste bij de optimistische levensstijl waarin eeuwige jeugdigheid centraal stond. De broers Richard en Maurice McDonald openden hun eerste McDonald Brothers Burger Bar Drive-In.

In die tijd at je er nog ouderwets met mes en vork. Daar maakte de handige broers snel een einde aan. Ze introduceerden weggooiborden en -bekers, en de klanten konden alles met hun handen eten. De gebroeders McDonald konden voortaan met minder personeel toe.

Het werd een lopende band voor de snelle hap. Ze noemden het het Speedee Service System. Er werkten alleen jongemannen, geen jonge dames, want dat trok maar onrustige tieners aan die de discipline in de keuken en achter de toonbank kwamen verstoren.

Later kwamen de andere nu overbekende fastfoodketens: Burger King, Taco Bell, Wendy's, Dunkin' Donuts, Domino's, Big Boy. Minstens evenveel ketens mislukten, al kan het aan de creatieve namen niet gelegen hebben: Winky's Satellite Hamburger System, Yumy Burgers, What-a-burgers, OK Big Burgers en Burger Boy Food-o-Rama's.

De gebroeders McDonald waren handige pioniers, maar misten het gouden zakeninstinct dat ene Ray Kroc wel had. Die verkocht milkshake-mixers en McDonald's was een goede klant van hem. Kroc kocht de hamburgerketen en handhaafde de naam McDonald's. Hij droomde al van een landelijk netwerk van restaurants. Op elke drukke kruising moest er eentje komen. Dat is hem redelijk gelukt.

Porties werden in de loop van de jaren steeds groter. Dat is een kwestie van psychologie. Een hongerige klant zal in zijn eentje niet gauw twee burgers bestellen. Dat ziet er inhalig uit, maar één *triple burger* is geen probleem. Twee zakjes *french fries* doe je ook niet in je eentje, wel één *Jumbo Size.*

Amerika is een uitetenland. Ruim dertig jaar geleden gaf de Amerikaan een kwart van zijn voedselbudget buiten de deur uit (veel voor Nederlandse begrippen). Inmiddels is dat gestegen naar ruim 40 procent en heel vaak eten ze dan natuurlijk het snelle, vette en bovenal spotgoedkope fastfood.

McDonald's zet alle akelige calorische feiten op zijn website. Voor wie al vroeg in de ochtend gezonde trek heeft, biedt McDonald's het 'Deluxe Breakfast' aan: 1220 calorieën. De calorierijkste sandwich is de 'Double Quarter Pounder' met kaas: 730 calorieën. Tel daar voor een 'Large Fries' 520 calorieën bij op. Of iets met kip misschien? De 'Chicken Premium Select Breast Strips' is er voor hele grote trek: 1270 calorieën.

In Amerika kan er altijd maar één winnen. Dat is in dit geval hamburgerketen Hardee's die de 'Monster Thickburger' op de markt bracht: 1470 calorieën, ruim 100 gram vet. De baas van Hardee's schaamt zich niet. 'Dit is geen hamburger voor milieufanaten ('tree huggers'). Het is voor jonge hongerige mannen die een echt grote, lekkere, sappige, decadente hamburger willen.'

De salades slaan we even over. Daarmee kom je niet boven de 340 calorieën (exclusief dressing). Dat schiet niet op. Bij de toetjes is de calorische topper de 'Chocolate Triple Thick Shake' met 1160 calorieën. Daar komt dan meestal nog een flinke beker soda bij.

Met een beetje pech heb je in één maaltijd meer calorieën binnen dan voor een hele dag goed voor je is (2000-2500, afhankelijk van gewicht). Kinderen zitten met één zo'n maaltijd al ver boven hun dagelijkse behoefte.

Maar goed dat de kinderen ook regelmatig op school eten, denk je als ouder. Op bijna alle Amerikaanse scholen kunnen ze ontbijten en lunchen. Ja, daar is soms ook sla en fruit te krijgen, maar de hoofdgerechten zijn bijna allemaal vet en ongezond. Chicken Pot Pie, Chips Olé met tacosaus, French Bread Pizza, Baked Chicken Nuggets en kaaspizza.

Ronald McDonald als toonbeeld van gezondheid

Als Amerikanen naar McDonald's gaan komen ze Ronald McDonald tegen, de jolige bedrijfsclown. Die eet zelf kennelijk niet vaak bij McDonald's, want zijn levensgrote beeld, dat prominent in veel vestigingen van McDonald's zit, is opvallend slank en gespierd.

Ronald heeft altijd pret. Dat kun je niet van alle klanten van McDonald's zeggen. Het is een toevluchtsoord voor Amerikanen die snel en goedkoop willen eten. Je ziet er veel afgetobde moeders met kinderen, moe gewerkte mannen met sjofele aktetassen, schuifelende bejaarden ook, verveelde tieners en zwetende bouwvakkers. Het beeld uit de jaren vijtig van McDonald's als het Mekka van het altijd opgeruimde Amerikaanse modelgezinnetje is achterhaald.

McDonald's werkt er hard aan dat beeld te veranderen. Ze moeten ook wel, want ze verliezen de beter verdienende klanten. McDonald's heeft veel te lang vastgehouden aan het principe van 'veel calorieën voor weinig geld'. Dat willen de meeste klanten ook, maar velen ook niet. Vooral veel vrouwen, die slank willen worden of blijven, komen allang niet meer.

McDonald's is gevoelig voor de kritiek en heeft nu succes met frisse salades. In plaats van frites kun je zelfs al schijfjes appel kopen. Die krijg je dan nog wel met een caramel dipsausje, maar dat kun je weggooien. McDonald's denkt zelfs aan zakjes worteltjes als bijgerecht. 't Moet niet gekker worden.

Het is veelzeggend dat McDonald's een campagne is begonnen voor een Gebalanceerde, Actieve Levensstijl. Dat was een paar jaar geleden nog ondenkbaar. Ze hebben er sporters als basketballer Yao Ming, zwemster Janet Evans, ex-ijshockeyer Wayne Gretzky en oud-schaatskampioen Bonnie Blair voor ingehuurd.

Verdwijnt straks van de 30.000 McDonald's restaurants het bedrijfssymbool met de gebogen gouden 'French fries'? Lacht ons dan een frisse, fleurige collage van groenten en fruit tegemoet? Voor je 't weet heeft Ronald McDonald een groene tuinbroek aan.

Extra belasting op video's, popcorn en dvd's?

Het zal zo'n vaart niet lopen. Een radicaal andere eetcultuur lijkt in het hedendaagse Amerika op korte termijn onmogelijk. Plannen om fastfood zwaarder te belasten klinken leuk, maar zijn strijdig met de filosofie van de regering-Bush om belastingen te verlagen. Voorstellen om op niet-actieve producten (dvd's, films, popcorn, videospelletjes) en ongezond eten een gezondheidsbelasting te heffen zijn bedacht in academische studeerkamers, maar vinden nog amper gehoor bij Congresleden die doodsbang zijn de agrarische lobby voor het hoofd te stoten. Ook de omgekeerde benadering – minder belasting voor gezonde producten – is nog niet goed uitgewerkt. Politici willen er niet aan.

Maar dat verandert misschien. Reclameregels voor ongezond eten kunnen fors worden aangescherpt. Bij roken is dat na veel verzet immers ook gelukt en ook drankreclame is aan banden gelegd. Waarom kan hetzelfde niet voor al die dodelijke vettigheid?

Eric Topol, die hartspecialist is in het eerdergenoemde ziekenhuis in Cleveland, vindt dat er meer politieke aandacht voor moet komen. Hij zegt in een interview: 'Het woord epidemie is te zwak uitgedrukt. Het is een van de grootste crises in generaties. De crisis is nu zo diep dat we creatief moeten zijn. We kunnen er niet tientallen jaren over doen om dit op te lossen.'

Democratisch Congreslid Sean Faircloth is het daarmee eens: 'Kun je je een andere situatie voorstellen waarbij een epidemie 60 procent van de bevolking aantast, maar de verantwoordelijke bestuurders niets doen?' Kelly Brownell die zich op Yale University met zwaarlijvigheid bezighoudt, denkt dat het mogelijk is eetpatronen ingrijpend te veranderen. 'Op het eerste gezicht lijken dit soort veranderingen onhaalbaar. Maar wie kon zich dertig jaar geleden voorstellen dat we in alle openbare ruimten roken zouden verbieden, dat we hoge belastingen gingen heffen op sigaretten en dat de staten de tabaksproducenten met succes voor de rechter zouden slepen. Rond tabak is het denken veranderd. Dat gebeurt nu ook met thema's als voedsel en lichamelijke activiteit.'

Komt er een verandering? In een aantal staten worden de schoolmenu's gezonder. De contracten die scholen hebben met Coke of Pepsi en met snackfabrikanten worden opgezegd. Daarvoor in de plaats komen gezondere gerechten. Gouverneur Arnold Schwarzenegger wil in Californië junkfood helemaal uit scholen verbannen. Dat is niet heel snel te realiseren, maar de politieke wil is er. Schwarzenegger: 'Just be positive. And kick some butt.'

Fabrikanten van voedingsmiddelen staan steeds meer onder druk om minder suiker te gebruiken en de ongezondste soorten vet uit te bannen. De prijs van nietsdoen wordt steeds hoger. Overal in Amerika zie je de treurige gevolgen van *Super Sizing* hijgend en puffend rondwaggelen.

De VS hebben de beste gezondheidszorg in de wereld en lopen voorop in medische uitgaven per hoofd van de bevolking. Gemiddeld is dat bedrag twee keer zo hoog als in Europese landen. Je vindt er de nieuwste technieken, de laatste snufjes, de meest geavanceerde research. Het is 'top of the line'.

Tegelijk is er geen westers land waar zo veel mensen van zorg zijn uitgesloten. Maar liefst 43 miljoen Amerikanen hebben geen ziektekostenverzekering. Dat aantal stijgt al een aantal jaren. Ziektekostenverzekering is in Amerika geen *recht,* maar een *voorrecht*. Vraag aan Amerikanen waar ze zich het meest zorgen over maken, dan noemen ze vaak milieu, terroristische aanslagen, drugs en de AOW. Maar met stip op één staat de beschikbaarheid van betaalbare gezondheidszorg. Nederlanders klagen over wachtlijsten in ziekenhuizen, maar maken zich geen zorgen of ze de rekening van dokter en ziekenhuis kunnen betalen. Voor miljoenen Amerikanen is dat een dagelijks terugkerende zorg.

Dana Christensen uit Californië kan erover meepraten. Haar man Doug had jaren geleden botkanker, maar was genezen verklaard. Ze sloten een verzekering voor hun tweeën af voor 430 dollar per maand. Toen sloeg het noodlot toe, want Doug kreeg weer kanker en moest chemotherapie ondergaan. Halverwege wilde de verzekering niet meer betalen. Dat stond in de kleine lettertjes van de polis.

Helaas was de medische behandeling vergeefs. Doug stierf en zijn vrouw Dana bleef achter met een medische schuld van 500.000 dollar. Ze leeft nu op een woonboot om geld uit te sparen, want alleen op die manier kan ze de schuld aflossen. Doug had het voor zijn overlijden al zien aankomen: 'Voor mij is het nu te laat. Dit moet je toch bespaard blijven.'

Een bezoek aan een eerstehulppost maakt duidelijk hoe groot de crisis is. Patiënten zonder verzekering kunnen niet naar een gewone dokter, omdat die te duur is, maar de Eerste Hulp mag hen niet wegsturen.

Als patiënten zonder verzekering zich buiten de gewone openingstijden bij de Eerste Hulp melden, worden ze geholpen ook al is hun klacht niet urgent. Dat is de wettelijke plicht van het ziekenhuis, maar het is natuurlijk een belachelijke, onnodig dure vorm van gezondheidszorg. De kosten van een bezoek aan de Eerste Hulp zijn immers veel hoger dan een consult overdag bij een gewone arts. Het is geldverspilling als je zo'n peperdure voorziening gebruikt voor een hardnekkige loopneus, een opkomend griepje of opstandige darm.

Het is een bizar gevolg van het systeem in de vs. In de wachtkamer zit een bonte verzameling van onnodig bezorgde ouders met huilende kinderen, verslaafde jongeren en verwarde bejaarden. Het is de achterkant van de Amerikaanse samenleving.

Op zo'n Eerste Hulp komen ook patiënten die geen noodgeval zijn, maar zich wel eerder bij een arts hadden moeten melden. Het gaat om patiënten die te lang doorliepen met verwaarloosde suikerziekte, vrouwen die nooit op borst- of baarmoederkanker zijn gecontroleerd, of hartpatiënten die allang klachten hebben, maar zich niet lieten onderzoeken.

Wie zelf iets kan betalen moet meteen afrekenen. Wie echt geen geld heeft, wordt summier geholpen en als het even kan snel weggestuurd. Lastiger en vooral duurder zijn echte noodgevallen. Gewonden van een ongeluk of patiënten met een hartaanval. Die komen per ambulance binnen en worden opgenomen, of ze het nu kunnen betalen of niet.

Dit zijn de patiënten die een ziekenhuis liever niet ziet komen, want ze kosten veel geld. Elk Amerikaans ziekenhuis moet jaarlijks een groot bedrag apart houden vanwege alle oninbare rekeningen. Ziekenhuizen proberen die kosten terug te halen door verzekerde patiënten meer te laten betalen en ze krijgen geld uit liefdadigheid. In ziekenhuizen in arme wijken is een enorme toeloop van niet-betalende patiënten. 30 procent is heel gewoon. Het kan wel oplopen tot 50 procent. Deze ziekenhuizen balanceren vaak op de rand van de financiële afgrond.

Omgekeerd zien ze graag patiënten die wel een verzekering hebben, want die betalen tenminste. Maar ook daar zijn problemen vanwege medische overconsumptie. Patiënten willen te veel en ziekenhuizen bieden wat graag aan, want het is declarabel bij de verzekering. Er worden dure onderzoeken gedaan terwijl er goedkopere alternatieven zijn. Vaak wordt er onder het motto 'je weet maar nooit' lang en voor veel geld gezocht naar een kwaal die er niet blijkt te zijn. Er worden miljarden dollars uitgegeven om de allerlaatste procenten onzekerheid weg te nemen.

Hillary-Scare: nieuw stelsel politiek onhaalbaar

Kan dit niet anders? Ja, het kan anders. Buurland Canada bewijst het. Daar is een op Europese leest geschoeid stelsel van *public health.* Iedereen heeft daar recht op zorg, maar er zijn veel klachten over de kwaliteit en wachttijden. Niettemin werkt het systeem en het is per hoofd van de bevolking half zo duur als de gezondheidszorg in de VS. Kan zoiets ook in de VS? Het antwoord is kort en goed: het kan wel, maar het gebeurt niet. Het is politiek en financieel onhaalbaar.

Bill Clinton heeft het ruim tien jaar geleden geprobeerd. Toen hij pas president was, stelde hij zijn vrouw Hillary Rodham Clinton aan het hoofd van een commissie die een nieuw stelsel van gezondheidszorg moest bedenken. Dat hadden Bill en Hillary beter niet kunnen doen. Bijna alle grote gevestigde belangen in de gezondheidszorg kwamen in verzet. Het was onbetaalbaar, vonden ze, en er was te veel bureaucratie en te weinig kwaliteit. En – de ultieme dooddoener in de VS – het leek wel een *socialistisch* systeem.

Healthcare werd HillaryCare. En in alle propaganda tegen de first lady heette het al snel Hillary-Scare. Dat was fataal. Het plan liep op de klippen en kort daarna, in 1994, leed de partij van Bill Clinton een verpletterende nederlaag bij de Congresverkiezingen. De Democraten verloren voor het eerst in vijftig jaar de meerderheid in het Huis van Afgevaardigden aan de Republikeinen. Het legde mede de basis voor de latere overwinning en sterke machtspositie van George Bush en zijn politieke vrienden.

Hillary heeft het overigens nog niet opgegeven. Ze blijft voorstander van een radicaal andere aanpak, maar realiseert zich ook dat ze de schijn tegen heeft. 'Ik weet wat u denkt. Hillary Clinton en de gezondheidszorg? Dat kennen we. En we bedankten ervoor.'

Hillary Rodham houdt stug vol. Haar diagnose: 'Als we nu blanco konden beginnen, zou niemand van ons – van de door de wol geverfde "liberal" tot en met de keiharde conservatief – het stelsel opzetten zoals we het nu hebben. Als we het niet repareren lopen we regelrecht op een ramp af. Dan wordt het onmogelijk zorg te geven aan de onverzekerden. Tegelijk ondermijnen we het systeem voor de mensen die nog wél een verzekering hebben.'

Amerika is het land van de vrije markt. Uitgangspunt is dat je zo veel mogelijk taken bij de overheid weghaalt of weghoudt. Dit is het politieke beginsel van de Republikeinse partij die nu aan de macht is en met die boodschap in de afgelopen tien jaar electoraal veel succes boekte.

Dat is ook de levensfilosofie van veel Amerikanen. Ze gaan uit van: 'Ieder voor zich en God – alsjeblieft *niet* de overheid – voor ons allen.' Dat is een groot verschil met Nederland waar de overheid wel voor bijna elke maatschappelijke en individuele kwaal te hulp schiet. In de VS is dat omgekeerd en moet gezondheidszorg zo mogelijk privé geregeld worden.

Een meerderheid van de Amerikanen wil een stelsel dat iedereen basiszorg garandeert. Maar de meerderheid van die Amerikanen stemt niet op politici die dat óók willen.

Gezinnen gaan door ziektekosten failliet

De politiek blokkeert een grondige reorganisatie van de gezondheidszorg. Hoe schrijnend de situatie is blijkt altijd uit individuele gevallen. In het boek *The Two Income Trap* staat het verhaal van Carmen en Mike.

Hun derde kind had ernstige lichamelijke en geestelijke handicaps. Een geluk bij een ongeluk was dat ze ziekteverzekering hadden via Mikes werk. Ze moesten niettemin duizenden dollars zelf betalen. Carmen moest haar baan opgeven om voor Gabe te zorgen en dat was financieel fataal.

Ze konden hun rekeningen niet meer betalen, de elektriciteit dreigde te worden afgesloten en er was paniek, want ze hadden de stroom nodig voor de longmachine die Gabe hielp met ademen. Dan maar de auto weg. Kort daarna was alles weg en Carmen en Mike vroegen faillissement aan.

In een tv-documentaire werd het verhaal verteld van het gezin van bouwvakker Rick en vrouw Adrian. Ze konden geen ziekteverzekering betalen en Rick verdiende net te veel om voor Medicaid in aanmerking te komen. Alles ging goed tot zoon Colton zich per ongeluk rond de kerst met een steakmes in zijn oog stak. Op weg naar het ziekenhuis spookten de ouders twee angstbeelden door het hoofd: hoe was het met het oog van hun kind en hoe moesten ze in vredesnaam de medische kosten opbrengen?

Het oog werd gered. Kosten 30.000 dollar. Die schuld betalen ze nu in kleine porties per week af, maar daardoor hebben ze nog steeds niet genoeg geld voor een ziekteverzekering.

En dan te bedenken dat het in deze twee voorbeelden niet gaat om arme, kansloze, werkloze echtparen. Ze werken, maar gaan ten onder aan de last van medische kosten. En ze zijn geen uitzondering, want miljoenen gezinnen in Amerika leven elke dag met die dreiging.

Het lijkt electoraal aantrekkelijk om uitkomst te bieden aan die 43 miljoen onverzekerden. Wat is mooier voor een Congreslid of president dan in één klap zo veel kiezers blij te maken? Dat levert veel stemmen op. Maar de onverzekerden vormen niet één blok kiezers. Ze zijn verdeeld en velen van hen stemmen Republikeins.

De Republikeinen krijgen veel geld voor hun campagnes van grote verzekeraars die ruim verdienen aan het huidige stelsel. En zo is de politieke cirkel weer rond. Er zijn voor te veel politici net iets te veel redenen om niets te doen.

Hetzelfde geldt overigens voor veel Democraten, die dikke maatjes zijn met dure advocaten die naar hartenlust artsen voor miljoenen dollars aanklagen als een patiënt vermoedt dat er een medische fout is gemaakt. De advocaten pompen gretig geld in Democratische verkiezingscampagnes. Wie heeft er echt politiek belang bij een radicaal andere gezondheidszorg?

Zelfs als politici er massaal vóór zouden zijn, dan nog is het een mammoetklus om het echt voor elkaar te krijgen. Het systeem is vermolmd. De gevestigde belangen zijn machtig en kapitaalkrachtig en de kosten zijn ongekend hoog.

Vakantieoorden speciaal voor de dikke toerist

Maar Amerika blijft Amerika. Een land dat geen problemen, maar alleen uitdagingen kent, bijvoorbeeld voor ondernemers die graag verdienen aan dikke landgenoten. Er zijn al vakantieoorden voor mensen van 300 pond en meer. Je voelt je als dikkerd niet prettig als je om je heen alleen maar strakke lijven ziet. Eindelijk hoeven de super-sized Amerikanen zich niet meer te schamen of schichtig weg te kruipen onder een te krap parasolletje.

In zo'n *size friendly*-vakantieoord is het wrakkige, aluminium zwembadtrapje vervangen door een langzaam aflopende betonnen trap. De barkrukken staan op boomstammen en de deuren van slaapkamers en douchecabines zijn extra breed. Het zelfbedieningsbuffet bij ontbijt, lunch en diner is 'all-you-can-eat' en niemand kijkt gek op als je op het strand een tweepersoonsligbed in je eentje bezet houdt.

Niet alleen de vakantie-industrie speelt in op het steeds dikkere Amerika. Ze willen graag relaxen, maar hebben ook wel eens (en veel vaker dan niet-dikke mensen) medische hulp nodig. Mark Rosenthal (meer dan 200 kilo) had een beroerte en moest naar het ziekenhuis, maar hij paste niet op de brancard. Ze hebben hem uiteindelijk op de vloer van de ambulance gehesen en zo naar het ziekenhuis vervoerd.

Daar aangekomen moest een scan worden gemaakt, maar hij paste niet in het scanapparaat. Uiteindelijk hadden ze Mark in bed gekregen, maar toen was er het probleem dat hij niet op de po paste. Het vernederende advies van de zusters: doe maar in je broek dan ruimen we het wel op.

Brancards en lijkkisten: nu ook in super-size

Er zijn speciale brancards en ambulances die superzware patiënten wel aankunnen. In New Orleans, waar gefrituurd (*deep fried*) eten populair is, kunnen ambulances nu patiënten tot 800 pond verwerken. Een speciale brancard is gegarandeerd tot een gewicht van 1600 pond.

Het aantal superdikke mensen is in tien jaar verdrievoudigd. Alles is in een doorsnee ziekenhuis te klein. Stoelen, toiletten, rolstoelen, operatietafels, bedden, ziekenhuispyjama's. Ziekenhuizen moeten tienduizenden dollars investeren om deze patiënten te helpen.

En deze vraag is acuut: hoe begraaf je zo iemand? Ze passen niet op een standaardbaar, niet in een gewone kist en soms zelfs niet in een gewone begrafenisauto. Er zijn begrafenisondernemers die extra grote kisten verkopen. De firma Goliath Casket doet goede zaken.

Kerkhoven moeten soms letterlijk een groter gat graven. Dat kan een probleem zijn als de overledene al een smal standaardplekje van drie voet breed had besteld en betaald. Maar voor dikke mensen is vier voet nodig. Crematoria geven hun personeel extra instructies hoe ze die grote maten moeten afhandelen. De meeste crematoria kunnen al lijken tot 500 pond aan.

Veel andere landen volgen het ongezonde voorbeeld van de VS. Daar heeft meer dan 60 procent van de volwassenen overgewicht. In Nederland ruim 40 procent. Een verschil is dat er in Nederland minder héél dikke mensen zijn. Het is (nog?) ietsje minder uit de hand gelopen.

DE RACE NAAR PEPERDUUR ONDERWIJS: *'GOED, BETER, BEST' ALS LEVENSLES*

De meeste universiteiten geven voorrang aan kinderen
van oud-studenten die geld aan de universiteit geven.
Ze rommelen met de regels om deze kinderen
uit rijke en invloedrijke gezinnen te kunnen toelaten.
Uit The Wall Street Journal

Onze high-schools zijn vijftig jaar geleden voor
een ander tijdperk bedacht. We moeten ze hervormen
voor de eenentwintigste eeuw, anders beperken of ruïneren
we elk jaar de levens van miljoenen Amerikanen.
Bill Gates

Hoe richt je onderwijs in voor kinderen die opgroeien in een samenleving waarin presteren altijd vooropstaat? Je begint heel vroeg. De race naar succes begint in de wieg. Soms bijna letterlijk. Elke ouder weet dat dit een maatschappij is van winners en losers.

Op elk niveau is de competitie keihard. Het behalen van een universitair diploma is al lang niet meer genoeg om een winner te zijn. Amerika is het land van 'goed, beter, best'. Je bent pas *goed* als je de *beste* bent. Alleen goud telt. Haal je zilver of brons, dan heb je er niet hard genoeg aan getrokken. Zolang anderen beter zijn, moet je buffelen. Ook al leidt dat tot stress, angst en wanhoop.

Arthur Levine, docent aan Columbia University, vindt het gekkigheid dat de lat zo hoog wordt gelegd. Scholieren die een serieuze kans maken op een topuniversiteit te worden aangenomen moeten trots op zichzelf zijn. Levine: 'Dit is zo beschadigend voor kinderen. Wat voor wereld is dit waarin kinderen heel goed presteren en zichzelf toch een mislukking vinden?'

Vooral bij de toelating tot de beste universiteiten heerst totale gekte. Een hype is het. Of nog liever een HYPe – de drie hoofdletters staan dan voor Harvard, Yale en Princeton. Het is de eredivisie van de Amerikaanse universiteiten. Je moet op bedrijfsfeestjes en tijdens je rondje golf op zaterdagmorgen nonchalant laten vallen dat je kinderen daar studeren. Vooral als je er tussen neus en lippen aan kunt toevoegen dat je zo in je nopjes bent dat je kind in de voetsporen van zijn ouders treedt die daar ook al studeerden. De boodschap: mijn kind is super en dat is geen wonder met zulke ouders.

Dit zijn ouders van de generatie uit de jaren zestig. Ze dachten de wereld te veranderen. Geld en rijkdom moesten minder belangrijk worden. 'Freedom is just another word for nothing left to lose', zong Janis Joplin toen. Dat kwam dus niet uit. Integendeel. De nieuwe generatie heeft alles te verliezen.

Dit zijn de ouders die stickers op hun Cadillac, Volvo of Mercedes plakken met de naam van 'hun' universiteit. In de file kun je lezen dat voor je de 'trotse ouder' staat van een Harvard-, Yale- of Princeton-kid. Dat je het maar even weet!

Iemand die naar een sukkelig *community college* gaat, loopt daar niet mee te koop hoewel ook daar miljoenen Amerikaanse kinderen studeren. Die studenten hadden niet de goede huidskleur, hun wieg stond op de verkeerde plek, ouders gaven niet het goede voorbeeld en de cijferlijst was niet helemaal pico bello. De Amerikaanse maatschappij helpt ze mondjesmaat.

Het Amerikaanse onderwijs staat wereldwijd dus niet bovenaan als het gaat om gelijke kansen. Daar staat tegenover dat de top in de VS meteen de top in de wereld is. Kijk naar het aantal Nobelprijzen: de VS staat daar eenzaam aan kop. Er is een lijst van universiteiten waar de meeste prijzen naartoe gaan. In de toptien van de laatste 100 jaar staan zeven Amerikaanse universiteiten. Kijk je alleen naar de laatste 25 jaar zelfs acht, de resterende twee zijn Engels en Duits. Nederland komt niet eens in de topvijftig voor.

Amerika is heel ouderwets

Amerikanen zijn modern, maar er is vaak ook een – naar Europese begrippen – overdreven voorkeur voor traditie en een schrijnend gebrek aan vernieuwing. Veel blijft zoals het is omdat het nu eenmaal al zo lang zo is.

Het Amerikaanse onderwijs is voor Europese begrippen erg traditioneel. De onderwijzers zijn allemaal 'meneer' en 'mevrouw'. Beleefdheid en respect zijn vanzelfsprekend. Het begin van de schooldag verloopt op de kleuter- en lagere school als een militaire exercitie. Buiten op de speelplaats liggen alle rugzakjes per klas op een rij.

Na een fluitsignaal gaan de kinderen bij hun rugzakken staan. Het verloopt ordelijk, maar ze vinden het niet vervelend. De kinderen lopen vrolijk kwetterend in ganzenmars naar binnen. Ze weten niet beter en het is wel zo rustig als je niet hoeft te duwen en trekken om binnen te komen.

Het eerste wat ze daar doen is de groet brengen aan de Amerikaanse vlag die in geen enkel klaslokaal van een openbare school mag ontbreken. In *The Pledge of Allegiance* beloven ze trouw aan vlag van de Verenigde Staten als 'één natie, ondeelbaar, onder God, met vrijheid en gerechtigheid voor iedereen'.

Kleding is al heel snel aanstootgevend en reden voor schorsing. Blote navels, dijen en schouders zijn in strijd met de goede zeden. Grof taalgebruik is ook verboden. En dat is heel strikt. De bekende vierletter f- en s-woorden zijn taboe. Zelfs shit en shutup zijn ongepast (*bad words*). Voor wapens en drugs is zero tolerance. Niks mag. Voor elke overtreding word je geschorst of – bij oudere kinderen – overgedragen aan de politie.

Leerlingen leren erecode

Spieken en frauderen bij examens is streng verboden. Op een particuliere middelbare school voor jongens bij Washington was in de voorbereiding op het eindexamen op vernuftige wijze gefraudeerd. De meisjes van een school in de buurt hadden er van de jongens over gehoord.

Dan treedt de erecode (*Honor Code*) in werking. Niet alleen frauderen is strafbaar. Als je weet dat een ander de zaak bedondert moet je het aangeven, anders ben je zelf even schuldig. De meisjes stonden voor een gruwelijk dilemma. De jongens waren hun broers en vrienden. Ze hielden zich toch aan de code en de jongens werden vlak voor het einde van de examens van school gestuurd.

Dat was extra zuur, omdat hun ouders voor zo'n privé-school zeker 20.000 dollar per jaar betalen. De meesten zitten er al vanaf de lagere school op. Dat is dus een jaar of tien, wat neerkomt op een investering in schoolgeld van rond de 200.000 dollar. Het zijn typisch jongens die door hun afkomst en vooropleiding naar topuniversiteiten kunnen. Dat konden ze nu wel vergeten.

De *headmaster* van de school schreef: 'Bedrog in deze omvang is een belediging voor families van de jongens, hun leraren, de school en de erecode van de studenten. Ze hebben zichzelf te schande gemaakt en zijn een blamage voor hun ouders.'

Viool of harp vanaf de kleuterschool

Amerikanen hebben een hekel aan het woord klassenstrijd. Dat klinkt zo sovjetachtig. Maar de toelating tot hoger onderwijs is er een onvervalst voorbeeld van. Wanneer begin je als ouder je kind voor te bereiden op die afvalrace naar een Ivy League-universiteit of iets wat daar zo dicht mogelijk bij in de buurt komt? Al heel jong. En hoe rijker de ouders, hoe vroeger de gekte losbarst.

Amerikanen houden van avontuur en risico, maar ze maken een uitzondering voor hun kinderen. Niets wordt aan het toeval overgelaten. Ze zijn overbezorgd en willen alles tot twee cijfers achter de komma organiseren. Prenataal wordt de schoolcarrière van menig ongeboren toptalent al uitgestippeld. Datum en plaats van het afstuderen van het arme kind staan vast, ze kunnen de bloemen en de taart al bestellen. Het is vanzelfsprekend een carrière met een gestaag stijgende lijn. In dit scenario is geen ruimte voor kind zijn, mislukken of 'gewoon even geen zin hebben'.

Hoe meer geld je hebt, hoe meer malligheid je je kunt veroorloven. In steden als New York, Boston, San Francisco en Los Angeles gaan kinderen van twee en drie jaar oud al naar zeer dure privé-peuterzalen, omdat die toegang bieden tot een even exclusieve kleuterschool en daarna lagere school. Want die school leidt weer tot een hoogstaande middelbare school. Enzovoort.

Hoe vroeger je een kind voorsorteert voor de absolute top, hoe beter het is. Dat het per jaar minstens tussen de 15 en 20.000 dollar kost, telt in deze kringen niet. Vanaf heel jong moet er dus gepresteerd worden. Je haalt hoge cijfers en vertoont onberispelijk gedrag. Daarnaast moet je bewijzen dat je een heel bijzonder, zo niet uniek mens bent. Voor die heel jonge kinderen betekent dit dat ze goed zijn in muziek (viool misschien of harp?), op hun vijfde Frans spreken of al iets heel knaps doen in sport.

Je kunt niet zonder die verrijkende activiteiten (*enrichment*). Die laten immers zien hoe bijzonder je bent. Spelen mag, maar moet wel een educatief doel hebben. Het valt in de categorie *quality time*. Klachten van pedagogen over deze afvalrace voor peuters worden niet erg serieus genomen. Later zullen onze kinderen ons innig dankbaar zijn, beweren hun ouders.

Dit traject waarbij kinderen vanaf luierleeftijd langs die maatlat worden gelegd is natuurlijk geen Amerikaanse doorsnee. Wie kan zich immers zo'n met goud belegde kindercarrière veroorloven? Maar het is ook weer niet zuiver een eliteprobleem. Veel ouders met een modaal salaris moeten er vroeg of laat ook aan geloven. Misschien haalt hun kind geen hoofdprijs, maar ook voor minder goede universiteiten moet een scholier vaak door een pittige selectie heen. Als ouder word je geacht steeds langs de krijtlijnen van deze kinderwedloop toe te kijken: als coach, mentor en vooral financier. Als dat allemaal vlekkeloos is verlopen gaat je jonge Einstein dus naar de universiteit (hier heet het college, dat is soms verwarrend).

Aan een Amerikaan is het Nederlandse universitaire model niet uit te leggen. Ze knikken braaf maar het is een verhaal uit een andere wereld. Loten is hier niet aan de orde. Daarbij worden individuele prestaties, talent en inzet immers genegeerd. Dat is érg on-Amerikaans. Het past ook niet in het Amerikaanse denken dat een plaatsingscommissie van de overheid je naar de ene of andere universiteitsstad stuurt. De overheid bepaalt waar je gaat studeren? Onbestaanbaar!

Een ijverige scholier met een fantastische cijferlijst verdient hier betere kansen dan de gemakzuchtige lapzwans die al blij is met zesminnetjes. 'Liever lui dan moe' wordt in de vs afgestraft.

In Nederland is hier en daar ook selectie 'aan de poort'. Bij kunstopleidingen is dat al lang het geval en aan de universiteiten van Maastricht en Leiden zijn prille experimenten. Maar het gaat nog op kousenvoeten, want er is ook veel kritiek, omdat een vroege toets weinig voorspellende waarde zou hebben.

De Amerikaanse en Nederlandse benaderingen verschillen hemelsbreed. In Nederland moet een universiteit aantonen dat een kandidaat níét geschikt is. In de vs moet de kandidaat bewijzen wél geschikt te zijn.

Gezien de enorme kosten van hoger onderwijs lijkt de Amerikaanse benadering niet onredelijk. In Nederland eigenlijk nog meer dan in de vs, want in ons land worden de opleidingen bijna helemaal uit belastinggeld betaald. En in de vs betalen ouders zelf de collegegelden, die oneindig veel hoger zijn dan in Nederland. Het is weer zo'n voorbeeld van het fundamentele cultuurverschil: de individuele tegenover de collectieve aanpak.

Amerikaanse scholieren die het echt ver willen schoppen doen in de jaren voor het eindexamen van High School extra activiteiten. Dan vallen ze straks op tussen de duizenden jongens en meisjes die ook hun uiterste best doen om op dezelfde universiteit te komen. De scholieren gaan dus naar verstandige zomerkampen. Ze spelen er Shakespeare, leren Chinees of doen kranig mee aan natuurbehoud of dierenbescherming.

Onontbeerlijk is de sociale component. Je doet werk voor daklozen of helpt behoeftige ouderen. Iets met de derde wereld of gehandicapten is ook altijd goed. Op school toon je natuurlijk ongekende leiderschapscapaciteiten en je zorgt ervoor dat je uitblinkt in minstens één sport.

Zo ontstaat een prachtig dossier dat je opstuurt naar de toelatingscommissie van de topuniversiteit van je dromen en dan begint het bange afwachten. Nemen ze me? Of hoor ik bij de vele afvallers? Het is een slopende en tijdrovende procedure. Veel ouders huren speciale adviseurs in die helpen bij het selecteren van een geschikte universiteit. Deze consultants helpen de scholier met bijlessen. Daarbij gaat het meestal niet om het bijspijkeren van een onvoldoende voor wiskunde of Spaans. Nee, het doel is een prachtige score nog verder op te voeren teneinde straks niet alleen bij de besten, maar bij de állerbesten te horen.

Elizabeth Stender uit Buffalo, New York, ging door dat martelproces. Ze vertelde in een interview dat ze graag naar een Ivy League-universiteit wilde. Ze had naast school 2000 uur sociaal werk gedaan en met haar ouders 6500 kilometer gereden om verschillende universiteiten te bezoeken. Haar springplank was een uitmuntende eindlijst, ze was voorzitter van de leerlingenraad en een goede roeier. Wat wil je nog meer?

Princeton zei al heel snel: 'Thank you, but no thank you.' Afgewezen! Daarna volgden afwijzingen van Harvard, Yale en Brown University. 'Het was alsof ik in mijn buik gestompt werd', zegt Elizabeth. Ze studeert nu op Boston College. Ook niet verkeerd.

Die enorme concurrentie verhoogt de prestaties, maar heeft onderwijskundig ook nadelen, zegt Gerald Smith van The University of the South in Tennessee: 'De opwinding over studeren verdwijnt en de magie ebt weg. Die wonderbare krachten van de menselijke geest om ergens ineens inzicht in te verwerven zijn verdwenen. Het lijkt wel alsof de allerbeste studenten niet meer geleerd hebben te spelen. Ze nemen geen enkel risico, in plaats daarvan zetten ze ons als docenten steeds meer onder druk.'

Hoe beter de universiteit hoe groter de kans dat je wordt afgewezen. Harvard, Yale en Princeton wijzen 85 tot 90 procent af. Ze nemen alleen bollebozen en uit die categorie nog weer alleen de best gemotiveerde studenten. Een universiteit heeft er belang bij dat hun studenten het goed doen. Want alleen dan blijven die universiteiten hoog op de landelijke lijsten staan.

De elite-universiteiten zijn als de dood dat ze op die lijst een plaatsje dalen. Die meedogenloze academische selectie heeft tot gevolg dat Amerikaanse universiteiten tot de wereldtop behoren. Tijdens de studie zijn er bijna geen uitvallers (nog geen 10 procent). De rest studeert keurig af. Een Amerikaanse universiteit zal er alles aan doen de studenten die eenmaal binnen zijn ook naar de eindstreep te brengen.

Kom daar maar eens om in het Nederlandse model waar algauw 40 procent uitvalt. Het maakt ook wel verschil als je per jaar 25.000 dollar collegegeld hebt betaald. Dan zeg je minder makkelijk: 'Het valt een beetje tegen; ik kap er maar mee.'

Amerika is ook het land waar de besten nog weer een trede hoger kunnen. De hoofdprijs in die race is bijvoorbeeld een 'Rhodes scholarship', een beurs voor de toppers onder briljante studenten. Bill Clinton won ooit zo'n beurs. De kandidaten komen uit het hele land en moeten dagenlang individuele tests doen, examengesprekken voeren en essays over gewichtige onderwerpen schrijven. Het is weer zo'n proces waarbij niet alleen je cijfers maar 'heel de mens' wordt beoordeeld.

Er zijn elk jaar maar enkele tientallen plaatsen. De c.v.'s van de kandidaten zijn indrukwekkend. Slapen die kinderen wel eens? Michelle Kuo, dochter van immigranten uit Taiwan, studeert al met succes op Harvard, werkt dertig uur per week in een tehuis voor daklozen en bestudeerde vrouwenprojecten in Kenia en China, maar viel af. Geen Rhodes scholarship!

Een van de winnaars was Devi Shridhar. Zijn staat van dienst: hij spreekt vijf talen, speelt heel goed tennis, schreef een boek over Indiase mythen en zette een organisatie voor autistische kinderen op. En hij is pas achttien jaar oud!

In de academische hordeloop tellen alleen heel hoge cijfers

Zonder hoge cijfers bereik je de top dus niet. Het hoogst haalbare is 'straight A's'. Een A is vergelijkbaar met een 9 of 10 bij ons. Een

B is pakweg een 7. Een C is op de rand of net eroverheen. En een D of lager..., dan tel je al niet meer mee. Veel succes in uw verdere loopbaan.

Stel, je bent professor op een dure universiteit. Je studenten betalen 30.000 dollar per jaar. Hun ouders leggen er nog een aangenaam bedrag bij als douceurtje voor de universitaire spaarpot. Dat weet je als docent allemaal als je tentamens zit na te kijken. Wat doe je? Het tentamen is net geen broddelwerk, maar geeft ook geen blijk van heel diepgaand inzicht. Een C dus. Of toch maar een B. Of... nog liever een A en de docent denkt de 'min' er zelf bij.

'Cijferinflatie' wordt het genoemd. Het is een landelijk verschijnsel en als je bezorgde leraren, docenten en professoren mag geloven loopt het nogal uit de hand. De pressie van ouders en studenten groeit. In de hordeloop naar de academische eindstreep mag je niet struikelen. Een B is als een omgeschopte horde. Dat kan nog net. Een C is fataal.

Studenten worden consumenten: 'Ik betaal hier dik voor, dus ik wil een hoge beoordeling.' Zou het toeval zijn dat dure privéuniversiteiten er meer last van hebben dan goedkopere gesubsidieerde universiteiten? Als het principe van 'waar voor je geld' hier opgaat, dan móét een dure school wel hogere cijfers geven.

Professor Gerald Smith van The University of the South in Tennessee vertelt dat hij een studente bij zich had gehad die erg ontdaan was omdat ze voor een tentamen een B had gescoord. 'Ze zei dat het de eerste B was die ze ooit had gehad en ze wist niet wat ze haar moeder moest vertellen. Ze zat te snikken en zei: "Vertel me alsjeblieft wat ik moet doen om er toch een A van te maken." Ik heb zelden zoiets zieligs gezien. Er was niet die vonk in haar om echt iets te leren.'

De universiteit van Princeton heeft het dappere besluit genomen de hoge-cijfermanie aan te pakken. Voor een goed tentamen krijg je voortaan een B. Alleen als het uitmuntend is, krijg je de felbegeerde A. Het is niet ongevaarlijk wat Princeton doet, want de gegevens van tentamenresultaten duiken steevast op in landelijke lijsten van de beste universiteiten. Dan lijkt het net of ze daar in Princeton met al die B's een beetje zitten te suffen, terwijl die B's misschien veel knapper zijn dan de A's op andere universiteiten. De reactie van de studenten in Princeton was overigens veelzeggend. Eerst protesteerden ze, maar toen dat niet hielp gingen ze gewoon nóg harder studeren.

Harvard University doet iets vergelijkbaars. Een paar jaar geleden studeerde daar ruim 90 procent van de studenten 'eervol' (*with honors*) af. Wat is zo'n eervol predikaat dan nog waard? Het werkt eerder omgekeerd; je bent een sul als je het niet hebt. Harvard wil het aantal honors-studenten nu terugdringen.

Oude traditie: rijke kinderen hebben voorrang

Er wordt dus veel meer dan in Nederland op de kwaliteit van de aanstaande student gelet. Er zijn drie uitzonderingen. Soms krijgen studenten uit minderheden voorrang. Dat is positieve discriminatie op grond van etnische en sociale afkomst. Het is politiek omstreden, maar het mag in sommige omstandigheden wel.

Er is ook voorrang voor studenten die beregoed zijn in sport, liefst in een van de sporten waaraan de universiteit via tv-rechten miljoenen dollars kan verdienen, basketbal bijvoorbeeld (voor mannen en vrouwen) en American Football.

De laatste uitzondering betreft studenten van wie een of beide ouders al op diezelfde universiteit hebben gezeten. Dan heb je voorrang en dat geldt nog sterker als je ouders dankzij die prachtige opleiding mooie banen hebben gekregen en ze uit dankbaarheid daarvoor een gul bedrag in de kas van de universiteit storten.

Over die voorkeursbehandeling is veel discussie. Het is oneerlijk, wordt gezegd. Het lijkt wel alsof de oude tijden van de aristocratie terugkeren. Toen telde ook alleen je afkomst, niet of je echt wat presteerde. Dit paste in het Engeland van de achttiende eeuw en daarvoor, niet in het Amerika van de eenentwintigste eeuw. Het is bovendien racistisch, vinden de critici. Want welke studenten komen in aanmerking voor zo'n gereserveerd plekje? Bijna altijd blanke studenten uit rijke families.

Dat is inderdaad oneerlijk maar wel verklaarbaar. Privé-universiteiten hebben hooggestemde idealen, maar ze worden voor een groot deel gerund als commerciële bedrijven. Ze moeten wel, want er is immers geen subsidiepot van een ministerie waar ze elk jaar uit kunnen putten.

Alumni, vroegere studenten van de universiteit, zijn een onmisbare bron van inkomsten. Landelijk gaat het elk jaar om vele miljarden dollars aan giften. Er is natuurlijk een wurgend dilemma voor de universiteit waar zich rijke, maar matig getalenteerde studenten melden. Geeft een rijke pa of ma volgend jaar weer zo ruimhartig als zoon of dochter net is afgewezen? Vast niet. Een universiteit koestert daarom de banden met deze families, die soms generaties teruggaan. Dat gooi je niet zomaar weg.

Niettemin is er verzet tegen deze voorkeursbehandeling. Oud-senator John Edwards, de vice-presidentskandidaat van John Kerry, bijvoorbeeld is tegen. 'Het geeft een voordeel aan studenten die al voordeel hebben.' Edwards was zelf een zeer succesvolle student en later advocaat en bereikte dat op eigen kracht. Zijn vader had een baantje in een fabriek, er was weinig geld en geen goudgerande familietraditie waar hij van kon profiteren.

Hoger onderwijs is nog altijd veel blanker dan de Amerikaanse samenleving. Van gelijke kansen is geen sprake. Het aantal zwarte studenten dat naar college gaat is wel spectaculair gestegen, maar de achterstand is nog lang niet ingehaald.

Van de zwarte Amerikanen tussen de 25 en 29 jaar heeft nu 17 procent vier jaar of meer hoger onderwijs gehad. Ten opzichte van midden jaren zeventig is dat een verdubbeling. Het aantal *African Americans* met een highschool-diploma blijft nog steeds ver achter. Die zwarte studenten hebben bijna allemaal financiële steun nodig die voor een groot deel komt uit de giften van rijke blanken. Door één grote gift kunnen misschien wel 20 of 100 kansarme studenten een beurs krijgen.

Neem de University of Middlebury in Vermont. Elk jaar krijgt die ongeveer 200 miljoen dollar van oud-studenten. Een student betaalt 36.000 dollar collegegeld per jaar. Zonder die giften zou dat volgens John McCardell, de rector van Middlebury, naar 60.000 dollar stijgen. In een interview zei hij: 'Een handvol plaatsen gaat naar studenten waarvan de families in staat zijn de kwaliteit van het onderwijs op Middlebury College ingrijpend te verbeteren. Het zou niet eerlijk zijn tegenover onze opvolgers en voorgangers die werkelijkheid over het hoofd te zien.'

Het gaat om 'Big Bucks'. Zo was Duke University ooit een onbeduidende regionale universiteit in North-Carolina. Terry Sanford die er jaren rector was bevoordeelde kinderen van vrienden en kennissen van hem op een schaamteloze manier. Sanford, oud-gouverneur van North-Carolina, was een Democraat, maar speelde de *money game* handig. Hij gebruikte de invloed van politieke en zakelijke vriendjes. Dat hielp en het resultaat is dat Duke nu landelijk een topper is. Wat telt dan zwaarder: het voortrekken van rijke blanke studenten of het vestigen van een topuniversiteit en bijeenbedelen van geld zodat ook armere studenten aan de bak komen?

Duke hield onlangs een fondswervende actie. Opbrengst: maar liefst 2 miljard dollar. Een groot deel komt van oud-studenten en ouders van studenten die dus geld geven bovenop het collegegeld van 35.000 dollar. Vergeleken met de regel- en subsidiecultuur in Nederland is dit echt een andere wereld. De Universiteit Utrecht heeft bijvoorbeeld een totale jaarbegroting van omgerekend minder dan een miljard dollar (640 miljoen euro).

Op de websites van de universiteiten staan de spelregels voor de goede gevers uitgelegd. Neem Ohio University. Geen topuniversiteit, maar de bedragen die ze vragen liegen er niet om. Voor een bedrag van tussen de 150.000 en 400.000 dollar kun je iets moois doen voor studiebeurzen. Als je tussen 250.000 en 2 miljoen dollar hebt gegeven, wordt er een leerstoel naar je genoemd. En voor 10 miljoen prijkt je naam op de voorgevel van een van de vooraanstaande gebouwen op de campus. Je geeft dus allesbehalve anoniem. Het gebeurt in de volle openbaarheid. Iedereen mag en moet weten dat je een vette cheque hebt uitgeschreven voor jouw universiteit. Het zegt iets over je gulheid en over je maatschappelijk succes.

Niet iedereen is blij met die grootgeldpraktijken. Marilee Jones van het vermaarde Massachusetts Institute of Technology (MIT) zegt dat de rijkdom van ouders de beslissing studenten toe te laten niet beïnvloedt. 'Ik begrijp waarom universiteiten contacten met ouders uitbuiten om er zelf beter van te worden. Als iemand een cheque voor je neus houdt, waarom zou je die dan niet aanpakken? Maar ik denk echt dat het uit de hand gelopen is.'

Het blijft politiek een heet hangijzer waarbij links en rechts elkaar op een curieuze manier in evenwicht houden. Democraten zijn tegen voorrang voor rijke kinderen, omdat ze vinden dat je op studieprestaties moet selecteren en niet op de hoogte van de bankrekening van de ouders van deze studenten. Maar diezelfde Democraten willen wel voorrang voor bijvoorbeeld zwarte Amerikanen en latino's, omdat ze van huis uit een achterstand hebben.

Rechts redeneert omgekeerd. Geen voorrang voor etnische minderheden, want dat gaat ten koste van het academisch niveau. En die voorrang voor rijke kinderen? Ach, het zou niet moeten, maar het moet wel mogen. Het kan ook gewoon doorgaan dankzij een uitspraak van het Supreme Court. En – even roddelen – de families van vijf van de negen bejaarde rechters van het Supreme Court hebben nogal geprofiteerd van die omstreden positieve discriminatie. Die rechters weten immers als geen ander (je moet een beetje praktisch blijven) dat de ene Amerikaan voor de wet ietsje gelijker is dan de ander.

President Bush weet daar ook alles van. Hij was bepaald geen uitblinker en mocht toch naar Yale. Zijn grootvader was senator van Connecticut, zijn vader een succesvol zakenman en kandidaat voor de senaat. Dat hielp. De jonge Bush bofte dubbel, want kort nadat hij was toegelaten werd die voorkeursbehandeling op Yale afgeschaft. Maar daarover ontstond vervolgens zo veel tumult dat ze zich snel bedachten en het een paar jaar later weer in 'ere' herstelden. Opvallend is dat Bush nu tegen voorkeursbehandeling is. 'Toelating moet op basis van prestaties.' Het is maar goed dat die regel niet gold toen hij jong was, dan was nu vast iemand anders president van Amerika geweest.

Onderwijs is een onderwerp waar de cultuurkloof tussen de VS en Nederland heel wijd is. Van de elitekinderen op hun peperdure peuterschooltjes tot en met de bollebozen op Harvard, Yale en Princeton is het presteren geblazen. Amerika houdt niet van grijze gemiddelden, maar wel van talentvolle toppers. Dat is prettig voor de toppers, maar soms frustrerend voor wie om wat voor reden dan ook net buiten de boot valt. Maar, zeggen de Amerikanen, je krijgt geen universiteiten van wereldkwaliteit met gemiddelden. Vandaar dat ze zulke hoge eisen stellen aan hun aankomende studenten die, eenmaal toegelaten, zelden uitvallen.

Het Nederlandse onderwijssysteem van loten en open toelating voor iedereen met een vwo-diploma strijkt verschillen in aanleg en ijver glad. Binnen het Nederlandse collectief heeft iedereen gelijke kansen. Dat vinden wij een groot goed. In het Amerikaanse systeem is het net omgekeerd. Daar telt geen collectieve gelijkheid, integendeel, daar gaat het om de unieke individuele capaciteiten en toewijding.

ONTEMBARE GELDJACHT IN DE RECHTSZAAL: *MILJOENEN VERLAMMENDE AANKLACHTEN*

Advocaten moeten nooit met advocaten trouwen.
Dan krijg je inteelt en gekke kinderen
en nog meer advocaten.
Uit de film Adam's Rib

Advocaten zijn als neushoorns.
Dikke huid, kortzichtig
en altijd klaar om aan te vallen.
David Mallor, advocaat

Lees voor de grap eens enkele waarschuwingslabels op producten. Achter elk idioot label zit een rechtszaak. En achter elke rechtszaak gaan advocaten schuil die daar heel veel geld mee hebben opgestreken.

Waarom staat er anders op de label voor een kruiwagen de waarschuwing: 'Niet voor gebruik op de snelweg.' Op een massageapparaat: 'Niet gebruiken terwijl u slaapt of bewusteloos bent.' Op een boormachine: 'Niet mee in tanden boren.' Op scheenbeschermers: 'Beschermen geen lichaamsdelen die niet zijn afgedekt'. Op een strijkijzer: 'Kledingstuk niet strijken terwijl het gedragen wordt.' Op een opvouwbare wandelwagen: 'Kind verwijderen alvorens wagen in te klappen.' Op de cape van een Batmankostuum: 'Niet geschikt om mee te vliegen.'

Advocaten waren ooit deftige heren die de wet kenden en mensen hielpen die deze kennis niet hadden. Een eerzaam beroep was het; een vertrouwensfunctie ook. Natuurlijk verdienden ze er goed mee, maar daar ging het niet echt om.

Als je aan Amerikanen vraagt voor welke beroepsgroepen ze respect en waardering hebben, bungelen advocaten onderaan.

Geen wonder. Gisse advocaten weten ontelbare schadeclaims op absurde wijze op te rekken. Het prijskaartje dat ze eraan hangen loopt al snel in de miljoenen. En mede door de juryrechtspraak, waarbij goedwillende amateurs zeer ingewikkelde zaken moeten beoordelen, lukt het de advocaten nogal eens die bedragen ook binnen te slepen.

Om de zaak zelf gaat het vaak niet eens. Alleen om de vraag hoe gek je zo'n jury kunt krijgen. Vandaar dat er waarschijnlijk geen land ter wereld is met zo veel advocaten. In de VS zijn er meer dan een miljoen, of 367 per 100.000 inwoners. Ter vergelijking: Nederland heeft 15.000 advocaten of ruim 100 per 100.000 inwoners.

Voor elk denkbaar ongemak naar de rechter

Iedereen kent de zotte voorbeelden. Er zijn zelfs aparte websites die niets anders doen dan idiote rechtszaken op een rij zetten (www.overlawyered.com). Wie regelmatig mee wil grinniken kan de meest extreme gevallen automatisch per e-mail toegestuurd krijgen.

Neem de rechtszaak die ouders aanspanden omdat hun kind uit een klimrek was gevallen. De betonnen ondergrond had de verwonding veroorzaakt. De oplossing: rubberen tegels. Weer mis! Een ander kind viel en bezeerde zich. De rubberen tegels hadden de valse indruk gewekt dat er niets kon gebeuren. Aanklagen dus.

Wat moet je dan doen? Je kind steeds binnenhouden? Dan wordt het te dik. Ga je dan school en gemeente aanklagen omdat je kind moddervet is vanwege het ontbreken van een veilige speelplaats? Er is vast een advocaat die daarmee komt.

Een dronken man die geen Engels kon lezen negeerde waarschuwingsborden en klom over het hek langs een spoorbaan. Hij plaste op de derde rails die de trein van stroom voorziet. Hij overleefde het niet en zijn vrouw kreeg een schadevergoeding.

Een idioot voorbeeld van juridische geldjacht was de fameuze koffiezaak bij een McDonald's. Iedereen weet dat je je vingers kunt branden aan een heet bekertje koffie. Het is ook vervelend als je koffie in de auto drinkt en daarbij op je schoot morst. Wat doe je dan? Inderdaad, je belt je advocaat!

Dat deed een mevrouw die dit bij McDonald's overkwam. Ze pakte de koffie uit het drive through-loketje aan, reed weg en morste op haar schoot. Ze kreeg 2,9 miljoen dollar toegekend, dat later door een andere, iets minder mallotige rechter werd verlaagd tot 650.000 dollar. Daar kun je een paar bekertjes heel hete koffie voor kopen.

Het geruchtmakende miljardenproces tegen de tabaksindustrie heeft de inhaligheid van alle betrokkenen versterkt. Ambitieuze juristen proberen fabrikanten van vuurwapens op dezelfde manier aan te pakken. Waarom doen die wapenboeren, zeggen de advocaten, niet meer moeite hun product veiliger te maken door er bijvoorbeeld sloten op te maken zodat kinderen er geen ongelukken mee kunnen veroorzaken? Ze hebben hun plicht op dat vlak ernstig verzaakt, zoals tabaksfabrikanten in het verleden verzuimden te vertellen dat je van roken doodgaat.

De idiotie van rechtszaken wordt aangewakkerd door het systeem van 'no cure no pay'. Je huurt een advocaat die een percentage van de toegekende schadevergoeding opstrijkt. De advocaat zoekt dus zaken op die kansrijk zijn en probeert ongeacht de schuld van de aangeklaagde partij de claim tot ongekende hoogte op te jagen. In het Nederlandse systeem mag dit (nog) niet. Een advocaat die op basis van 'no cure no pay' een zaak aannam werd zelfs met een jaar schorsing bedreigd.

Berucht zijn in de VS ook de *class action*-zaken, waarbij advocaten namens een grote groep gedupeerden optreden. Stel dat er van de twee miljoen batterijen in een laptop ergens twee een beetje zijn gaan roken. Een duur advocatenkantoor springt daar bovenop en gaat op zoek naar de twee miljoen eigenaren van computers met zo'n batterij. Die krijgen allemaal een ingewikkelde brief die je moet ondertekenen als medegedupeerde, ook als je computer zonder rookwolken functioneert.

Dan wordt namens de klagers in het hele land de rechtszaak gevoerd. Tel uit je winst! Over de vraag of die computerbatterijen echt gevaarlijk waren gaat het al niet meer. Vaak komt er ook helemaal geen rechtszaak. De fabrikant gaat snel door de knieën om erger te voorkomen en betaalt een vorstelijke som aan de advocaten. Kassa!

Dikwijls blijft er uiteindelijk een flutbedragje over voor elk van de gedupeerden. De advocaten strijken verreweg het meeste geld op. Het is een nachtmerrie voor fabrikanten.

Een mooi voorbeeld is een reclame van chipfabrikant Intel. Er was niets aan de hand totdat een advocaat ontdekte dat er iets misleidends in een Intel-advertentie stond. Dat was niemand opgevallen en er was ook niemand gedupeerd. Maar er kwam een rechtszaak. Van de 500.000 'slachtoffers' meldden zich er slechts 150. Ze kregen elk 50 dollar schadevergoeding (totaal dus 7500 dollar). En de advocaten? Die wandelden met anderhalf miljoen dollar aan honoraria weg.

Toch zit er iets heel on-Amerikaans in die gekte met schadeclaims. Het strookt niet met de mentaliteit in dit land. Amerikanen zijn gewend risico's te nemen in het leven en niemand moppert daarover. Maar zo gauw hun iets overkomt waar ze met behulp van een advocaat een slaatje uit kunnen slaan, veranderen ze in zeurende, kleinzielige kleuters. Dan treden de wetten van de vrije markt in werking. Maximale geldzucht en minimale schaamte bepalen dan het juridische strijdtoneel.

Voor het minste of geringste ongemak (een verzwikte teen, een mislukte vakantie, een bedorven slaatje) willen ze miljoenen dollars vangen. Het kan te maken hebben met de grote risico's die Amerikanen in het dagelijks leven lopen. Als je in het ziekenhuis belandt of invalide wordt, kan dat je faillissement betekenen. Dus probeer je de kosten in een rechtszaak terug te halen.

In Europa ben je vaker financieel gedekt als je iets akeligs overkomt en dus is de noodzaak van malle rechtszaken minder groot. Het is het oude verhaal: in Europa is er de gegarandeerde *collectieve* oplossing en betaal je sociale premies en hoge belastingen. In de VS moet je *individueel* je zaakjes regelen.

Het grootste probleem in de VS zit in de dreiging van rechtszaken. Je past je privé-gedrag aan en rijdt in de buurt van kinderen stapvoets, neemt met andermans kinderen geen enkel risico en vraagt van de ouders overal toestemming voor. In het dagelijks leven ontstaat een houding van 'je weet maar nooit. Better safe than sorry.'

Makelaars moeten bijvoorbeeld geweldig oppassen. Die kunnen zomaar wegens discriminatie worden aangeklaagd. Als kopers informeren naar de samenstelling van de bevolking in een buurt, mag een makelaar daar niets over zeggen. Zelfs niet of er veel mensen met kinderen wonen of juist oudjes. Laat staan over de huidskleur van de bewoners. Ook informatie over misdaadcijfers is taboe, want dat kan discriminerend zijn. Als je wilt weten of er veel kinderen in een buurt wonen adviseert de makelaar: 'Rijd rond, tel het aantal schommels in achtertuinen en trek je conclusie.' Verder kan en mag hij officieel niet gaan.

Wie eindelijk een mooi huis heeft gevonden voor een betaalbare prijs moet nog een keer op onderzoek uit, want opnieuw zal de makelaar je niet helpen bij het beantwoorden van die ene vraag die de transactie alsnog kan verknallen: 'Is een van de buren advocaat?' Dat wil immers niemand uit angst dat je voor elk flauwekulletje wordt aangeklaagd.

Voor artsen is er een permanente dreiging van rechtszaken. Als een grijpgrage advocaat erachter komt dat – ongeacht de kosten – bij een patiënt niet álles is gedaan wat medisch denkbaar is, rent hij naar de rechter onder het aanheffen van de alom gevreesde strijdkreet: 'Schadevergoeding!' De verhouding tussen de gemaakte 'fout' en de toegekende schadevergoedingen is volkomen zoek.

Een dokter is daarom bang nieuwe behandelmethoden te gebruiken. Je kunt je afvragen of artsen ooit röntgen, nieuwe anesthesie, penicilline, aspirine en valium hadden uitgevonden als er voortdurend advocaten op de loer hadden gelegen. Voor je het weet word je, als het een keer fout uitpakt, aangeklaagd. Je hebt dan kennelijk een methode gebruikt die nog niet 200 procent veilig is en dat is 'verwijtbaar'. Bewijs maar dat de klager ongelijk heeft.

Driekwart van de artsen zegt te worden belemmerd door de dreiging van rechtszaken. Een arts werkt nu eenmaal met een marge van onzekerheid en onvoorspelbaarheid. Geneeskunde is geen 1+1=2. Advocaten misbruiken die marge, terwijl artsen het *voordeel* van de twijfel zouden moeten krijgen. In het Amerikaanse model krijgen ze nu voortdurend het *nadeel* van de twijfel. Het ouderwetse *vertrouwen* in de dokter is verdwenen en heeft bij veel Amerikanen plaatsgemaakt voor structureel *wantrouwen*.

Een plastisch chirurg in Florida kreeg een rechtszaak aan zijn broek omdat hij de risico's van een operatie niet duidelijk had uitgelegd. Hij heeft nu in zijn kantoor en onderzoeksruimte videocamera's opgehangen die alles wat daar voorvalt registreren. Het is een groot succes en hij begon een bedrijfje dat dit soort videosystemen aan andere artsen verkoopt.

Wat doet een veroordeelde arts intussen? De volgende keer weigert hij een patiënt met dezelfde kwaal of hij doet veel meer dure onderzoeken dan hij medisch nodig vindt, omdat hij zich geen herhaling van de rechtszaak kan veroorloven. De kans is intussen groot dat zijn verzekeringspremie wegens aansprakelijkheid drastisch omhoog gaat. Zonder zo'n verzekering voor *liability* kan een arts niet werken. De premies lopen soms in de honderdduizenden dollars per jaar en stijgen snel. Er zijn steeds meer artsen die er eenvoudig mee ophouden. Gynaecologen bijvoorbeeld weigeren vaak nog bevallingen te doen. Neurochirurgen lopen patiënten met hoofd- en nekletsel liefst heel snel vriendelijk knikkend voorbij.

Ziekenhuis doet niets; jongen bloedt dood

Donald Palmisano, ex-voorzitter van de American Medical Association, luidt de noodklok: 'Het risico van een schadeclaim hangt als een spook boven iedereen in de medische gemeenschap. Het verstart medische vernieuwing, belemmert de veiligheid voor de patiënt en veroorzaakt een oncontroleerbare stroom papierwerk. Daardoor is er minder tijd voor patiënten. Bovendien worden gekwalificeerde kandidaten afgeschrikt om nog dokter te worden.'

In zijn boek *The Collapse of the Common Good* beschrijft Philip Howard de zaak van de 15-jarige Christopher Sercye. Hij speelde basketbal op een veld vlak bij het Ravenswood Hospital in Chicago.

Chris werd neergeschoten. Vrienden ondersteunden hem op weg naar het ziekenhuis, maar op een meter of tien van de ingang zakte hij in elkaar. De medewerkers van de Eerste Hulp weigerden hem te helpen.

De uitleg van het ziekenhuis: als ze naar *buiten* waren gekomen hadden patiënten *binnen* een klacht kunnen indienen dat zij daar werden verwaarloosd. Dat risico kon het ziekenhuis niet nemen. Een politieagent smeekte hen te helpen. Vergeefs. Ze belden 911. Chris lag intussen bloedend op straat. Het duurde 25 minuten voor er hulp kwam en de jongen het ziekenhuis werd binnengebracht. Daar stierf hij korte tijd later.

Philip Howard concludeert: 'Als Amerikanen zijn we niet bang iets verkeerd te doen. Waar we écht bang voor zijn is dat iemand ons ervoor aanklaagt.' Door het gevaar van rechtszaken zijn artsen ook amper meer bereid open met collega's te praten als er iets misgaat. Het gevolg is ook dat slechte artsen blijven zitten, want hun fouten komen niet aan het licht door de cultuur van angst en geheimhouding. En stel dat een ziekenhuis een slechte dokter ontslaat, reken er dan maar op dat hij het ziekenhuis voor miljoenen zal aanklagen.

De aanklaagcultuur maakt ook euthanasie extra moeilijk. Sowieso ligt het in de VS veel gevoeliger en heet het algauw moord. De Nederlandse praktijk, waarbij de procedure voor euthanasie in een aantal strakke, controleerbare regels is vastgelegd, kun je aan Amerikanen niet uitleggen.

Begin 2005 was Groningen veel in het nieuws in de VS vanwege euthanasie daar op zwaargehandicapte baby's. Door extreme Amerikaanse commentatoren werden de Nederlandse artsen vergeleken met nazi-arts Joseph Mengele. 'De cultuur van de dood rukt op', stond op een website. In veel commentaren verdween elke nuance, hoe geduldig de artsen uit Groningen hun bedoelingen ook aan Amerikaanse journalisten bleven uitleggen.

In de Amerikaanse – ideologisch geladen – politieke cultuur is zo'n Nederlandse oplossing ondenkbaar. Daar zoeken activisten juist die flinterdunne marge tussen goed en kwaad op, klimmen op de tafel en gaan met een bijbel in de hand lopen schelden. Het is ondenkbaar dat het Amerikaanse parlement een wet aanneemt waarin met veel waarborgen omgeven euthanasie wordt toegestaan. Zonder wet worden onderwerpen als euthanasie en abortus uitgevochten door activisten, advocaten en rechters.

Nederland vond in het geval van euthanasie voor baby's een praktische oplossing voor een onoplosbaar probleem. In de VS maken ze een principieel probleem van elke denkbare oplossing. Nederlanders erkennen dat je nooit de garantie hebt dat je het 100 procent goed doet, maar we vinden het alternatief (geen duidelijke wettelijke afspraken) erger en slechter voor de patiëntjes en hun ouders.

Ook in de VS zijn zieke mensen die ondraaglijk lijden en voor wie verbetering niet meer mogelijk is. Elke dag gebeuren er dingen in bejaardenoorden en ziekenhuizen in het geniep, omdat er geen legale, open manier is om ze te doen. Begin 2005 was er het voorbeeld van mevrouw Terry Schiavo, die al meer dan tien jaar vrijwel hersendood in een diep coma lag. Herstel was uitgesloten en haar man wilde er een einde aan maken.

De ouders van Terry wilden haar in leven houden. De president en het hele Congres kwamen terug van paasvakantie om zich ermee te bemoeien. Bij de kliniek in Florida werd 24 uur per dag gebeden. Het was een politiek en publicitair spektakel waar de ene rechtszaak op de andere volgde. Uiteindelijk stierf Schiavo, in maart 2005, nadat het infuus met voeding en water was verwijderd.

De woede onder de veelal religieus geïnspireerde demonstranten, die haar dood als moord bestempelden, was groot. Dit is een goed voorbeeld van het totale onvermogen van de Amerikaanse politiek om voor dit soort fundamentele zaken een politiek werkbare oplossing te vinden. Uiteindelijk besluiten ook in dit geval rechters weer en niet het parlement, dat hier namens de bevolking regels voor zou moeten stellen.

Artsen houden dergelijke patiënten nu met veel kunst- en vliegwerk (en zeer hoge kosten) in leven uit vrees dat de familie een klacht indient. Je kunt als nabestaande zelfs een lijkschouwing kopen om bewijsmateriaal voor een aanklacht te verzamelen. Soms is het al genoeg alleen maar twijfel te zaaien over de vraag of een ziekenhuis wel alles heeft gedaan om de patiënt in leven te houden.

De aanklaagcultuur heeft ook ingrijpende gevolgen voor onderwijzers en leraren. Kwets nooit de tere kinderziel. Wees extra alert als er kinderen zijn met vaders of moeders die advocaat zijn. Een kind dat zich absurd gedraagt uit de klas sturen? Pas op, dat kan zomaar een officiële klacht opleveren. Een basketbalcoach die in een volle gymzaal een kluwen meisjes van een jaar of acht uit elkaar haalt? Boze brief van twee advocaten/ouders met dreiging van klacht wegens 'sexual harassment'.

Aanraking van kinderen is taboe. Troosten is er niet meer bij. Ja, een vriendelijk woord en heel misschien een bemoedigend schouderklopje. Maar een huilend kind op schoot nemen, een arm om de schouder slaan, laat staan een onschuldige knuffel – allemaal verboden. Voor je 't weet sta je voor de rechter. Bij elke leerkracht kijkt een advocaat over de schouder mee.

De tentakels van de advocaten dringen door in alle hoeken en gaten van de samenleving. Bernard Marcus is de oprichter van Home Depot, een zeer succesvolle keten van doe-het-zelfzaken. Hij werd er erg rijk van en is intussen met pensioen. Marcus doet fulltime aan liefdadigheid, bijvoorbeeld ten behoeve van gehandicapte kinderen. Maar, zegt hij, we worden er gek van, want heel veel mensen die anders graag vrijwillig meehelpen durven niet meer uit angst een rechtszaak aan hun broek te krijgen. Als kwaadwillenden zelfs al goedwillenden voor de rechter gaan slepen is er iets goed mis.

Marcus heeft berekend dat dit soort rechtszaken Amerikanen per jaar meer dan 230 miljard dollar kosten, dat is 800 dollar per persoon. Elke twee seconden wordt er ergens in Amerika een civiele rechtszaak aangespannen. Dat zijn er ruim 16 miljoen per jaar. Als voorbeeld noemt hij rechtszaken over het giftige asbest. Daar gaat het intussen om een bedrag van 200 miljard dollar. 'Een nationaal schandaal', vindt Bernard Marcus.

Maar er is hoop, want president Bush heeft de oorlog verklaard aan de advocaten die zich verrijken met 'mallotige rechtszaken' ('frivolous lawsuits'). De president wil schadevergoedingen aan een maximum binden en grote rechtszaken mogen niet langer in een of andere plattelandsrechtbank worden afgehandeld.

Dat klinkt verstandig, maar het heeft een venijnig politiek kantje. Want Bush raakt daarmee veel Democratische politici in het hart. Advocaten en hun puissant rijke kantoren geven namelijk gul aan verkiezingscampagnes. Ze zijn dikke maatjes met de Democraten. Want wat was ook alweer het beroep van senator John Edwards, de vice-presidentskandidaat van John Kerry? Inderdaad, advocaat en hij werd stinkend rijk met rechtszaken waar president Bush nu juist paal en perk aan wil stellen.

Ook veel borrelpraat over advocaten

Rechtszaken zijn onderwerp van politiek debat én borrelpraat. Er wordt een hoop onzin over beweerd. De meeste mensen weten bijvoorbeeld niet dat negen van de tien medische aanklachten stranden. Het gemiddelde toegekende bedrag ligt tussen de 100 en 200.000 dollar. Dat valt nog wel mee. Maar dat weet je pas achteraf en de permanente dreiging van een grote claim hangt steeds boven je hoofd. De zaken met megamiljoenen bepalen het beeld. Bovendien is er vooral aandacht voor de eerste juryuitspraak en niet voor het definitieve oordeel van de rechter.

Ex-rookster Betty Bullock kreeg 28 miljard dollar schadevergoeding van een jury in een zaak tegen Philip Morris vanwege de longkanker die ze kreeg na vele jaren roken. De rechter haalde een paar nullen van dat schadebedrag af. Er bleef niettemin nog een aangename 28 miljoen over.

Toch zit er ook een serieuze kant aan de zaak. De grote vraag is: worden producten veiliger doordat fabrikanten bang zijn voor een rechtszaak? We hebben de voorbeelden gezien: autofabrieken die onderdelen gebruiken die gevaarlijk blijken te zijn; slachterijen die besmet vlees verkopen; haardrogers die spontaan in brand vliegen; pijnbestrijders waar je een hartaanval van krijgt.

Tegenstanders van de nieuwe aanpak van president Bush zijn bang dat door de kruistocht tegen alle juridische frivoliteiten ook deze echte gevallen van nalatigheid tussen wal en schip terecht zullen komen. Dat is slecht voor de bescherming van de consument, zeggen ze.

Nog een paar malle rechtszaken als afsluiting (de website www.overlawyered.com doet niet anders dan dit soort zaken verzamelen):

- De gewapende bankovervaller die de bankbediende aanklaagt. De meneer achter het loket had beweerd dat de overvaller had gedreigd te schieten. Helemaal niet waar! Wat een belediging! Hij had alleen maar geld geëist.
- De stad New York wordt aangeklaagd. Een voetganger werd aangereden door een auto die in volle vaart de stoep op knalde. Reden voor de aanklacht: de stoeprand was niet hoog genoeg.
- Kleine Joey speelde in Little League Baseball. Door de lage zon miste hij een bal die hem in zijn oog raakte. Pech? Nee, de coaches waren schuldig! Ze lieten het niet op een rechtszaak aankomen en schikten voor $ 25.000.

3 *Armoede en overvloed:* Economie in de VS

AMERIKAANSE ECONOMIE GROEIT EN BLOEIT

1000 JAAR IN 100 JAAR INGEHAALD

Alle uitvindingen tonen de dynamiek van dit land:
de personenlift, roltrap, telefoon, grammofoon,
kassa, elektrisch licht, vulpen, rekenmachine,
draaideur, veiligheidsspeld en schrijfmachine.
Bill Bryson over negentiende-eeuwse uitvindingen in Made in America

De huizen die Amerikanen bouwen worden groter en groter.
Huizen zijn nu gemiddeld tweemaal zo groot als in de jaren vijftig.
Joel Kotkin, hoogleraar architectuur

De Founding Fathers schreven in 1789 met ganzenveer de Amerikaanse grondwet. Amerika was een onontgonnen land van boeren, handelslieden en slaven. Niemand kon toen verzinnen dat Amerika razendsnel zou uitgroeien tot een industriële wereldmacht. Thomas Jefferson, een van de Founding Fathers en de derde president van Amerika, dacht dat het duizend jaar zou duren voordat het kolossale westelijke deel van de VS ontwikkeld was. Jefferson zat ernaast: het gebeurde binnen honderd jaar. Hij had de ondernemingszin van zijn nieuwe landgenoten onderschat.

Al voor negentienhonderd was Amerika die andere industriële supermacht – Groot-Brittannië – voorbijgestreefd. De geschiedenis van Amerika is een aaneenschakeling van economische topprestaties. Een goed voorbeeld is de aanleg van spoorwegen. De trein was een Engelse vinding waarvan de Amerikanen snel de spectaculaire mogelijkheden onderkenden.

Het begon heel bescheiden rond 1830. In 1860 was er 30.000 mijl spoorweg (toen al meer dan de rest van de wereld samen). Er kwam een ware hausse in spoorwegaanleg en in 1890 lag er al 200.000 mijl rails. Elke stad van enige omvang lag aan het spoor.

Er werkte een miljoen mensen bij de spoorbedrijven. Zij maakten de industriële ontwikkeling mogelijk die de basis was voor Amerika's economische wereldmacht.

Arme werknemers in zompige appartementen

De keerzijde was de diepe ellende van de honderdduizenden arbeiders die in erbarmelijke omstandigheden werkten en leefden. Ze woonden samengepakt in kleine, zompige appartementen. Eenderde van hen stierf voor zijn vijfentwintigste levensjaar. Het waren veelal immigranten die in Europa op de boot waren gestapt om in de Nieuwe Wereld hun geluk te beproeven.

In Europa kregen vakbonden en socialistische partijen meer macht en invloed, maar in de VS wilde het socialistische ideaal maar geen wortel schieten. Er was veel onvrede en woede over sociale misstanden, maar tot krachtig protest leidde het zelden.

Er was ook weinig tijd om te klagen, want de Amerikaanse economie zette haar zegetocht voort. De productiegroei was duizelingwekkend. In 1914 was de VS 's werelds grootste producent van ijzer, koper, steenkool en gas. Een kwart van de wereldrijkdom was in Amerikaanse handen.

Een paar belangrijke uitvindingen (auto, radio) werden in Europa gedaan, maar de Amerikanen wisten als geen ander die uitvindingen razendsnel om te zetten in een winstgevend industrieel massaproduct. De VS hadden een grote afzetmarkt zonder binnengrenzen, één munt (de dollar) en één taal.

De auto is een goed voorbeeld van succesvolle marketing. In 1898 waren er amper 30 rijdende auto's in heel Amerika. Binnen tien jaar waren er 700 autofabrieken. Europa liep daarbij ver achter. De snelheid waarmee in de VS wegen werden aangelegd deed denken aan de explosieve groei van de spoorwegen. Rond 1900 waren er amper verharde wegen. In 1920 was er een wegennet van 369.000 mijl; nog eens tien jaar later 662.000 mijl.

De stormachtige ontwikkeling van de Amerikaanse economie had tot gevolg dat de VS in de Eerste en Tweede Wereldoorlog een prominente rol konden spelen. De Amerikaanse oorlogsproductie was ongekend. Tussen 1941 en 1945 bouwde de Amerikaanse industrie 86.000 tanks, bijna 300.000 vliegtuigen, 6500 oorlogsschepen en 5400 vrachtschepen. De geschiedenis van de twintigste eeuw was zonder dit onvoorstelbare industriële potentieel van de Amerikanen misschien heel anders verlopen.

Koeling voor Michelangelo en Silicon Valley

Hoe zou Amerika eruitzien als honderd jaar geleden Willis Carrier niet een baanbrekende uitvinding had gedaan? *Time* schreef over hem: 'Zonder Carrier was de productiviteit in de VS 40 procent lager, de zeevisserij failliet, waren de fresco's van Michelangelo en antieke boeken langzaam vergaan. Veel kinderen zouden niet kunnen leren en in Silicon Valley zou er een crash zijn van de computerindustrie.'

Wat vond die Carrier dan wel uit? De airconditioning. Wie in de zomer in het bloedhete zuidelijke deel van de VS rondreist, moet elke dag Willis Carrier ('The King of Cool') even gedenken. De airco is een voorbeeld van Amerikaanse vindingrijkheid die snel wereldwijd toepassing kreeg.

Het is de kracht van Amerikanen. Ze hebben een idee, maken er een product van en weten er met een combinatie van ondernemerschap en marketing wereldwijd een succes van te maken. Nederlanders zijn daar minder goed in. Philips had ooit een superieur videosysteem (V2000), maar Sony pakte de winst met het JVC-systeem.

De Nederlandse autofabriek DAF had het 'pientere pookje' en traploze transmissie (variomatic). Het systeem zat jaren alleen in truttige koekblikachtige bejaardenautootjes. Een vergelijkbaar systeem wordt nu gebruikt door Audi, Ford, Honda, Toyota en Saturn. In Amerikaanse autobladen wordt het gepresenteerd als brandstofbesparende 'vernieuwing', maar DAF is allang verdwenen.

Amerika is het land van Bill Gates, de 'college drop-out' die de rijkste man ter wereld werd omdat hij zijn Windows-software tot zo'n succes maakte. Michael Dell is er ook zo een. Hij is amper veertig jaar oud en op weg de grootste computerfabrikant ter wereld te worden. Dell begon in 1984 met een kapitaaltje van 1000 dollar op zijn studentenkamer oude computers uit elkaar te peuteren. Hij voegde oude onderdelen samen tot 'nieuwe' computers die hij aan vrienden en bekenden verkocht. Dell runt nu een van de meest bewonderde bedrijven van Amerika. Zijn idee om computers alleen online te verkopen was baanbrekend.

Of neem Jeff Bezos. Hij nam ontslag op Wall Street, bedacht Amazon en verkocht in 1995 de eerste boeken vanuit zijn garage in Seattle. Vier jaar later was hij miljardair en stond in de toptwintig van rijkste mensen ter wereld. Zijn internetboekhandel was revolutionair.

Nieuwe producten voor miljoenen klanten

Het lijstje is moeiteloos aan te vullen. Pierre Omidyar is bedenker en oprichter van internetveiling eBay. Hoeveel vergelijkbare websites zouden er intussen in de wereld zijn? Dankzij eBay kan iedereen overal vandaan alles kopen en verkopen. Er gaan miljarden in om.

Google-genieën Sergey Brin en Larry Page zijn ook revolutionaire vernieuwers. Hun bedrijf werd pas in 1998 opgericht, maar is mondiaal al een begrip. Per dag ontsluit de digitale zoekmachine van Google voor honderden miljoenen klanten in een fractie van een seconde informatie die tot voor kort minder goed en snel toegankelijk was.

Nog eentje dan? Frederick Smith ging in 1971 vanaf een vliegveldje in Memphis in Tennessee pakjes rondvliegen. Dat leek een hopeloze taak, want hoe kon je als dwerg tegen de reusachtige posterijen op? Smith beloofde als eerste 'overnight delivery'. Dat was gewaagd, maar hij zette door en hij maakte van FedEx een wereldsucces. Nu vliegen er elke dag 650 vliegtuigen en rijden er 71.000 vrachtwagens rond met FedEx-pakketjes. Smith veranderde voor altijd de manier waarop we brieven en pakjes versturen. Zijn businessmodel vond overal navolging.

Het zijn stuk voor stuk bedrijven die op hun terrein een nieuwe manier van zakendoen introduceerden waar zijzelf en hun klanten beter van werden. Er is geen land dat, op zoek naar nieuwe producten en diensten, zo veel geld uitgeeft aan 'research and development'. Van het totale onderzoeksbudget van de rijke landen in de OECD komt meer dan de helft uit de VS.

Maar er zijn ook een paar tegenvallers. Zo steekt het de Amerikanen dat het Europese Airbus het Amerikaanse Boeing verslaat in verkoopcijfers en ontwikkeling van nieuwe vliegtuigen. Wat ging er mis?

Boeing heeft bewust niet – zoals Airbus – ingezet op een supergroot vliegtuig (de opvolger van de 747-Jumbo) maar hoopt nu keihard terug te komen met een ultra-moderne opvolger van de veel kleinere Boeing 737. Maar met de onbetwiste hegemonie van Boeing op de wereldmarkt lijkt het definitief gedaan. Europa is een geduchte concurrent.

En waarom zijn nu al zo lang Japanse auto's echt beter dan de producten van de Big Three – Chrysler, Ford en General Motors – in Detroit? Waarom lukt het Amerikanen niet die schrijnende achterstand weg te werken? GM en Ford geven ongekende kortingen op hun auto's en toch blijft hun marktaandeel dalen.

Door de hoge benzineprijzen en het grotere milieubewustzijn is er een enorme vraag naar de heel zuinige hybride auto's (deels benzinemotor, deels elektrisch). Toyota krijgt ze niet aangesleept. Ze hoeven geen kortingen te geven. Terwijl Amerikaanse auto's bij de dealers blijven staan, bieden kopers boven de officiële prijs om maar in zo'n zuinige Toyota Prius te kunnen rijden.

Wal-Mart: het Beest van Bentonville

Wie de Amerikaanse economie wil begrijpen kan niet om Wal-Mart heen. Het is een wereldwijd bedrijf, maar het verhaal is zo Amerikaans als het maar zijn kan.

Sam Walton begon in Bentonville, Arkansas, heel bescheiden met zijn eerste Wal-Mart. Hij was vast geen ondernemer geworden als hij vanaf 1962 vakbonden op zijn nek had gehad. En als het minimumloon tweemaal zo hoog was geweest en hij als werkgever ziekteverzekering en pensioenpremies had moeten betalen, was het misschien ook niet gelukt.

Hoe dan ook, de dorpswinkel van toen is uitgegroeid tot 'the Beast of Bentonville'. Er werken anderhalf miljoen mensen, ze hebben 5000 winkels en een omzet van 250 miljard dollar. Ruim 80 procent van alle Amerikanen doet er op enig moment boodschappen.

Je kunt bij Wal-Mart alles kopen, van appelmoes tot aanmaakhout, van computers tot compost, van gehakt tot gordijnen, van potgrond tot pistolen, van visfilet tot Viagra. Wal-Mart ('Always low prices. Always') heeft uitgerekend dat een gemiddeld gezin 600 dollar per jaar bespaart door er te shoppen.

Dat is goed nieuws voor de klanten, maar er is een keerzijde. De Super-Centers zijn groot en goedkoop waardoor tot in de wijde omgeving kleine, duurdere winkeltjes subiet failliet gaan. Gezellige dorpspleinen verpieteren en plaatselijke supermarkten worden verpletterd onder de Wal-Martwals.

Het is een dolkstoot voor de plaatselijke economie, zeggen tegenstanders. De voordelen wegen niet op tegen de nadelen. 'Ze zijn niet groot geworden door lage prijzen, maar door zaken te doen over de ruggen van uitgebuite en illegale werknemers. Het is een nachtmerrie om ooit op een ochtend wakker te worden en te zien dat er op elke straathoek een Wal-Mart is verrezen.' Zo ver zal het niet komen, maar het gaat wel hard met Wal-Mart dat in één jaar zes miljoen vierkante meter winkelruimte toevoegde. Dat zijn 900 voetbalvelden aan winkelruimte.

Als je de grootste en sterkste bent, loop je nogal in de gaten. Voor je het weet word je een soort boksbal waar iedereen graag tegenaan mept. De vakbonden gaan dan ook hard tekeer tegen Wal-Mart, omdat deze medewerkers zou onderbetalen en weigert hun een goede ziekteverzekering te geven. De bonden hebben miljoenen dollars uitgetrokken om bij Wal-Mart binnen te komen. Daartoe moeten de werknemers zich per winkel in een verkiezing voor de vakbond uitspreken. Dat is niet makkelijk in een vakbondsvijandig land als de VS.

De bond probeerde het begin 2005 via Canada. Dat land is sociaal minder hard en werkgevers staan ietsje minder op hun strepen. Personeel in een Canadese Wal-Mart-winkel wilde wel zo'n vakbondsverkiezing. Wat doet Wal-Mart als reactie? Ze sluiten de hele tent; de winkel gaat eenvoudig dicht. Een paar honderd mensen staan op straat. Dat zijn geen halve maatregelen.

Een paar jaar geleden wilden werknemers van een Amerikaanse slachterij van Wal-Mart lid worden van de vakbond. Het bedrijf reageerde ook toen daadkrachtig. De banen werden uitbesteed.

Daarna was er een akkefietje in de VS bij de autobandenafdeling van een Wal-Mart waar slechts 19 mensen werken. De vakbond had zorgvuldig een vakbondsverkiezing voorbereid, maar 18 van de 19 werknemers stemden ineens tegen de vakbond. Waren ze misschien bang gemaakt?

Het is voor het bedrijf en de vakbonden een prestigezaak. Wal-Mart ontkent een slechte baas te zijn. Werknemers – bij Wal-Mart heten ze 'associates' – zijn juist heel tevreden en de meeste hebben een goede ziektekostenverzekering, zegt het bedrijf.

Lee Scott, de hoogste baas van Wal-Mart, is niet onder de indruk van de kritiek: 'Ik houd van het vrije ondernemerschap in dit land. Tweederde van onze managers begon in lagere functies, we betalen 2 miljard dollar per jaar aan ziektekosten en hebben hogere lonen dan onze concurrenten. Toen we een winkel in Phoenix openden, waren er 5000 sollicitanten voor 500 banen.'

Wal-Mart reageert in paginagrote krantenadvertenties op de protesten. 'Dit jaar creëren we in de VS honderdduizend nieuwe banen. Onze critici verspreiden onjuiste informatie. Ze hebben recht op hun eigen mening, niet op hun eigen feiten.'

De kans dat de vakbonden bij Wal-Mart voet aan de grond krijgen is klein. In een enquête werd Amerikanen gevraagd welke maatschappelijke organisaties ze het minst waardeerden. Daarbij werden vakbonden erg vaak genoemd. Kerk en leger kregen daarentegen een heel hoge waardering. Dat zegt veel over een land.

ROEKELOZE RIJKEN HEBBEN NOOIT GENOEG:
GRETIGE GELDZUCHT VERGROOT INKOMENSVERSCHILLEN

Als ik alleen maar nadenk over hoe ik nog sneller
nog meer geld kan verdienen verneder ik mezelf.
Een vernedering waarvan ik niet meer kan herstellen.
Andrew Carnegie, ondernemer en multimiljonair

Hoe kun je een democratie hebben
die gebaseerd is op gelijkheid
en een economie die draait
op steeds grotere ongelijkheid?
Lester Thurow, econoom

Wanneer ben je rijk? En wanneer walgelijk rijk? Of kun je helemaal niet walgelijk rijk zijn? Daarover lopen de transatlantische meningen nogal uiteen. In Nederland ontstond dit voorjaar beroering over de salarissen en bonussen van onze industriële topmensen. Kranten schreven over 'buitensporig hoge salarissen'. Het ging om bedragen van maximaal tussen de 1 en 2 miljoen euro, een forse stijging vergeleken met het jaar ervoor. Dat was een verkeerd politiek signaal want iedereen moet matigen. Waarom dan niet de chique directeuren die toch al niet op een houtje hoeven te bijten?

Amerikaanse directeuren zouden er een beetje om moeten gniffelen. Zelfverrijking? Bij salarissen van een paar miljoen? Moet je je daarvoor schamen? Amerikanen gaan ervan uit dat je zo'n hoog salaris kennelijk verdient. Het is je van harte gegund en juist een aansporing om extra hard te werken teneinde ook meer te verdienen.

Wie echt rijk wil worden moet in Amerika zijn. Amerika vertroetelt zijn rijken. En George Bush is de oppervertroetelaar met zijn belastingverlagingen waar multimiljonairs het meest van profiteren. Volgens de economische leer van Bush moeten er – ondanks de kolossale tekorten op de begroting – nog meer belastingverlagingen komen. Dat is goed voor de economische groei, zegt Bush. Of dat zo is, is onzeker. Zeker is wel dat Amerika's rijken de winst al binnen hebben.

Er is geen ander industrieel land met zulke grote inkomensverschillen. Vooral in het bedrijfsleven is het feest met die topsalarissen. Dat was ooit anders; dertig jaar geleden kreeg de hoogste man van de tophonderd bedrijven in de VS 1,3 miljoen dollar. Dat was toen 39 keer het salaris van de gemiddelde Amerikaanse werknemer. Nu verdient de baas gemiddeld ruim 37 miljoen dollar ofwel bijna 1000 keer het salaris van '*John* Modaal'.

De VS kennen steeds meer 'gated communities'. Dit zijn de kleine woonwijken van gefortuneerde Amerikanen die van de buitenwereld zijn afgesloten. Je moet langs een portier om binnen te komen. Je vindt er 'Monster Homes' van kasteelachtige proporties, soms zelfs met heuse torens op de hoeken.

Het is een treffend symbool van de nieuwe financiële elite. Ooit had de aristocratie een ophaalbrug om zich van de rest van de wereld af te sluiten. Nu is het een wachthuisje met een gewapende portier en videocamera's.

Europeanen vinden dit alles 'typisch Amerikaans', maar in de VS is er amper protest tegen. Het is al helemaal ondenkbaar dat de president – zoals de Nederlandse premier – opspringt om er schande van te spreken. Die salarissen komen op de vrije markt tot stand. Waarom zou een bedillerige overheid zich daarmee bemoeien? Dit voorbeeld illustreert weer eens de radicaal andere benadering van rijkdom en individueel succes in de VS en van de rol van de overheid daarin. Europese verontwaardiging daarover wordt door de meeste Amerikanen niet begrepen.

Les in rijkdom: je kunt niet vroeg genoeg beginnen

Amerika's rijken hebben wel een probleem: zij maken zich zorgen of de kinderen straks wel netjes op het familiekapitaal passen. Hoe rijker je bent, hoe groter het probleem. Mevrouw Christine Neely uit Californië worstelde ermee. Haar zoons, die straks met al die poen door het leven moeten, wilden niks over geld horen, dus gaan ze nu naar een cursus. Christine vertelde aan *The Wall Street Journal:* 'Ik kan niet tegen ze zeggen: "Oké, het is zaterdagavond, we gaan aan de keukentafel zitten en over aandelen praten." Nu gaan ze naar een conferentieoord met deskundigen. Dat is leuk en interessant.'

Cadeau-ideetje voor kind of kleinkind: een 'wealth management program', een cursus over hoe je rijk wordt en blijft. In de VS slaat het aan. Het is niet een heel modaal cadeautje, maar als je niet op een miljoentje hoeft te kijken, kan het reuze handig zijn.

De meeste cursussen zijn voor tieners. Maar een Bill Gates in de dop kan al vanaf zeven jaar terecht. Nog leuker is het het hele gezin te laten meedraaien in zo'n 'hoe blijf ik rijk' klasje. De firma Wealthbridge Partners biedt het aan voor 150.000 dollar.

Dan krijg je les van 'wealth education specialists'. Dat is een beroep met toekomst, want sinds 1990 is in de VS het aantal gezinnen met meer dan 10 miljoen dollar verdubbeld tot 430.000. Dit aantal gaat weer flink omhoog nu het plan van Bush doorgaat om belasting op erfenissen ('the death tax') af te schaffen. Dat klinkt de aanbieders en klanten van deze rijkeluisklasjes natuurlijk als muziek in de oren. Het vergroot de noodzaak van deze exclusieve cursussen.

De firma IFF Advisors heeft voor families met meer dan 50 miljoen dollar een mooie cursus. Bij concurrent Wealthbridge zijn ze ietsje strenger. Daar ben je pas vanaf 100 miljoen dollar welkom. Citibank en JP Morgan richten zich op de onderkant van de markt met familiekapitaaltjes van tussen de 10 en 25 miljoen.

Steeds meer geld bij steeds minder mensen

Is het nog steeds zo eenvoudig om rijk te worden in de VS? Er zijn recente voorbeelden van succesvolle zakenmensen als Bill Gates, Michael Dell en Jeff Bezos die met niets begonnen en nu niet eens meer weten hoeveel miljard ze precies hebben. Dit zijn de beroemdheden. Er zijn ook veel naamloze rijken die dankzij het Amerikaanse systeem snel veel geld vergaarden. Maar uit onderzoek blijkt echter dat het steeds moeilijker wordt echt omhoog te komen. De groeiende inkomensverschillen wijzen daarop. Er zit steeds *meer* rijkdom bij steeds *minder* Amerikanen.

Rijkdom komt soms door een soort inteelt tot stand. De Raad van Commissarissen (Board of Directors) van een bedrijf moet het salaris van een directeur goedkeuren. Die heren (en ook steeds meer dames) maken allemaal deel uit van een 'Old Boys/Girls Network'. Wie durft in zo'n club van goede vrienden dwars te liggen? Het is gauw rondverteld als ergens een krentenkakker moeilijk doet over een paar miljoen meer of minder.

De toelating tot topuniversiteiten is voor de lange termijn ook een effectief machtsmiddel van de nieuwe geldadel. Rijke ouders kunnen een plaatsje op zo'n Ivy League-universiteit bijna kopen, vooral als ze daar zelf ooit ook studeerden en tot het eerbiedwaardige gezelschap van alumni behoren. Zelfs bij matige schoolresultaten zijn hun kinderen er welkom. De universiteit verwacht dan wel een flinke gift van de ouders; andere rijke ouders gaven immers ook. Er zijn lijsten waarop je precies kunt zien wie hoeveel gaf. Dan kun je toch niet achterblijven? (Zie ook hoofdstuk 2 over onderwijs).

Over rijkdom gesproken: op zo'n universiteit kweken ze met al die giften een *endowment*, een spaarpotje voor moeilijke tijden. Harvard University zit er helemaal warmpjes bij. Volgens *BusinessWeek* heeft die universiteit 27 miljard dollar aan reserves, een onvoorstelbaar bedrag waarvan ze arme studenten beurzen geven en waarmee ze betere professoren kunnen betalen.

Het beheren en beleggen van zo'n megabedrag is een hele klus. Op Harvard zijn daar 175 mensen fulltime mee bezig. Een paar topinvesteerders wilden graag voor Harvard werken, maar dan wel voor een Wall-Streetsalaris: tot 35 miljoen dollar per jaar. En dat bleken ze dubbel en dwars waard te zijn. De afgelopen tien jaar behaalden ze een hoger rendement (bijna 16 procent) dan veel andere beleggingsfondsen (10 procent).

Ook hier is Europese kritiek goed voorstelbaar. Het systeem houdt immers ongelijkheid in stand en bevoordeelt kinderen van rijke ouders. Maar tegelijk stijgt het aantal studenten uit niet-rijke gezinnen. En meer dan ooit dringen zwarten en Hispanics door tot hoger onderwijs.

Veel multimiljonairs in de politiek

Ook in de politiek zitten veel rijke mensen. George Bush en Dick Cheney zijn multimiljonair, in het kabinet is menigeen ver bovenmodaal en ze worden politiek gecontroleerd door een Congres waar het wemelt van 'well to do'-dames en -heren. Naar schatting zijn ruim 150 van de 535 leden van Huis en Senaat multimiljonair.

En dat zijn niet alleen Republikeinen. Senator Edward Kennedy (Massachusetts) zou 43 miljoen hebben, senator John Rockefeller (West-Virginia) 80 miljoen en senator John Kerry (Massachusetts) met zijn vrouw Teresa Heinz (van de ketchup!) 500 miljoen. Allemaal Democraten.

Je moet eigenlijk ook wel rijk zijn om een verkiezingsrace te kunnen winnen. Bill Clinton en zijn vrouw Hillary in haar Senaatsrace vormen een uitzondering. Steeds vaker stoppen politieke kandidaten een fors deel van hun eigen kapitaal in de campagne, waarbij het om tientallen miljoenen dollars kan gaan. Dan komen er vanzelf meer rijke Congresleden, die natuurlijk weer bevriend zijn met andere rijke medeburgers en zo is de met dollars belegde politieke cirkel rond.

Dit raakt meteen het on-Amerikaanse karakter van deze ontwikkeling. Dit land ontstond mede uit verzet tegen het Europa waar niet talent maar afkomst bepaalde of je macht had en rijk werd. De eerste Amerikanen hadden een hekel aan de oude Europese adel, want aristocratie is ondemocratisch, kweekt luiheid en verstikt eigen initiatief. Voor succes in het leven moet je – op zijn Amerikaans – meer presteren dan toevallig in een goudgerande wieg zijn beland.

De meeste Amerikanen zien de nieuwe rijkdom als resultaat van de Amerikaanse Droom. Enquêtes laten op dit vlak een fascinerend verschil zien tussen Europeanen en Amerikanen. In

Europa denken mensen dat succes in het leven vooral wordt bepaald door factoren búíten henzelf. Amerikanen redeneren omgekeerd. Ze bepalen zélf de koers van hun leven. Als iets mislukt geven ze niet anderen, maar zichzelf de schuld. Ze falen omdat ze kennelijk niet goed genoeg hun best hebben gedaan. Dan klaag je niet en ben je minder gauw jaloers. Volgens diezelfde filosofie hoeven rijkaards zich ook nergens voor te schamen.

Amerikanen zijn sowieso een opgewekt volk. Er kan van alles aan hun land mankeren, maar aan het levensgeluk van zijn 280 miljoen inwoners doet het niks af. *Time* had een omslagartikel over geluk met daarbij de onvermijdelijke enquête waarvan de uitslagen veelzeggend zijn. Van de ondervraagden wordt 80 procent 's ochtends gelukkig wakker. 'Heb je het beste van je leven gemaakt?' was een volgende vraag. Ruim 80 procent is daar tevreden over. Daarbij valt op dat de laagstbetaalden vaak happy zijn (68 procent) en rijken nóg vaker (88 procent).

Gapende inkomensverschillen leiden dus niet tot massaal gemopper. Amerikanen letten liever op wat wel goed gaat. Mensen hebben het nu beter dan vijftig en honderd jaar geleden. De meesten krijgen een betere opleiding en verdienen meer; hun huizen zijn mooier en groter; ze zijn gezonder en leven langer dan hun ouders en grootouders. Iedereen profiteert van dat optimisme, zeker de rijke Amerikanen want die hebben – dankzij het wijdverbreide 'good for you'-denken – geen last van radicale overheidsinitiatieven om hun riante inkomens fiscaal af te romen.

Naast hun vorstelijke salaris krijgen de echte toppers ook aangename bonussen, bijvoorbeeld rond de kerst. Dure makelaars op Manhattan merken altijd wanneer die kerstverrassingen op de bankrekening zijn bijgeschreven. Ze worden dan overspoeld door chique klanten die op zoek zijn naar een appartementje. Op Manhattan kost alles groter dan een schoenendoos ver boven een miljoen dollar. Dat zijn geen Hollandse doorzonprijsjes.

Neem makelaar Samantha Forbes; zij was voor een gefortuneerde klant op zoek naar een appartement van 4 tot maximaal 5 miljoen dollar. Vlak voor de kerst kreeg ze een dringend telefoontje van de klant. Haar man, een succesvolle dertiger met een baan op Wall Street, had zijn kerstbonus gehad. Een appartement vanaf 6 miljoen behoorde ineens ook tot de mogelijkheden.

Die 'Fat Cats' hebben nog wel zorgen, want ze kunnen niet onbeperkt met geld smijten. 'Je weet maar nooit,' zegt een voorzichtige bankdirecteur, 'voor je 't weet heb je een slecht jaar en zakt je bonus van 2,5 miljoen naar 800.000 dollar.'

Toch lijkt alle somberheid van de internetcrash van een paar jaar geleden verdampt. Wall Street gaf in 2004 16 miljard dollar aan bonussen weg. Voor de bazen van giganten als Goldman Sachs, Lehman Brothers en Morgan Stanley kan de bonus tot tientallen miljoenen dollars oplopen.

Die geluksvogels krijgen niet alleen hoge salarissen en bonussen. Een Chief Executive Officer (CEO, de hoogste man/vrouw) die het een beetje handig aanpakt krijgt na zijn terugtreden ook een vorstelijk pensioen en mag voor een vriendenprijs gebruik blijven maken van een weelderig appartement in hartje New York, een prettig optrekje op de Bahama's of een luxe 'hide-out' op de besneeuwde hellingen van Vail of Aspen. Ze hebben vast ook een bedrijfsvliegtuig ter beschikking, want je gaat natuurlijk niet tussen het gewone volk bij de incheckbalie staan. Zelfs klunzige CEO's vertrekken met een vorstelijk vertrekpakketje. Als een normaal mens zijn baan verprutst, staat hij berooid op straat. In deze kringen blijven ze – heel on-Amerikaans – ook voor mislukkelingen goed zorgen.

De sappigste details komen naar buiten als zo'n industriële 'hot shot' door een pijnlijke echtscheiding zijn hele financiële hebben en houwen in de krant terugvindt. Ex-topman Jack Welch van General Electric (overigens allesbehalve een mislukte CEO) had de woede van zijn ex-vrouw gewekt door haar 'slechts' 35.000 dollar per maand te betalen. Een schaamteloze fooi in die kringen. Dus werd het bedrag na onderhandelingen van peperdure advocaten flink opgetrokken. De ex van Jack had wel een punt met de klacht over haar berooide bestaan, want hij kreeg zelf 1,4 miljoen per maand; plus allerlei 'goodies'.

Soms klinkt er ineens protest uit onverwachte en onverdachte hoek. Warren Buffett bijvoorbeeld, de meesterbelegger die miljarden verdiende, vindt die supersalarissen een schande. Hij is een van de schaarse rijkaards die tekeergaan tegen de steeds schever wordende verdeling van de rijkdom in de VS. 'Als er een klassenstrijd gaande is in dit land, dan wint mijn klasse', zegt hij.

Buffett windt zich op over de belastingverlagingen van Bush. Hij rekende voor dat hij percentueel minder aan belasting en premies betaalt dan zijn secretaresse. Buffett: 'We hebben alletwee het geluk in Amerika geboren te zijn. Ik had nog iets meer geluk, want ik heb talent voor investeren.'

Als het aan president Bush ligt worden de verhoudingen nog schever wanneer de belasting op dividend vervalt. Dat levert Buffett in één klap 310 miljoen dollar op waarover hij geen cent belasting hoeft te betalen. Als dat gebeurt, betaalt zijn secretaresse percentueel 10 keer zoveel belasting als haar vermogende baas. Hij klaagt daarover. Zij niet.

Buffett heeft al die miljarden eerlijk verdiend. Dat kun je niet zeggen van een groeiend aantal topmensen in het Amerikaanse bedrijfsleven. De een na de ander loopt tegen de lamp omdat ze hebben zitten knoeien met de boekhouding.

President Bush spreekt schande over deze megaoplichters. Het Ministerie van Justitie zit er nu bovenop, tot groot ongenoegen van een man als Bernie Ebbers, de vroegere baas van telefoongigant MCI. Daar werd voor 11 miljard dollar opgelicht. Een ongekend bedrag. De fraude veroorzaakte het grootste bedrijfsfaillissement uit de Amerikaanse geschiedenis. Ebbers gaat waarschijnlijk voor tientallen jaren de cel in, wat in zijn geval – hij is 63 jaar – neerkomt op levenslang.

Het is de vraag of het een afschrikwekkende werking heeft. De verleiding is immers groot. Geld maakt niet gelukkig, maar wel inhalig. Na het eerste miljoen of de eerste tien miljoen krijgt menigeen de smaak te pakken. Politiek analist Kevin Phillips zegt dat het zo niet veel langer kan doorgaan. In zijn boek *Wealth and Democracy* schrijft hij: 'De verhouding tussen arm en rijk is onhoudbaar. Ons democratisch systeem moet nieuw leven worden ingeblazen anders leidt alle rijkdom tot een minder democratisch regime. Dan wordt het een heerschappij van de rijken.'

Amerika heeft een grondige hekel aan socialisme. Een links arbeidersparadijs is het laatste wat ze willen. Toch is Amerika een soort 'socialistische heilstaat voor welgestelden' geworden. Ze verdelen leuke baantjes, schuiven elkaar winstgevende opdrachten toe en zijn het met elkaar eens over hun levensideologie. Als je tot hun kaste bent doorgedrongen, word je verzorgd van de wieg tot het graf.

De echte arbeiders van de vs daarentegen, voor wie socialistische ideologen hun maatschappelijk model van collectief levensgeluk ooit verzonnen, zijn juist onderworpen aan de harde, individuele wetten van rauw kapitalisme. Niemand beschermt hen, het recht van de sterkste geldt en ze moeten elke dollar zelf verdienen.

WERKEN IN AMERIKA: *IN HET ZWEET UWS AANSCHIJNS...*

Elke morgen bij het opstaan kijk ik naar
de Forbeslijst van de rijkste mensen van Amerika.
Als ik er weer niet bij sta
ga ik maar weer gewoon aan het werk.
Robert Orben, humorist

Samen eten met je gezin is er niet meer bij.
De werkende armen hebben drie, vier baantjes
om de touwtjes aan elkaar te knopen.
Overbelasting is een dagelijks probleem.
Uit The New York Times

Overal in de westerse wereld is de werkweek in de afgelopen tientallen jaren korter geworden. Er is één opvallende uitzondering: de Verenigde Staten. Vergeleken met Europa werkt de gemiddelde Amerikaan per jaar 350 uur meer. Omgerekend negen weken, of zo'n twee maanden.

Niet alleen is de werkweek langer, de vakanties zijn ook veel korter. In alle westerse landen is vakantie bij wet gegarandeerd. In de VS niet, want vakantie is er net als ziektekostenverzekering, pensioen en goed onderwijs geen *recht* maar een *voorrecht*.

Wie een gezellige conversatie met Amerikanen in één klap wil bederven moet vertellen hoeveel weken je als Europese werknemer vakantie hebt. Vijf, zes weken vakantie per jaar is ondenkbaar voor een Amerikaan, die het vaak moet doen met één of twee weken. Miljoenen werknemers hebben helemaal geen betaalde vakantiedagen.

Europeanen werken om te leven. Amerikanen leven om te werken. Dat is niet altijd zo geweest. Vijftig jaar geleden werkten

Europeanen gemiddeld langer dan Amerikanen, maar vanaf de jaren zeventig kantelde het. Europa werd welvarender en ging korter werken.

Amerika werd ook rijker, maar bleef flink doorbuffelen. Langer werken betekent een hoger inkomen, en dat leidt weer tot meer consumptie. Amerikanen sparen bovendien veel minder dan Europeanen en lenen naar hartenlust. Menige consument kan kwartetten met zijn creditcards.

De enorme consumptie in de VS veroorzaakt het gapende handelstekort. Dat is een groot probleem, maar het betekent ook dat er in de VS tenminste kopers zijn voor al die producten uit China, India en Korea. In Europa is er te weinig consumptie, in de VS misschien te veel. Het gaat om twee verschillende economische modellen. Geen wonder, de tientallen miljoenen Amerikanen die de economie draaiende houden denken heel anders over werk en inkomen dan de gemiddelde Europeaan.

Voor Europese begrippen hebben veel werknemers in de VS een belabberde rechtspositie en een laag loon. Maar die lage lonen zonder sociale voorzieningen hebben wel tot gevolg dat op veel plaatsen voortdurend mensen klaarstaan om de weg te wijzen, boodschappen in te pakken, een waterglas bij te vullen, je schoenen te poetsen, een parkeerbonnetje af te stempelen of je auto weg te zetten, koffers te dragen of een taxi aan te roepen.

Lage lonen en een slechte rechtspositie creëren veel banen. Werkgevers nemen mensen aan omdat het goedkoop is en niet tot verplichtingen leidt. Hoeveel van die banen zouden vervallen als de werkgevers AOW, WW, WAO en pensioen- en ziekenfondspremie moesten betalen? Het systeem heeft nadelen, maar het hoort bij de manier waarop de Amerikaanse economie is ingericht, en bijna iedereen vindt dat het zo moet blijven.

Rechteloos in restaurant, wc en cockpit

Voor Nederlandse begrippen blijft het sappelen voor werknemers in de VS. Een paar voorbeelden uit het leven gegrepen:

Werknemers in kapsalons, autowasserijen of restaurants moeten steeds vaker 'off the clock' werken. Geen klanten betekent geen geld; pas als er klanten binnenkomen begint de teller te lopen. Wie het niet bevalt, kan vertrekken. Voor jou zijn er zo tien anderen. En áls er dan eindelijk klanten komen, krijgt de werknemer soms maar de helft van het minimumloon. De rest moet uit fooien komen.

Piloten zijn qua arbeidsvoorwaarden niet zielig. Maar voor veel Amerikaanse luchtvaartmaatschappijen dreigt faillissement. Pensioenplannen worden botweg geschrapt. Sommige piloten krijgen de helft van het beloofde geld; andere slechts een kwart. Bevalt het niet? Dan gaan we met z'n allen failliet.

In luxe restaurants en hotels in New York staat op de toiletten vaak een valet. Hij/zij heeft een vriendelijk woord en reikt een zeepje en handdoekje aan. Ze werken voor een soort uitzendbureau. De naam klinkt deftig: the Royal Flush Bathroom Attendants of Manhattan. Het uurloon van soms een schamele $ 2,15 is ietsje minder deftig.

Ooit héél lang geleden waren er vakbonden die werknemers beschermden tegen dit soort willekeur. In de jaren vijftig was nog één op de drie werknemers in de VS lid van een bond. Nu is het één op zeven (13 procent). En dat is nog misleidend, want daar zitten erg veel ambtenaren onder die doorgaans wel een redelijke bescherming hebben. In het bedrijfsleven ligt de organisatiegraad dik onder de 10 procent. De meeste werkgevers kunnen de vakbeweging ongestraft links laten liggen.

In een paar bedrijfstakken zijn vakbonden wel sterk. Soms is het lidmaatschap verplicht en, toeval of niet, dit zijn juist heel zwakke bedrijfstakken. De auto-industrie bijvoorbeeld, luchtvaartmaatschappijen en grote tv-netwerken. Allemaal verliezen ze klanten en marktaandeel. De vakbonden staan met de rug tegen de muur en kunnen allang geen verbeteringen voor hun leden meer afdwingen. Hun doel is slechts verslechteringen zo gering mogelijk te houden. Hoeveel werknemers worden dan nog lid?

In Nederland is 25 procent van de werknemers lid en mag een vakbond namens de werknemers onderhandelen ook als in die bedrijfstak heel weinig werknemers lid zijn. In de VS is dat heel anders geregeld. Er moet per bedrijf over de vakbond gestemd worden. Amerikaanse werkgevers voeren een ware guerrilla tegen vakbonden. Ze ontslaan werknemers die actief lid zijn van de bond en organiseren verplichte bijeenkomsten waar antivakbondspropaganda wordt vertoond, inclusief video's waarop werknemers slaags raken met ongewenste activisten van de bond. De boodschap: 'Geboefte die vakbonden. Blijf er ver vandaan.'

Ambtenaren zijn beter beschermd, maar ook hun rechtspositie is minder sterk dan van hun Nederlandse collega's. De agenten van het politiekorps van Jonesboro, Georgia, kunnen dat bevestigen. Bij de laatste verkiezingen was er een nieuwe sheriff gekozen. Victor Hill ontbood op zijn eerste dag als sheriff het personeel naar de plaatselijke gevangenis. Ze hadden geen argwaan, hoewel het een wat ongebruikelijke plaats was voor een kennismaking. Vanwege de veiligheid in de gevangenis moesten de agenten hun vuurwapen inleveren, want dat was nu eenmaal regel. Vervolgens kregen 27 agenten te horen dat ze op staande voet waren ontslagen. Om de orde te handhaven zaten er zelfs sluipschutters op het dak en hun patrouilleauto moesten de ontslagen agenten direct laten staan. Ze werden nog diezelfde ochtend in een arrestantenbus naar huis gebracht.

Ook voor Amerikaanse begrippen was dit aan de maat. De agenten stapten naar de rechter. De sheriff hield echter zijn poot stijf. Het is veelzeggend dat een werkgever zoiets verzint. De reden voor het ontslag was dat de zwarte Victor Hill meer gekleurde *officers* in zijn overwegend blanke politiekorps wilde. Dit is een extreem voorbeeld.

Meer doorsnee was de manier waarop dagblad *The Dallas Morning News* enkele tientallen journalisten ontsloeg. De hele redactie moest op de fatale ochtend eerder komen. Iedereen zat bibberend op zijn stoel. Eén voor één moesten de ontslagen verslaggevers bij de baas komen. Hun baan werd per direct geschrapt, ze kregen een week loon mee, de ziekteverzekering verviel en er waren geen aanvullende afspraken over vervroegd pensioen. Voor ze terug waren op hun werkplek was hun computer al geblokkeerd. Ze waren – soms na een dienstverband van tientallen jaren – nog voor de lunch thuis. Frustrerend? Ja. Ongewoon? Nee, dit gebeurt elke dag, overal, er is niets tegen te doen en niemand is verbaasd. Daar is ook geen tijd voor, omdat de meesten onmiddellijk op banenjacht moeten.

Malle Europeanen hebben lange vakanties

In Amerikaanse kranten verschijnen regelmatig spottende artikelen over die verwende Europeanen die denken dat je de kost kunt verdienen door op een tropisch eiland in de zon te liggen. Vier, vijf weken, soms zelfs zes weken vakantie per jaar. Wat een raar volk toch die Europeanen.

In de VS heb je, als je in een baan begint, één week vakantie. Dat klimt na een paar jaar op naar twee weken en als je een heel aardige baas hebt naar drie weken. Dat geldt doorgaans niet voor werknemers die vaak van baan verwisselen en per uur worden betaald. Die hebben dan geen betaalde vakantie of ziektedagen.

Europeanen spotten graag met Amerikanen die in acht dagen heel Europa doorjakkeren. Het is het zoveelste bewijs van die irritante oppervlakkigheid van Amerikanen. Fout; ze hebben geen keus. Dit zijn juist 'verlichte' Amerikanen die ondanks die bespottelijk korte vakanties toch een weekje cultuur in Europa komen snuiven.

Waarom werken Amerikanen zo hard? Willen ze niet meer vrije dagen? Er zijn globaal twee redenen voor deze fanatieke werklust: God en geld. Eerst God: in de VS geldt nog het ouderwetse calvinistische werkethos. 'In het zweet uws aanschijns zult ge uw brood verdienen', staat in de bijbel. Dat doen Amerikanen dus. Religieus rechts rukt op in de VS en daarmee wint die ouderwetse werklust aan kracht. In Europa doen we meestal niet meer aan God en dus ook niet aan het bijbelse werkethos.

De andere reden om zo hard te werken is geld. De belastingen zijn in de VS veel lager. Als je hard werkt houd je er dus netto echt iets aan over. Dat is een aansporing om keihard te blijven werken, maar vaak is het bittere noodzaak. Veel mensen met lage en middeninkomens redden het financieel niet eens als ze vijf of zes weken vakantie nemen (vakantiegeld bestaat niet). Uit angst hun baan te verliezen nemen veel Amerikanen hun minimale aantal vakantiedagen niet eens op.

Er zijn natuurlijk veel Amerikanen die zich wel een langere vakantie kunnen veroorloven, maar ook dan blijft de werkdruk groot. Goedbetaalde advocaten bijvoorbeeld moeten veel uren maken, anders tellen ze niet mee binnen hun 'law firm' en kan de kerstbonus wel eens magertjes uitpakken. Prestige wordt mede bepaald door on-Europees lange werkweken. Je bent een slapjanus als je om vijf uur de deur achter je dicht trekt.

Ten slotte is veel werken noodzaak, omdat de meeste Amerikanen zoveel uitgeven. Hun schaarse vrije tijd besteden ze aan overmatige consumptie. Het zijn fanatieke 'shoppers' ('shop till you drop'). Ze verdienen én consumeren meer dan Europeanen.

Miljoenen Amerikanen hebben dubbele banen. Je kunt rond middernacht in de supermarkt een caissière ontmoeten die 's ochtends om negen uur in een andere winkel is begonnen. Een onderwijzer werkt in de avonduren bij om aan het einde van de maand de rekeningen te kunnen betalen.

Maar het is en blijft een curieuze tegenstelling. Amerika is ook het land van de traditionele *family values*. Waarom hebben vaders en moeders daar dan nauwelijks tijd voor?

Al die financiële onzekerheid en zuinige pensioentjes hebben ook tot gevolg dat veel ouderen langer doorwerken. Loop een warenhuis (Target, Wal-Mart en K-Mart) binnen en de kans is groot dat je vrolijk wordt begroet door een goedgemutste grijsaard die opgetogen vertelt hoe fijn het is dat je juist daar komt winkelen. Het aantal 60- en 65-plussers in de VS dat nog werkt is hoog.

Meeste werknemers tevreden ondanks lange werkuren

Al met al een hoop narigheid dus. Je zult maar werknemer zijn in het Land van de *Onbegrensde* Mogelijkheden. Misschien moeten we het omdopen in het Land van de *Ongewenste* Mogelijkheden. Of is dit te Europees gedacht?

Sla er een enquête onder werknemers op na en wat blijkt: Amerikaanse werknemers zijn ondanks al die misère helemaal niet ontevreden. Ze zijn in meerderheid zelfs zeer content met hun baan en voelen grote loyaliteit aan hun werkgever. Daarom zijn vakbonden hier kansloos. Zo'n bond moet het hebben van strijdbare mopperaars, niet van inschikkelijke optimisten.

Gemiddeld lijken Amerikaanse werknemers weerbaarder. Amerikanen worden vaker ontslagen, maar zijn minder lang werkloos. De werknemer gaat vanzelf als een dolle solliciteren, omdat een goede WW-regeling ontbreekt. Het is de 'eigen risico'-economie. Een werkgever durft mensen gemakkelijker aan te nemen, omdat je ook zo weer van een werknemer af kunt.

Een werknemer kan zich 's morgens niet ongestraft afvragen of zijn buikloop, hoofdpijn of lichte koorts een reden is om thuis te blijven. In het Nederlandse systeem kun je er wel eens een baaldag tussen frommelen zonder betrapt te worden. In de VS zijn er geen controlerende artsen, want wel of niet ziek zijn is het eigen risico van de werknemer. Een dag thuis betekent vaak een dag zonder geld, en als je baan toch al niet zeker is, durf je niet ziek te zijn.

Nederlanders zouden daar luidruchtig over mopperen. In de Amerikaanse cultuur heeft dat geen zin, want het systeem verandert er niet door. Met een opgewekt humeur houd je het langer vol dan met een chagrijnig hoofd.

Maar het Amerikaanse model van sociale zekerheid/onzekerheid wekt weinig bewondering onder Nederlanders. Een enquête van Maurice de Hond laat zien dat ruim 90 procent van de Nederlanders niets voelt voor 'Amerikaanse toestanden'. Die afkeer is wijdverbreid onder linkse partijen, maar ook de aanhangers van VVD (88 procent) en LPF (81 procent) vinden Amerika geen voorbeeld voor Nederland. In het algemeen (82 procent) hebben Nederlanders een negatief oordeel over de manier waarop de Amerikaanse economie is ingericht.

MACHTELOZE ARMEN STEMMEN NIET: *POLITICI LATEN PROBLEEM LINKS LIGGEN*

Er zijn twee Amerika's. In het ene Amerika bereiken mensen
de Amerikaanse droom en hebben ze geen zorgen.
In het andere Amerika leven alle mensen die
moeten sappelen om de eindjes aan elkaar te knopen.
John Edwards, Democraat, kandidaat vice-president

Ik heb in verschillende landen gezien dat als je meer doet voor armen
ze minder goed voor zichzelf zorgen en armer worden.
Als je hen minder helpt, doen ze meer zelf en worden rijker.
Benjamin Franklin, 1766

Wie wil weten of ergens veel armoede is, kan er saaie statistieken en dikke onderzoeksrapporten op naslaan. Je kunt ook aan de rand van een stad gaan kijken, langs die kilometerslange troosteloze wegen vol smerige benzinepompen, morsige restaurants, duistere wapenwinkels en slonzige wasserijen. Je voelt je een beetje ongemakkelijk met je keurige auto en gegarandeerde creditcard in je binnenzak. De afstand wordt nog groter als je die grote borden in de berm ziet waarop 'snel geld' wordt aangeboden: 'Fast cash in a flash.'

Je hebt er talloze *pawnshops*, pandjeshuizen waar je spullen kunt belenen. De gouden armband van oma, dat mooie horloge van opa en de dvd-verzameling van je kind lever je in voor 100 of 200 dollar totdat de volgende *paycheque* er is. Als dat geld niet komt, ben je je familiebezit kwijt.

Dat gebeurt vaak. Elke pawnshop levert het bewijs: de bedompte vitrines liggen vol beleende voorwerpen die de eigenaars niet konden terugkopen: gereedschap, juwelen, muziekinstrumenten, veel vuurwapens, radio's en tv's. Het toont aan hoeveel Amerikanen op de rand van de financiële afgrond balanceren.

Bij geldnood kun je ook een 'title loan' nemen. Je krijgt contant geld met het kentekenbewijs ('title') van je auto als onderpand. Formeel ben je dan al bijna geen eigenaar van je auto meer, maar je hebt wel snel wat geld. Je hebt ook de 'payday loans'. Even 500 dollar om de ergste nood te lenigen ('Goedkeuring in minder dan een halfuur').

Het is de dagelijkse werkelijkheid voor miljoenen Amerikanen die alleen van krant en televisie weten dat ze in het rijkste land van de wereld wonen. Ga op internet via www.google.com op zoek naar de 'title loans'. Je krijgt meer dan drie miljoen hits! Uit elk van de vijftig staten lachen blije klanten je tegemoet: 'You choose, you win!'

Klinkt goed, maar je betaalt minstens tien procent rente per maand. Stel, je leent 1000 dollar. Na zes maanden is je schuld al opgelopen tot ruim 1600 dollar. Als je even achter raakt met de betalingen wordt het nog erger. Er zijn ook aasgieren die 20 procent per twee weken berekenen. Dat is meer dan 500 procent per jaar. Hoe wanhopig moet je zijn om je toevlucht te nemen tot dit soort instellingen die schuilgaan achter guitige webadressen als www.banklady.com, www.fastbucks.com en www.loans-made-simple.com. De laatstgenoemde website heeft een recordhoge rente voor cashleningen: 1300 procent per jaar!

Het is grove uitbuiting, maar de 'bankiers' van deze financiële *sweatshops* zullen tegenwerpen: 'Amerika is een vrij land en dit is een gat in de markt. Mijn klanten beslissen zelf. Ze zijn me dankbaar dat ik ze uit de prut help. Ik verplicht ze tot niks.'

Arm en rechteloos in het rijkste land ter wereld

De armoede in de VS neemt toe, mede door het grote aantal illegale immigranten dat heel slecht verdient. Volgens de laatste cijfers zijn er onder 280 miljoen Amerikanen 36 miljoen armen, onder wie 13 miljoen kinderen. Ze leven onder het officiële bestaansminimum en ze zijn aangewezen op de voedselbonnen

('Food Stamps') van de overheid. Bijna 20 miljoen Amerikanen kunnen dankzij die hulp tenminste eten. Daarnaast zijn er veel liefdadigheidsinstellingen zoals America's Second Harvest die 23 miljoen mensen per jaar te eten geven.

Deze arme werkers houden Amerika schoon, gedweild, verschoond, afgewassen, gemaaid, aangeharkt, opgeruimd en vuilnisvrij. Ze produceren met zijn allen dertig procent van het bruto nationaal product. Het zijn ook de werknemers die in slachterijen ingewanden uit varkensbuiken trekken, overhemden wassen en strijken of als dagloners van de ene naar de andere oogst reizen. Al deze beroepen bestaan in Nederland of Europa ook, maar gemiddeld verdien je daar genoeg om menswaardig te leven en er is enige zekerheid bij ziekte of ontslag.

Ook personeel in de horeca is vaak rechteloos. Nederlanders ergeren zich nogal eens aan de tipcultuur van de Amerikanen. Waarom moet je in een restaurant bovenop de rekening nog eens 15 procent fooi achterlaten? Zonde van m'n geld! Maar zo'n fooi heeft niets te maken met verwennerij voor een opvallend vriendelijke ober of extra lekker toetje. Uit de fooienpot komt een groot deel van het loon voor het bedienend personeel en de werknemers die achter in de keuken koken of de vuile klusjes opknappen. Ze hebben vaak een basisloon van ver onder het minimum. Zonder die tips blijft er voor hen nog minder over. Tips zijn bittere noodzaak in Amerika voor parkeerwachters, koffersjouwers, obers, taxichauffeurs en pizzabezorgers. Een paar dollar op het hoofdkussen in je hotelkamer betekent een godsgeschenk voor de mevrouw die er komt schoonmaken als jij alweer een vliegveld verderop bent.

Een van de oorzaken van de hardnekkige armoede is het belabberde minimumloon. Minimumloners kachelen steeds verder achteruit. Het minimum is al sinds 1997 een schamele $ 5,15. Sinds 1968 is de koopkracht van het minimumloon met 35 procent gedaald. Wie fulltime voor het minimum werkt, zit dik onder de armoedegrens.

Serieuze politieke druk om het landelijk te verhogen ontbreekt. Een enkele Democratische politicus begint er wel eens over, maar zo'n pleidooi wordt doorgaans snel overstemd door debatten over belastingverlagingen, meer uitgaven voor defensie en bestrijding van terrorisme. *First things first!*

Armoede ligt politiek niet lekker. Er is weinig eer aan te behalen en levert amper stemmen op. De meeste armoedzaaiers stemmen namelijk niet. De linkse activist Michael Harrington klaagde de Amerikaanse samenleving tientallen jaren geleden al aan. 'Het grote geheim van Amerika is dat er een grote groep armen in ons midden ontstaat. Ze worden vreselijk uitgebuit.'

Een snelgroeiend probleem is dat van de 'werkende armen'. David Shipler schreef een boek over *The Working Poor.* Hij concludeert: 'De man die de auto's wast heeft er zelf geen. De bankbediende die cheques afhandelt heeft zelf $ 2,02 op haar bankrekening. De vrouw die medische tekstboeken redigeert is zelf in geen tien jaar naar de tandarts geweest. Dit is het vergeten Amerika. Onder aan de arbeidsmarkt leven miljoenen mensen in de schaduw van de welvaart, in de schemer tussen armoede en welzijn.'

David Shipler verbaast zich over de gelatenheid van de meeste armen. Zijn ze moe en versuft? Is strijdbaarheid uitgeblust omdat elk woord van protest ontslag kan betekenen? 'Ze zijn zelden kwaad', schrijft Shipler. 'Als hun woede een keer de kop opsteekt is het vaak verkeerd gericht: tegen echtgenoot, kinderen of collega's. Ze nemen meestal hun bazen niets kwalijk, of hun regering of land. Ze nemen het vaak zichzelf kwalijk. En soms is dat zelfs terecht.'

Armen hebben geen geld, tijd en energie om protest te organiseren. Er is ook geen leider van het type Martin Luther King, die voor deze naamloze massa aandacht en medeleven afdwingt, en zolang grootscheepse liefdadigheid de scherpste kantjes van Amerika's economische onderkant bijslijpt, ontstaat er geen grote onrust. Meer hulp van de regering komt er niet. De simpelste verklaring daarvoor is het wijdverbreide 'eigen schuld dikke bult'-denken. 'Ze hebben het er zelf naar gemaakt', hoor je conservatieve politici zeggen.

Armoedecijfers verhullen ook dat het veel mensen wel lukt zich omhoog te knokken. Alleen komen er ook steeds nieuwe armen bij (net aangekomen immigranten bijvoorbeeld). 'Als je te veel hulp biedt, haal je het eigen initiatief weg', zeggen conservatieven. 'Als je voor de armen een overheidsloket opent, zoeken ze geen baan, maar gaan ze allemaal voor dat loket staan. Dan houden ze hun hand op en zoeken niet meer zelf naar een oplossing voor hun problemen.'

David Shipler sympathiseert met de armen, maar zegt ook dat ze vaak een puinhoop van hun leven maken: 'Meestal wordt armoede mede veroorzaakt door onverstandig gedrag. Armen maken hun school niet af, ze krijgen ongetrouwd kinderen, gebruiken drugs of komen altijd te laat op hun werk.' Maar Shipler vindt niet dat het hun 'schuld' is. De chaos in het leven van armen is vaak veroorzaakt door een kansloze jeugd, slechte huisvesting en seksueel misbruik.

Problemen worden makkelijk van kwaad tot erger. David Shipler schetst in *The Working Poor* de verdrietige scenario's. In een slecht onderhouden vochtige flat met schimmel en ongedierte krijgt een kind acuut last van astma. Er moet een ambulance komen; de rekening is te hoog; er volgen schulden; de alleenstaande moeder moet genoegen nemen met een onbetrouwbare auto, waardoor ze te laat op haar werk komt en een promotie misloopt of wordt ontslagen, zodat de kans op betere, gezondere huisvesting helemaal verkeken is. Het is de verlammende draaikolk van de armoede.

Hard werken is niet altijd tovermiddel

De linkse publiciste Barbara Ehrenreich besloot al die arme sappelaars op te zoeken. Ze liet haar gerieflijke leven in Florida achter zich en ging maanden werken vermomd als schoonmaakster, dienster, verpleegster, kamermeisje en winkelbediende. Haar boek *Nickle and Dimed* onthult hoe de achterkant van de Amerikaanse Droom eruitziet. Haar boeiende reisverslag is een bestseller.

Ehrenreich concludeert na haar vernederende trektocht van de ene kansloze baan naar het andere luizige trailerpark: 'Er is iets heel erg mis wanneer een alleenstaand persoon, die goed gezond is en een auto heeft, zich ondanks keihard werken nauwelijks in leven kan houden. Je hoeft geen doctorandus in de economie te zijn om te kunnen uitrekenen dat de lonen te laag en de huren te hoog zijn.'

Ehrenreich heeft het als alleenstaande vrouw naar verhouding gemakkelijk. Ze heeft geen kinderen voor wie ze moet zorgen en die ziek kunnen worden. 'De meeste beschaafde landen zorgen ervoor dat te lage lonen worden gecompenseerd door goede collectieve voorzieningen zoals een ziektekostenverzekering, gratis of gesubsidieerde kinderopvang en huisvesting, en een goed systeem van openbaar vervoer. Maar Amerika met al zijn rijkdom laat zijn burgers het allemaal zelf opknappen.'

Waarom doen zwarte Amerikanen het zo belabberd?

Een hoofdstuk apart is de structurele armoede onder een groot deel van de ruim 30 miljoen African-Americans. Waarom doen veel zwarten het nog steeds zo slecht? Eerst het goede nieuws: er gaan vergeleken met twintig jaar geleden meer 'black kids' naar de middelbare school en universiteit en het aantal zwarte meisjes dat als tiener zwanger raakt daalt gestaag. Er zijn ook heel succesvolle zwarte Amerikanen in het bedrijfsleven en de politiek. Maar African-Americans als Condoleezza Rice en Colin Powell zijn uitzonderingen. Gemiddeld doen zwarte Amerikanen het slecht en blijven ze achter bij andere minderheden. Die uitzichtloze situatie bestaat al lang.

Patrick Moynihan was een progressieve Democratische senator uit de staat New York. In 1965 schreef hij een bezorgd rapport over *The Negro Family*. Moynihan schreef: 'De gemeenschap van "negro's" valt uit elkaar omdat hun gezinnen uit elkaar vallen. Dit is de grootste zwakte van de gemeenschap van zwarten.' De senator vond dat blanken zich meer moesten verdiepen in de gevolgen van eeuwen van slavernij en onderdrukking. Maar Moynihan voegde er iets aan toe: 'Zwarte Amerikanen kunnen niet anderen de schuld blijven geven.'

In de meeste blanke gezinnen is er stabiliteit voor de kinderen, maar in zwarte gezinnen niet. Het is sinds de jaren zestig verder verslechterd. In 1960 had één op de vijf zwarte gezinnen (22 procent) een alleenstaande moeder. Dat is verdubbeld. In 43 procent van de zwarte gezinnen is nu geen vader.

De idealistische Moynihan is inmiddels overleden, maar zijn diagnose klopt helaas nog steeds. Acteur en schrijver Bill Cosby trekt door het land om te waarschuwen voor de kwalen als waar Patrick Moynihan al over sprak. Cosby klaagt zijn 'brothers and sisters' aan over de verlammende misdaadgolf in de zwarte gemeenschap. Vooral zwarte vaders moeten het ontgelden. Cosby: 'Ik heb het over de mannen die huilen als ze hun zoon in een gevangenispak zien. Maar waar was je toen hij twee jaar was? Waar was je toen hij twaalf was? En achttien? Waarom wist je niet dat hij een pistool had?'

Cosby spreekt in het hele land voor stampvolle zalen waar hij de zwarte straatjongeren aanklaagt. 'Je kunt Jezus niet blijven vragen dingen voor je te doen. Je kunt niet steeds bij God voor een oplossing aankloppen. God is doodmoe van jou.'

De zaal barst in lachen uit. Cosby dendert door en bekritiseert jongeren wegens hun slonzige levensstijl: 'Je let nergens op, je hebt je pet achterstevoren en je broek slobbert rond je kruis. Wijst dat niet ergens op? Of wacht je tot Jezus je broek komt optrekken?'

Midden in een van zijn toespraken roept hij opeens: 'Are there any niggers around here?' Dat is schokkend. Het is immers een taboewoord. Het 'n-woord' herinnert aan slavernij en racisme. Cosby gebruikt het woord bewust; hij vindt het vreselijk als jonge African-Americans zelf dat scheldwoord gebruiken. Het getuigt van zo weinig trots en zelfvertrouwen.

In sommige slechte zwarte buurten belandt bijna de helft van de mannen achter de tralies. In Atlanta, Georgia, zijn van de 54.000 gevangenen er 30.000 zwart. Ze hebben bijna allemaal een paar kinderen. 'Dat zijn 60.000 kinderen die elke avond zonder vader naar bed gaan.'

Net als bij blanke armen is bij zwarte armen de vraag actueel: is het hun eigen schuld? Je zit dan op de rand van politieke correctheid. Cosby doorbreekt dat taboe. Hij kreeg daarvoor veel kritiek.

‘Hang onze vuile was niet buiten’, was het verwijt. Maar Cosby roept uitdagend: ‘Jullie vuile was komt elke middag om halfdrie uit school, vloekt en gebruikt op straat het “n-woord”. Ze denken dat ze hip zijn. Maar ze kunnen niet lezen, ze kunnen niet schrijven, ze lachen en giebelen, maar ze bereiken niets.’

Cosby had in zijn strenge toespraken een uitzondering kunnen maken voor veel zwarte vrouwen die zich, ondanks alle tegenslagen in hun leven, wel aan de armoede weten te ontworstelen. Ze maken vergeleken met zwarte mannen vaker hun opleiding af, zijn meer gedisciplineerde werknemers en bereiken dus hogere banen. Er zijn al zwarte vrouwen die om die reden bewust op zoek gaan naar een blanke partner. Ze hebben binnen hun eigen groep iets te veel mannen zien mislukken en hebben genoeg van alle gebroken beloften.

Choreograaf Fatima Robinson zei tegen *Newsweek* over zwarte mannen: ‘I love the brothers, maar er is zo’n grote kloof dat ik misschien niet voor een zwarte man kies.’ Student diergeneeskunde Daven Jackson zegt dat de meeste zwarte jongens proberen in de sport succesvol en rijk te worden. Maar dat lukt maar een enkeling. ‘Meer dan de helft van de jongens met wie ik van de middelbare school kwam, zit in de gevangenis.’

Ook veel armoede op platteland

Het is een misverstand te denken dat armoede alleen in de afbraakwijken van de grote steden voorkomt. Wie rondrijdt op het Amerikaanse platteland weet dat het idealistische beeld van stoere, gezonde boeren die trots uitkijken over oneindige vlakten met wuivend graan allang niet meer klopt. Het platteland loopt leeg en de achterblijvers hebben het niet best. Ze kampen er met dezelfde problemen als in de grote steden: misdaad, drugsverslaving en armoede; ook het aantal zelfmoorden stijgt. Het zijn tekenen van maatschappelijke ontbinding. Dertig procent van de mensen hier leeft onder de armoedegrens. Het is dus geen wonder dat de meeste jongeren wegtrekken.

Kleine boerenbedrijven gaan failliet. In de plaats daarvan komen de megaboerderijen waar immigranten voor het minimumloon of minder werken. De oude, vertrouwde boerengemeenschap van het trotse Midden-Westen verdwijnt. Amerika heeft intussen meer gevangenen dan boeren.

Armoede ontneemt miljoenen Amerikanen het perspectief op een beter leven. Het heeft op den duur nadelige gevolgen voor de Amerikaanse economie. James Sinegal is de hoogste baas van Costco, een discountwinkelketen. 'Als de huidige trends doorzetten komt een steeds groter deel van de totale welvaart bij een kleine groep terecht. Dat maakt eigen initiatief kapot. We hebben dan niet langer een gemotiveerde werkende klasse', aldus Sinegal in *Businessweek*.

Hij laat het niet bij woorden. Zijn bedrijf betaalt gemiddeld beter en biedt meer secundaire arbeidsvoorwaarden dan zijn concurrenten. Maar Costco, dat ondanks de hogere loonkosten goed draait, is een uitzondering. De meeste werkgevers hebben een minder brede visie en blijven onbarmhartig hun kosten verlagen.

Rond het minimumloon duikt altijd de discussie op over de rol van de overheid. Moet de overheid meer zijn dan een soort EHBO? Je helpt alleen als het echt niet anders kan? Het aantal minimumloners daalt al jaren gestaag doordat werknemers betere banen weten te bemachtigen of door initiatieven van bedrijven zoals Costco. Percentueel is de armoede de laatste veertig jaar bijna gehalveerd.

De zekerste manier om armoede te bestrijden is geen immigranten meer toe te laten. Die zijn vaak straatarm, maar de meeste klimmen op den duur wel uit het dal. Is armoede onder deze groep een schande of juist een teken van economische vitaliteit, omdat het laat zien dat er steeds nieuwe groepen Amerikanen de uitdaging aangaan om zich een plaatsje in de VS te veroveren? Het grootste knelpunt zit bij de grote groep die het niet lukt omhoog te klauteren, door ziekte, tegenslag, gebrek aan talent of gewoon door stomme pech in het leven. Maar die groep telt politiek niet mee.

Amerika schuift politiek geleidelijk steeds verder naar rechts. Grootscheepse extra overheidshulp staat voorlopig dus niet op de agenda. Niet bureaucratische overheidsdiensten, maar ijverige burgers zijn in die visie de motor van economische groei en bloei.

4 *Amerika slaat zelfverzekerd rechtsaf:* Republikeinen staan met 3 – 0 voor

RECHTSE COALITIE VOL ZELFVERTROUWEN: *LINKSE IDEALEN VERDER WEG DAN OOIT*

Texanen hebben meer bewondering voor een familie
die 10.000 hectare bezit dan voor een familie
die twee goede chirurgen, een fantastische musicus
en iemand met een nieuwe relativiteitstheorie voortbrengt.
T. Fehrenbach, historicus

Conservatisme verklaart waarom Amerika anders is.
Het politieke zwaartepunt ligt veel verder
naar rechts dan in andere rijke landen.
De wereld moet beseffen wat dat betekent.
John Micklewaith en Adrian Wooldridge in The Right Nation

De Democraten weten niet waar ze het zoeken moeten. Amerikanen worden met het jaar rechtser en dat lijkt ze steeds beter te bevallen. Rechtse burgers en politici gedragen zich als een voetbalelftal dat ver in de tweede helft met 3–0 voorstaat. Bij de bijna verslagen tegenstander verlaat de ene na de andere sterspeler strompelend het veld en er zijn geen goede vervangers. De verliezers zijn het initiatief in de wedstrijd volledig kwijt.

Op de tribunes raken de vakken met aanhangers van de verliezende club akelig leeg. De fans die er nog zijn, zitten er stilletjes bij en de spandoeken liggen verfrommeld onder de banken. De in clubkleuren geschminkte gezichten staan somber. Het bier smaakt niet meer en de spreekkoren zijn verstomd.

De winnaars daarentegen stralen zelfvertrouwen uit, lichte arrogantie zelfs. Ze spotten met hun tegenstanders. 'Prutsers, jullie zullen nooit meer winnen. Jullie tijd is geweest.' Ze zitten er breed grijnzend bij en laten een vers biertje halen.

Is dit beeld overdreven? Een beetje wel. George Bush won in

2004 overtuigend met 62 miljoen stemmen, maar 59 miljoen kiezers stemden ook op verliezer John Kerry. Niet iedereen was dus blij met Bush.

Maar de vergelijking met het stuntelende voetbalteam gaat voor een deel ook wel op, want de Democraten hebben de afgelopen jaren nederlaag op nederlaag geleden. Wat was er van de Democraten geworden als Bill Clinton er niet was geweest? Los van de acht jaar Clinton hebben de Republikeinen straks van 1980 tot 2008 het Witte Huis in handen: 1–0 voor de Republikeinen.

Voor de Democraten is het rampzalig dat ze het Congres kwijt zijn. Tientallen jaren (vanaf Franklin Roosevelt) was dat bijna onafgebroken een Democratisch bolwerk. Dat ontviel ze in 1994. Sindsdien hebben de Republikeinen hun greep op de volksvertegenwoordiging versterkt. George Bush is heer en meester op Capitol Hill: 2–0 voor de Republikeinen.

En er is nog meer slecht nieuws voor de Democraten. De Republikeinen bepalen de politieke agenda en hebben er op handige wijze voor gezorgd dat het politieke midden in hun richting – naar rechts dus – is opgeschoven. De Democraten liepen met open ogen in de val. Ze hadden het te laat in de gaten: 3–0. En de wedstrijd is nog niet afgelopen; er kán nog gescoord worden.

James Carville is Democraat, links en luidruchtig en hij laat geen kans onbenut de Republikeinen en hun president op scherpe toon te veroordelen. Hij moet dus wel geweldig de pest hebben aan Karl Rove, de politieke wonderdokter van de campagne van Bush. Maar Carville is de schaamte voorbij en prijst Rove vanwege zijn geniale aanpak.

In *Time* schreef Carville: 'Rove zorgde ervoor dat de verkiezingen niet gingen over politiek of standpunten of zelfs over normen en waarden en nationale veiligheid. Wie heeft ooit eerder de verkiezingen gewonnen met een boodschap die neerkomt op: "Misschien ben je het oneens met mijn standpunten, maar ik vind tenminste wat."' Carville zou geen seconde aarzelen als Rove zich bekeert en naar de Democraten wil overlopen. Hij is van harte welkom. Cynici hebben al gezegd dat Bush bewijst dat een combinatie van een domme president met slimme adviseurs beter werkt dan een slimme president met domme adviseurs.

Hoe het ook zij, de loftuiting van ras-Democraat Carville is veelzeggend. Hoe wanhopig kun je zijn? Vanuit Democratisch perspectief zijn er, zou je denken, toch wel een paar agendapuntjes te verzinnen waarmee ze Bush kunnen lastigvallen. De inkomensverschillen in Amerika worden steeds groter; het aantal onverzekerden en armen stijgt; de AOW wordt onbetaalbaar; de begrotings- en handelstekorten zijn gigantisch; Amerika onttrekt zich aan internationale afspraken en een groot deel van het buitenland heeft een hekel aan het Amerika van Bush.

Toch lukt het de Democraten niet deze omstreden kwesties in verkiezingswinst om te zetten. Wie weet staat er nog eens een echt aansprekende politieke leider op. Voorlopig dobberen de Democraten stuurloos rond op de politieke golven die George Bush en zijn Republikeinse vrienden veroorzaken.

Ontembaar optimisme trekt Amerika naar rechts

Senator Barry Goldwater was een conservatief in hart en nieren. Hij hield van zijn land. Goldwater verloor in 1964 de presidentsverkiezing van de zittende president Johnson, maar raakte wel een snaar bij Amerikanen die genoeg hadden van de naar hun oordeel veel te linkse praatjes van John Kennedy en Lyndon Johnson.

Goldwater was dol op politieke symbolen. In de tuin van zijn huis in Arizona stond een vlaggenmast waaraan dagelijks fier de Stars & Stripes wapperde. Dat is niks bijzonders, maar Goldwater had er een volautomatische vlaggenmast van gemaakt. Met een fotocel werd het licht gemeten. Een elektromotortje hees de vlag bij zonsopgang en bij zonsondergang werd de vlag ook weer volautomatisch eerbiedig gestreken.

Dat elektronische vlagvertoon zegt iets over de man die in datzelfde jaar 3,5 miljoen exemplaren verkocht van zijn boek *Het Geweten van een Conservatief*. Daarin stonden veel ideeën die Ronald Reagan later populair zou maken. Nationale trots en ontembaar optimisme speelden daarbij een grote rol. Amerika stond aan de vooravond van een wederopstanding van rechts, waarvan we nu nog elke dag de politieke gevolgen zien.

In de jaren na Barry Goldwater maakte Lyndon Johnson zich sterk voor de burgerrechten van de miljoenen zwarten in het zuiden en maakte hij een einde aan de Amerikaanse variant van Apartheid. De rest van de wereld prees de nieuwe wetten, maar veel blanken in het zuiden waren woedend. Ze liepen over naar de Republikeinse partij en kwamen nooit meer terug. Zonder deze politieke aardverschuiving zouden Nixon, Reagan en vader en zoon Bush het veel moeilijker hebben gehad. Het zuiden is nu stevig in handen van de partij van George Bush. De Democraten staan er buiten spel. De rechtse activist Grover Norquist is hard over hen: 'Elke boer kan je vertellen dat sommige beesten eerst wild rondrennen en zich vervelend gedragen. Maar als ze eenmaal gecastreerd zijn, worden ze vriendelijk en rustig.'

Democraten maken zich sterk voor de zwakke Amerikanen, maar die stemmen in grote meerderheid niet. Hoe lager het inkomen, hoe lager de opkomst. En – nog erger voor de Democraten – áls armen al stemmen, doen ze dat nogal eens op een Republikeinse kandidaat.

David Shipler, schrijver van het boek *The Working Poor* hoopt als anti-armoedeactivist dat dit stemgedrag ooit verandert. Maar hij is niet optimistisch: 'Amerikanen stemmen niet volgens de belangen van hun economische klasse.' Shipler raakt de kern van het Amerikaanse denken als hij schrijft: 'De stem van de armen wordt meer bepaald door waar ze naar *streven* dan waarover ze *klagen*.'

Gelovigen, vrouwen en 'Fuck You Boys'

Wie zijn die rechtse Amerikanen eigenlijk? Behoudende ondernemers in Kansas en Tennessee? Ouderwetse veehandelaren in North-Dakota? Rechtse olieboeren in Texas? Ja, die zijn vast bijna allemaal Republikeins, maar de beweging is veel breder.

Opiniepeiler Stan Greenberg onderscheidt in zijn boek *The*

Two America's enkele groepen kiezers die de Republikeinen voor zich hebben weten te winnen. Vergeet de oude indeling in arm en rijk. Het gaat in deze succesvolle Republikeinse coalitie om heel andere dingen.

Allereerst is er de snelgroeiende groep strenggelovige *evangelicals.* Ze zijn bezorgd over het verval van goede zeden. Ze zijn blank en vaderlandslievend. Het traditionele familieleven staat, zeggen ze, onder druk. Van homohuwelijk en abortus hebben ze een diepgewortelde afkeer. Na Jimmy Carter hebben ze nooit meer op een Democraat gestemd.

Dan zijn er de *country-stemmers.* Dit zijn kiezers uit de agrarische sector. Ze hebben het niet zo op politici, maar als ze stemmen dan liever op een 'folksy guy' als George Bush dan op een vaag links type uit Massachusetts die voor homo's en tegen de doodstraf is.

Een interessante categorie is wat opiniepeiler Greenberg de *Fuck You Boys* noemt. Vanwege de strenge regels in de VS noemt hij hen in zijn boek heel preuts 'F... You Boys'. Deze bierdrinkende mannen in pick-uptrucks zijn snel kwaad en gaan in het weekeinde naar Country Fairs en kijken op tv naar worstelen en Nascar-races.

Ze hebben slecht betaalde banen, maar van vakbonden moeten ze niks hebben ('Sounds too much like socialism'). George Bush is hun man. Zo'n John Kerry en zijn intellectuele echtgenote Teresa? Daar weten ze nog wel een paar botte grappen over.

Van groot belang is de snel groeiende groep *latino's.* Deze Spaanstaligen zijn nu al de grootste etnische minderheid in de VS. Ze stemden altijd Democratisch, maar denken traditioneel en zijn georiënteerd op gezinswaarden. De Republikeinse aanhang onder deze groep groeit snel. Als dat doorzet is dat electoraal van onschatbare waarde.

Republikeinse strategen hopen stiekem ook meer *zwarte stemmen* binnen te halen. Uit die groep kreeg Bush in 2004 al veel meer stemmen (11 procent) dan in 2000 (9 procent). Vooral zwarten met conservatieve morele denkbeelden (huwelijk, gezin, abortus) voelen zich tot de Republikeinse partij aangetrokken. Ze zijn gevoelig voor het optimistische verhaal van de Republikeinen. Bij een spannende verkiezingsrace kan 'the black vote' het verschil zijn tussen winnen of verliezen.

Dan zijn er de *vrouwen*. Godsdienst, veiligheid en family values zijn voor veel moeders van doorslaggevend belang. Bij de verkiezingen van 2000 stonden de kranten bol van de soccer-moms. De nijvere, voorzichtig progressieve moeders die in een *family van* (zo'n handig busje met schuifdeuren en drie banken) hun groene wijken doorkruisten van de ene voetbal-, baseball- of ijshockeytraining naar de andere ballet-, fluit- of tennisles.

Ze schijnen ineens niet meer te bestaan. Ook politiek is aan mode onderhevig en bij de verkiezingen van 2004 ging het ineens over de *security moms*. De aanslagen van elf september bewezen hoe kwetsbaar Amerika is. De terreuraanslagen zetten hen aan het denken over waar het in het leven echt om gaat: veiligheid dus. En daar zijn Republikeinen volgens hen beter in dan Democraten.

Het opsplitsen van deze groepen kiezers is een beetje kunstmatig. Niet alle kiezers in deze categorieën stemmen rechts. De groepen lopen ook door elkaar heen. Een Fuck You Boy kan evangelical zijn, van countrymuziek houden én toch niet getrouwd zijn met een security mom.

Wordt milieu eindelijk een rechts onderwerp?

Waarom is milieu nog steeds zo'n links onderwerp? Bij milieuacties denk je aan slonzige activisten die luidruchtig demonstreren en tegen booreilanden opklauteren. Of het zijn ernstige, bebaarde doctorandussen die in dikke rapporten over ozonlaag en zure regen de ondergang van de planeet voorspellen.

Waarom demonstreren conservatieve christenen niet tegen de verwoesting van Gods schepping? De vervuiling van water en lucht is een gevaar voor het ongeboren leven waar ze zo fel actie voor voeren. Hoe vaak staat niet in de bijbel dat de mens de hoeder is van Gods schepping?

Leroy Hedman, dominee in Seattle, is tegen abortus en voor het gezin en zorg voor de schepping: 'Het is verbazend dat evangelicals niet eerder groen werden. Naarmate dit idee van zorg voor de schepping zich verspreidt, zullen ze een ander beleid van de politici vragen. De Republikeinen mogen er niet blind vanuit gaan dat we wel voor hen stemmen. De aarde is het lichaam van God en hij wil dat we daar goed op passen.'

Dominee Ted Haggard is het daarmee eens. Hij is voorzitter van de 30 miljoen leden tellende National Association of Evangelicals. 'Er zijn belangrijke theologische redenen waarom voor christelijk rechts milieu een belangrijk onderwerp moet zijn.'

Steeds meer Amerikanen willen striktere milieuregels. Die wens loopt dwars door de politieke partijen heen. Voor de Republikeinen heeft een actievere milieupolitiek nog een pikant politiek voordeeltje. Ze pikken dan wéér een typisch Democratisch onderwerp in. Dat doet Bush steeds. Hij ging ook in de aanval met vergaande plannen voor de Amerikaanse AOW. Dat is de politieke erfenis van Democraat Franklin Roosevelt.

Er is Bush veel aan gelegen dat AOW-plan van de grond te trekken. Het heeft voordelen voor de Republikeinen, want het kan op de lange duur stemmen opleveren. Volgens dat plan kunnen werknemers een deel van hun AOW-premie in aandelen investeren. De ervaring leert dat bezitters van aandelen vaker conservatief stemmen.

Er is veel politiek verzet – ook in zijn eigen partij – tegen de manier waarop Bush de AOW wil hervormen, maar de achterliggende gedachte is fascinerend. We moeten, zegt de president, een 'ownership society', een maatschappij gebaseerd op bezit, creëren. Er moet een mentaliteit komen dat iedereen een beetje eigenaar is van de samenleving. Het is als met de huurder van een woning: die is er minder zuinig op dan een eigenaar. Door ook burgers met lagere inkomens letterlijk een aandeel te geven in de totale welvaart kan grotere betrokkenheid ontstaan.

De Democraten hebben kritiek op al die plannen van de president, maar zitten zwaar in de verdediging. Want niet hún plannen, maar die van de president staan steeds centraal in het politieke debat. De Democraten reageren steeds boos, maar komen nauwelijks met eigen initiatieven. In kranten verschijnen spotprenten met demonstrerende democraten. Hun boze protestborden zijn eensluidend: 'No!'. Daar win je geen verkiezingen mee.

Ook op buitenlands gebied zitten de Democraten in de knel. Traditioneel staan ze op de bres voor democratie en mensenrechten. Maar nu is het uitgerekend een Republikein die – weliswaar in een omstreden oorlog – een dictator uit Irak verdrijft en zorgt voor verkiezingen daar. Opnieuw bepaalt George Bush de agenda.

Intussen proberen de Democraten religieus Amerika te paaien. Dat is een beetje aan de late kant, maar daarom niet minder hard nodig. De cijfers van 2004 spreken klare taal. Gelovige Amerikanen stemden in grote meerderheid voor Bush. Bijna alle ongelovigen (10 procent van de bevolking) stemden op John Kerry. Al From, een Democratische activist, riep wanhopig uit: 'Het kan toch niet zo zijn dat iedereen die naar de kerk gaat Republikeins stemt.'

Veel Amerikanen zijn ideologisch al te ver van de Democraten weggedobberd. Ze geloven mensen als Hillary Clinton niet. Haar toenadering is niet oprecht, zeggen ze. Het komt Hillary politiek gewoon goed uit omdat ze in 2008 alleen een kans heeft president te worden als ze de onder gematigde kiezers wijdverspreide Hillary-haat weet te dempen. De Democraten hopen dat ooit de slinger van de geschiedenis weer in hun richting zwaait. In de jaren dertig (Franklin Roosevelt) en zestig (John Kennedy, Lyndon Johnson) gaven zij met hun progressieve boodschap de toon aan in de politiek. Maar de hoop en het optimisme van toen verdampten boven het slagveld van Vietnam en Watergate. Rechts rukte op en het was Republikein Ronald Reagan die de Amerikanen hun zelfvertrouwen teruggaf. De Republikeinen voelden veel beter dan de Democraten de tijdgeest van de jaren tachtig en negentig aan.

De toekomst zal leren of de politieke slinger weer naar links zwenkt. Voorlopig zijn de Republikeinen zelfverzekerder dan ooit. Met God als eeuwige roerganger aan hun zijde maken ze zich nog even geen zorgen over de tijdelijkheid van hun politieke hegemonie.

GELD ALS POLITIEK SMEERMIDDEL: *EEN DEMOCRATIE OP AFBETALING*

Politiek is bijna even opwindend als een oorlog en zeker zo gevaarlijk.
In een oorlog kun je slechts één keer vermoord worden.
In de politiek veel vaker.
Winston Churchill

98 procent van alle volwassenen zijn
keurige, hardwerkende Amerikanen.
Die louche 2 procent krijgt alle publiciteit
en dan stemmen we ook nog op ze.
Lily Tomlin, actrice

Jarenlang schreven ongeruste commentatoren in hun krantencolumns verdrietige betogen dat het met de Amerikaanse democratie niet meer goed zou komen. Een boek over verkiezingen dat in 2002 verscheen had de onheilspellende titel *The Vanishing Voter* ('De Verdwijnende Kiezer').

Maar de professor die dit boek schreef had even niet op George Bush en John Kerry gerekend. Er was kijkend naar de miezerige opkomst in 1996 en 2000 nog volop reden voor dat gesomber. Maar bij de verkiezingen van 2004 steeg de opkomst spectaculair naar 60,4 procent, ruim 6 procent hoger dan vier jaar daarvoor. Sinds 1968 was de opkomst niet zo hoog geweest. Bush kreeg vergeleken met vier jaar eerder 8 miljoen stemmen meer. John Kerry had 5 miljoen meer stemmen dan Al Gore in 2000. 'A good fight always draws a crowd.'

Amerikanen willen niet met ons ruilen

Amerikanen zijn nogal tevreden met hun politieke systeem. 'Het is de oudste democratie ter wereld', zeggen ze trots. En ze denken er stiekem bij: 'Ook de béste democratie.' Europeanen kijken daar een tikkeltje anders tegenaan en wijzen graag op de door miljonairs en topindustriëlen gesponsorde verkiezingscampagnes. Alles is te koop in Amerika. Politici dus ook.

Het systeem maakt het voor uitdagers bijna onmogelijk zittende politici te wippen. Van de Congresleden wordt 90 procent herkozen. De wilde electorale verschuivingen die we in Nederland zien, zijn in de VS ondenkbaar. Aan Amerikanen is niet uit te leggen dat Pim Fortuyn een serieuze kans had gemaakt om vanuit het niets de grootste partij van Nederland te worden. Geert Wilders zou hier kansloos zijn. Kleinere Nederlandse partijen kunnen in een Amerikaans systeem niet opbloeien. De VS heeft het oer-Amerikaanse systeem van 'the winner takes it all' dat nieuwe partijen verstikt.

Is Amerika dan ondemocratisch? Dat is een kwestie van smaak. Zeker is dat Amerikanen die ons systeem een beetje kennen niet met ons willen ruilen. 'Het is belachelijk,' zeggen ze, 'dat bij jullie nieuwe Kamerleden in rokerige achterkamertjes door een handjevol partijbonzen worden aangewezen. Waarom doe je dat niet in open voorverkiezingen? Het is ook te gek dat jullie niets te zeggen hebben over burgemeesters, wethouders, commissarissen van de koningin, politiecommissarissen, rechters en officieren van justitie.'

Porno, poema's, bingo en beren

In 1908 spraken de inwoners van de staat Oregon zich in een referendum uit voor het ontslaan van slechte ambtenaren. In datzelfde jaar kwamen er dankzij een referendum strengere regels tegen politieke corruptie. In 1910 waren de mannen in Oklahoma tegen vrouwenkiesrecht. In 1912 was de bevolking van Arizona ervoor, maar de kiezers in Missouri stemden twee jaar daarna toch weer tegen.

Referenda zijn heel democratisch, maar zorgen niet altijd voor politieke koersvastheid. Dat is een nadeel dat Amerikanen graag op de koop toe nemen. Ze hechten zeer aan de democratische waarde van een rechtstreekse, bindende volksraadpleging. Want wie is er nu eigenlijk de baas in het land? De burgers toch?

In de loop van de jaren waren er duizenden referenda: over de verkoop van sterke drank, het heffen van tol, gokken, loterijen, bingo, minimumloon, abortus, belastingen, sport op zondag, kinderarbeid, atoomcentrales, marihuana, de doodstraf, melkprijzen, vuurwapens, homoseksuele leraren, porno, het afschieten van wolven, beren en poema's, roken in het openbaar en het afzetten van dronken politici.

Dit is nog maar een kleine greep uit de bonte verzameling grote en kleine beslissingen waar kiezers zich rechtstreeks over uitspraken. De uitslag van zo'n referendum kan lastig zijn voor politici. Als de bevolking zich uitspreekt tegen hogere belastingen, gokken of wegenaanleg ligt dat vast. Vooral in Californië is de regering daardoor financieel sterk gekortwiekt.

Amerika is dol op directe democratie. Congresleden moeten in hun district uitleggen wat ze in het verre Washington voor elkaar krijgen. Ook sheriffs, officieren van justitie en rechters moeten zich in veel staten laten kiezen. Burgemeesters worden al sinds mensenheugenis gekozen. Het leidt vaak tot een felle campagne waar de politieke verschillen meedogenloos worden blootgelegd. Het Nederlandse systeem van benoemde burgemeesters is in de VS ondenkbaar.

Een dineetje van 25.000 dollar

De uitnodiging is op deftig, dik papier gedrukt met een chic vignet van de 'Republican Senatorial Inner Circle' en de belofte dat je naam een prominent plaatsje krijgt op een 'Founders Wall' in het Ronald Reagan-gebouw. Je ontvangt in de uitnodiging alvast de allerhartelijkste felicitaties van fractievoorzitter senator Bill Frist. In de brief staat ook het doel van de inzamelingsactie. 'Zonder een Republikeinse meerderheid in de Senaat en het Huis van

Afgevaardigden wordt de politieke agenda van de president op een zijspoor gezet door linkse Democraten. Washington raakt dan politiek verlamd.'

In de politiek gaat niets voor niets. Je moet om je naam in die muur gebeiteld te krijgen aanzitten bij een chic diner van 2500 dollar per couvert. Nog makkelijker: neem voor 25.000 dollar een hele tafel, dan kun je vrienden en collega's uitnodigen. Voor 150 dollar meer krijg je een ingelijste foto van de president als eerbetoon aan zijn 'sterk en standvastig leiderschap'.

Wie tot de *inner circle* van Washington behoort en niet op een paar duizend dollar hoeft te kijken, kan een paar keer per week naar zo'n bedeldiner. Het ene is nog duurder en chiquer dan het andere. Het is een van de vele manieren om de miljoenen bij elkaar te sprokkelen waarmee de Washingtonse politieke machinerie wordt gesmeerd.

Een paar jaar geleden kwam er na veel politiek gedoe een wet die politici minder afhankelijk moest maken van rijke sponsors, maar de politici ontdekten gaten in de wet. Het bedrag dat bij de verkiezingen werd uitgegeven was in 2004 hoger dan ooit: meer dan 2 miljard dollar. Heel lang waren de Republikeinen de beste bedelaars. Je krijgt van een rechtse fabrieksdirecteur nu eenmaal meer geld dan van een links vakbondslid. Maar voor het eerst hadden de Democraten bij de verkiezingen van 2004 nu eens meer geld dan de Republikeinen. Voor presidentschap, Huis en Senaat schraapten de Democraten ruim 1 miljard dollar bij elkaar. De Republikeinen zaten daar net onder, maar waren kennelijk een tikje slimmer, want met *minder* geld behaalden ze op 2 november een veel *beter* resultaat.

Dat heeft deels te maken met techniek. De Republikeinen zijn handiger in het aanleggen van computerbestanden met gedetailleerde gegevens over kiezers. Iemand met een uitgesproken abortusstandpunt krijgt daar informatie over. Een militair gezin ontvangt daarop toegespitste folders. Wie zich zorgen maakt over het homohuwelijk wordt over dat onderwerp aangesproken. De partijen weten soms zelfs wat voor auto kiezers hebben. Democraten houden van Honda, Volkswagen, Subaru en Volvo. Republikeinen willen een Porsche, Cadillac, Jaguar, Audi of Jeep. Het hangt er ook vanaf waar je in de VS bent. In het zuiden kom je zelfs Volvo's met Bush-stickers tegen.

Het is ook te simpel om te denken dat de rijken alleen aan de Republikeinen geven. Kijk maar naar alle Hollywoodsterren. Die zijn bijna allemaal rijk en fanatiek Democratisch. Peter B. Lewis is niet heel bekend, maar wel heel rijk. Hij is baas van een grote verzekeraar in de VS en hij vindt George Bush vreselijk. Lewis gaf 14 miljoen dollar aan anti-Bush-actiegroepen.

Of neem miljardair George Soros. Hij was de gulste geldgever in 2004, omdat hij ook zo'n pesthekel heeft aan George Bush. Hij gaf 24 miljoen dollar aan Democratische pressiegroepen met maar één doel: verjaag Bush. Hij is 'de kwaadste miljardair in de hele wereld'. 'Ik heb onder de Duitse en Russische bezetting geleefd', zegt Soros. 'Mijn kijk op de wereld is gevormd toen nazi's de joden afvoerden naar Auschwitz. Als ik Bush hoor zeggen "wie niet voor ons is, is tegen ons", gaan er alarmbellen rinkelen. De regering-Bush heeft de aanslagen van elf september misbruikt. We komen terecht in een kwaadaardige draaikolk van geweld. Amerika onder Bush is een gevaar voor de wereld.'

Is de Amerikaanse politiek corrupt? Zijn politici te koop? Het is al treurig dat je die vraag moet stellen. En het antwoord is nog verdrietiger: ja, ze zijn te koop. Senator John McCain van Arizona kan het weten. Hij is al twintig jaar senator en heeft als geen ander geijverd voor strengere campagnewetten. McCain concludeert: 'We profiteren als politici allemaal van een systeem van campagnefinanciering dat niks minder is dan een gewiekst spel waarin beide politieke partijen hun best doen hun baantjes te houden door het land te verkopen aan de hoogste bieder.'

Over Washington is een groot web gespannen. Het web van Invloed, Macht & Geld. Het beschermt en verbindt de spelers op het politieke schaakbord. Onder dat web is het een drukte van belang. Daar krioelen politici, ambtenaren, journalisten, advocaten en ministers door elkaar. De machine van de macht draait dag en nacht, 365 dagen per jaar. En enkele tienduizenden lobbyisten verbinden al die spelers met elkaar. Ze kennen het Washingtonse raderwerk als geen ander. Rond de laatste verkiezingen besteedden lobbyisten vele honderden miljoenen dollars. Zo'n bedrag geef je niet voor niets uit. Dat moet wat opleveren. George Bush kreeg van de lobbyisten vier keer zoveel geld als John Kerry. Geen wonder, wie de macht heeft is extra populair bij de lobbyisten.

De cirkel is helemaal rond als je ziet dat veel oud-Congresleden lobbyist worden. Ze hebben nog steeds hun privileges om op Capitol Hill te dineren en naar de sportclub te gaan. Daar, ver van tv-camera's en nieuwsgierige journalisten, ontmoeten politici en lobbyisten elkaar. Honderden politici verruilen hun politieke baan (jaarsalaris 150.000 dollar) maar wat graag voor een lobbycontract waar ze makkelijk het tienvoudige voor vangen.

Politiek is een miljoenendans. Bezorgde actiegroepen en principiële politici roepen boos dat dit geen manier is om een supermacht te regeren. Maar het zal niet gauw veranderen. Politieke giften kun je niet verbieden. Ze vallen onder de vrijheid van meningsuiting. En die vrijheid is in de grondwet gegarandeerd.

Het mág wel anders. In de staten Arizona en Maine kunnen politici ervoor kiezen een 'schone' campagne te voeren. Als ze beloven geen particuliere giften aan te nemen, krijgen ze van de staat geld voor de campagne. In beide staten zijn tientallen afgevaardigden zo gekozen. Er zijn vergelijkbare initiatieven in Vermont, New Jersey en New Mexico. In North-Carolina is een experiment met 'schone' campagnes voor rechters. Voor Europese begrippen is het nogal bizar dat een kandidaat-rechter bij bedrijven en advocatenkantoren zijn hand moet ophouden om campagnegeld te krijgen. In de VS is dat heel gewoon en gaan er in rechterlijke campagnes miljoenen dollars om.

Dankzij het overheidsgeld zijn de politici verlost van de eeuwige geldjacht. Ze kunnen zeggen wat ze willen zonder zich angstig af te vragen of ze donoren boos maken. Je hebt ook geen miljoenen dollars privé-geld meer nodig.

In Maine kwamen er enthousiaste reacties van beide politieke partijen. Democraat Beth Edmonds: 'De eerste keer dat ik met een grote werkgever praatte dacht ik: deze man wil me geld geven. Maar ik kan nu zeggen dat we voortaan een andere verhouding hebben. Dat was een geruststellende gedachte.' En Republikein Peter Mills zei: 'Het was verfrissend geen geld te hoeven inzamelen of mijn eigen geld te besteden. Ik word onafhankelijker van de belangengroepen.'

Nederland erg calvinistisch

Een innige band tussen politiek en geld is in Nederland ondenkbaar. Een premier die geld van industriëlen aanneemt kan vervroegd met pensioen. Kamerleden die miljoenen incasseren van bedrijven of instellingen die zij als parlementariër controleren zouden zich volslagen belachelijk maken.

Maar een voordeel van het Amerikaanse systeem is weer dat er voor veel meer functies verkiezingen zijn en de gekozenen altijd individueel worden afgerekend. In Nederland kunnen belabberde Kamerleden zich verschuilen achter een succesvolle fractie en goede politieke leider.

Het succes van de campagne van een Amerikaanse kandidaat staat of valt met de actieve, vrijwillige bijdrage van honderdduizenden activisten. In al die verkiezingen en voorverkiezingen zijn mensen nodig die bellen, kopiëren, vergaderen, affiches plakken, folders uitdelen en meehelpen met politieke rally's. Het is een test voor elke kandidaat om te zien of hij voldoende vrijwilligers kan overhalen om maanden vrije tijd op te geven.

De campagnes duren in de VS niet zoals in Nederland een paar weken, maar vele maanden. Het doet een beroep op het uithoudingsvermogen van de kandidaat en de talloze vrijwilligers. Vooral wanneer, zoals bij de verkiezing van 2004, de politieke emoties hoog oplopen bereikt deze democratische betrokkenheid een hoogtepunt.

Het Nederlandse systeem is vergeleken met de VS financieel altijd al 'schoon', hoewel Nederlandse politici echt helemaal niets mogen. We zijn erg calvinistisch. Toen enkele Kamerleden gratis kaartjes van het Rotterdamse havenbedrijf accepteerden voor een concert van The Rolling Stones werd daar al luid over gemopperd. In *de Volkskrant* spraken twee bezorgde wetenschappers van de Vrije Universiteit er schande van. Ze kwamen – zonder serieus bewijs – met een gepeperde beschuldiging: 'Het is onbegrijpelijk dat de politiek zo laat fêteren en zich deze poging tot omkoping laat welgevallen.' Omkoping? In de vs moeten er achter de bedragen van politieke giften een paar nullen meer staan voordat je die beschuldiging kunt uiten.

KRANT, RADIO & TV ONDER VUUR:
ZIJN ZE TE LINKS EN ANTI-AMERIKAANS?

Veel conservatieven blijven de media
ervan beschuldigen dat ze te links zijn.
Het eindeloos herhalen van de loze beschuldiging
verzwakt de waakhondfunctie van de pers.
Eric Alterman in What Liberal Media?

Een honkbalknuppel is het meest effectieve hulpmiddel
als je met linkse Amerikanen wilt praten.
Ann Coulter, conservatieve activiste

CNN begon 25 jaar geleden klein en klungelig. Het was 'the Chicken Noodle Network'. CNN ontgroeide die kinderziekten snel en kreeg steeds meer aanzien. Maar rechtse politici vonden CNN te links. Ronald Reagan werd te hard aangepakt en later spraken ze neerbuigend over 'the Clinton News Network'. Die kritiek bleef bij veel rechtse Amerikanen hangen.

CNN is allang niet meer het enige nieuwsstation op de kabel. Er is nu concurrentie van MSNBC en de BBC. En Fox News is er in een paar jaar in geslaagd CNN van de eerste plaats te verdrijven. Fox maakt reclame onder het motto: 'We report. You decide.' ('Wij doen verslag. U beslist.'). De achterliggende gedachte is duidelijk: 'Bij al die andere stations maken eigenwijze, linkse journalisten de dienst uit. Bij ons niet. U, de kijker, bent de baas.'

Fox heeft een zeer conservatieve signatuur. Het station is opgezet door een oud-medewerker van Ronald Reagan. Fox moet het hebben van opiniëren. Ze hebben nauwelijks verslaggevers in het veld en als ze er al zijn worden ze pratend opgevoerd. Dat is veel goedkoper dan het maken van mooie tv-reportages. Fox heeft zo een gouden combinatie: minder kosten, meer kijkers.

De opkomst van Fox is veelzeggend. Niet alleen in de politiek rukt rechts op. In de media is dezelfde trend zichtbaar. Veel Amerikanen vinden journalisten te links en het vertrouwen in de media is bedroevend laag. Fox geeft veel kijkers het gevoel dat er eindelijk een tv-station is dat hardop durft te zéggen wat zij al heel lang stilletjes dénken.

Conservatieven klagen niettemin over de media die met uitzondering van Fox links en vaak anti-Amerika zouden zijn. Ze zagen hun mening bevestigd toen CBS-televisie midden in de verkiezingscampagne documenten onthulde waaruit zou blijken dat George Bush zich in zijn jonge jaren op handige wijze aan de verplichtingen van de Nationale Garde had onttrokken. Dat zou groot nieuws zijn, want de slimme ritselaar van toen is nu *Commander-in-Chief*. Wat Bush destijds precies wel en niet deed, zal waarschijnlijk nooit worden opgehelderd. Zeker is dat het verhaal van CBS niet klopte. De met veel poeha gepresenteerde documenten waren vals. Rechts Amerika glom van genoegen: 'Zie je wel. De radicaal linkse media schrikken nergens voor terug. Ze besmeuren de president.'

Amerikaanse oorlogsverslaggevers lijken soms op een Nederlandse voetbaljournalist die voor de televisie een topwedstrijd verslaat en ineens pro-Oranje is. De miljoenen tv-kijkers thuis willen dat immers horen. Tijdens de Irakoorlog hoorden en zagen we veel voorbeelden van de Amerikaanse variant op ons Oranjegevoel.

Je hoorde steeds een ondertoon van '*We* moeten winnen'. Akelige details over tegenslagen aan het front of tactische blunders op het Pentagon kun je beter inslikken of hoogstens terloops melden. Bij Amerikanen komt daar hun onblusbare vaderlandsliefde bij. Wij houden alleen van Nederland op Koninginnedag en als Oranje de halve finales haalt. Amerikanen staan voortdurend in een soort Oranjestand. Ze zijn ontzettend voor persvrijheid, maar als het land in gevaar is met mate.

Opiniecijfers daarover zijn onthullend. Bijna de helft van de Amerikanen vindt dat de media te veel vrijheid hebben. Veel Amerikanen (35 procent) vinden dat in tijden van oorlog de vrijheid om te protesteren mag worden ingeperkt. Meer dan de helft van de Amerikanen zegt dat de media de regering tijdens een oorlog moeten steunen en niet te veel vraagtekens moeten plaatsen bij de prestaties van het leger. Aandacht voor anti-oorlogsactivisten willen ze liever niet te veel zien.

De tv-bazen lezen die cijfers ook en worden zenuwachtig. Ze willen kijkers niet beledigen of teleurstellen. Velen nemen het memo ter harte dat een media-adviseur rondstuurde. Daarin stond hoe uitzendingen over de Irakoorlog eruit moesten zien: 'Zorg voor vlaggen en andere vaderlandslievende symbolen. Speel strijdbare muziek en op een vast moment het volkslied.'

Hoe eerlijk is berichtgeving dan nog? Is het zelfs valse voorlichting? De grote kranten en commerciële tv-stations zitten in New York en Washington. Veel van de daar werkende journalisten zagen de aanslagen van elf september met eigen ogen. Ze kennen slachtoffers of nabestaanden. Terreur kwam ineens angstig dichtbij. Hoe objectief zouden Nederlandse verslaggevers zijn als zoiets in hartje Amsterdam of Den Haag gebeurde en ze slachtoffers of naaste familie en vrienden persoonlijk kenden?

De Irakoorlog was voor veel Amerikanen het logische vervolg op elf september. De steun onder Amerikanen voor de oorlog was aanvankelijk groot. Velen ergerden zich aan de slappe knieën van de Europeanen. 'Amerika moet het karwei opknappen. Als wij het niet doen, doet niemand het.'

Niet iedereen volgde klakkeloos wat Bush, Rice en Rumsfeld vertelden. Tussen de 20 en 30 procent van de Amerikanen was tegen de oorlog of had ernstige twijfels. Later waren nog veel meer mensen tegen, maar in de programmering van de grote tv-stations was daar weinig van terug te vinden. Als er al een enkele criticus van de Irakoorlog aan het woord kwam, volgde onmiddellijk daarna een interview met een trouwe Bush-aanhanger. Die vertelde dat de kijkers de anti-oorlogspropaganda van de eerdere spreker vooral niet al te serieus moesten nemen.

Het tv-nieuws liet ook veel familieleden van militairen zien. Onveranderlijk stonden ze achter hun fiere man, moedige zoon of strijdbare broer die daarginds het vaderland diende. Het thuisfront zag in de tv-journaals ook geen Vietnamachtige gruwelbeelden van stervende Amerikaanse soldaten of verminkte Iraakse burgers. De media legden zich zelfcensuur op. De tv-beelden lieten een relatief schone oorlog zien. Commercie speelt hierbij natuurlijk een rol. Voor elke kijker die boos belt, zitten thuis op de bank minstens duizend anderen zich danig op te winden. Dat jaagt de kijkcijfers naar beneden.

Er is natuurlijk – al dan niet uitgesproken – ook druk vanuit het Pentagon. Journalisten en de legerleiding kunnen niet zonder elkaar. Als het leger meewerkt kan de tv-verslaggever prachtige *stand-ups* opnemen met ronkende tanks en dreigende rookpluimen op de achtergrond. Maar als die journalist te veel negatief nieuws brengt, kan hij die samenwerking wel vergeten. Dan staat de uit New York ingevlogen 'anchorman' met zijn miljoenensalaris voor niks in de woestijn.

Het is een beetje als met die sportverslaggever. Als die iets doet wat trainer en spelers niet zint, krijgt hij geen exclusieve interviews meer. Hij mag na de wedstrijd niet in de kleedkamer en een concurrent krijgt alle leuke nieuwtjes.

Zelfcensuur: geen gruwelbeelden en foto's van lijkkisten

Die zelfcensuur ging tijdens de oorlogsweken soms heel ver. Dagelijks vielen er doden. De lichamen werden met legervliegtuigen terug naar de VS gevlogen, maar daarvan mochten geen foto's of video-opnamen worden gemaakt. Ook de plechtige aankomst in de VS was taboe voor journalisten.

Twee Amerikanen die waren ingehuurd om het transport van omgekomen militairen te begeleiden maakten er wel foto's van. Tami Silicio nam de foto's in het vrachtruim van een vrachtvliegtuig van het leger en gaf ze door aan *The Seattle Times*. In het vliegtuig stonden tientallen met vlaggen afgedekte lijkkisten. Het was waardig en respectvol. Toch wilde het Pentagon die foto's niet in de krant. Tami Silicio werd er zelfs op staande voet voor ontslagen. Haar man die bij hetzelfde bedrijf werkte ook.

The Seattle Times liet lezers reageren. Dat is leerzame lectuur.

'De foto is ontroerend en respectvol', schrijft een lezer. Een ander vindt: 'De foto doet je maag omkeren. Maar het is goed dat we het zien.' Maar andere lezers waren woedend: 'Shame, shame on all of you.' En dit schreef een lezer over Tami Silicio die de omstreden foto maakte: 'Ik ben blij dat dit ziekelijke wijf haar baan kwijt is. Ze is een monster.'

Voor de Irakoorlog sloten de rijen zich rond de president. Democraten en Republikeinen stemden bijna allemaal voor de oorlogsresolutie over Irak. De president kreeg een blanco cheque en kon doen wat hij wilde. Kunnen de media dan achterblijven? Ze kunnen het verwijt krijgen de Commander-in-Chief voor de voeten te lopen.

Boekwinkel vol Bush-haat

Over Vlag en Vaderland bestaat doorgaans grote eensgezindheid in de Washingtonse politiek. Maar over alle andere onderwerpen woedt een verbeten guerrilla tussen links en rechts. In dat debat is een vorm van spelverruwing ontstaan die in Nederland ondenkbaar is.

Een bezoek aan een boekwinkel is onontbeerlijk voor wie wil begrijpen waarom de sfeer zo verhard is. Het aantal boeken met het woord 'haat' in de titel is verontrustend groot. Links en rechts bespotten en beschimpen elkaar op een toon die ongewoon is in dit land waar overdreven beleefde omgangsvormen scherpe meningsverschillen zo vaak dempen. Er zijn handboeken voor Bush-haters, zeker zeven boeken over de 'leugens' van George Bush en een paar boeken met louter Bush-grappen. Elke koddige verspreking van de president wordt breed uitgemeten en gebruikt als munitie voor de stelling dat je hem niet al te serieus moet nemen.

Dat is politiek vrij worstelen ter linker zijde. Rechts kan er ook wat van. 'Links overheerst en verpest het politieke en culturele leven in Amerika', lees je in die boeken. Rechtse schrijvers trekken het debat in de pro- en anti-Amerikasfeer. Daniel Flynn is daar een goed voorbeeld van. Op de flaptekst van zijn boek *Why the*

Left Hates America concludeert hij: 'Amerikahaat is de vaste gewoonte in politieke kringen links van het midden. Hun politieke invloed is groot.'

Flynn suggereert dat ze infiltreren en saboteren. Daarbij blijft het raadselachtig hoe een sterke, zelfverzekerde natie als de Amerikaanse in gevaar kan komen door zo'n kleine, radicale minderheid. Zelfs komiek Charlie Chaplin is ineens een 'toegewijde stalinist' en wordt met terugwerkende kracht tot volksvijand uitgeroepen.

Flynn is een van de vele conservatieve activisten die met de botte bijl op politieke tegenstanders inhakken. Sean Hannity, presentator van een populaire radiotalkshow, is er ook zo een. Hannity schrijft in zijn boek *Winning the War of Liberty over Liberalism:* 'Nadat we onze laatste buitenlandse vijand hebben verslagen worden we geconfronteerd met bedreigingen van onze vrijheid. Die komen van linkse extremisten in ons eigen land.'

Nog één kleurrijk, rechts voorbeeld: Ann Coulter, jurist en activist, trekt volle zalen. Ze schrijft over linkse Amerikanen: 'Liberals haten Amerika, ze haten mensen die met de vlag zwaaien, ze haten tegenstanders van abortus, ze haten alle godsdiensten behalve de islam.'

Van de linkerkant komt hierop een allesbehalve zachtzinnige reactie. De linkse talkshow-host Al Franken schreef in zijn boek *Lies and the Lying Liars Who Tell Them* over Ann Coulter: 'Ze is de ongekroonde koningin van hysterisch rechts. Coulter trekt de leugens recht uit haar kont.' En even verder: 'Wat Coulter schrijft is politieke pornografie.' Dat is een debattoon die je in ons zondagse brave *Buitenhof* niet gauw zult horen.

In de categorie 'links en luid' mag Michael Moore niet onvermeld blijven. Hij heeft met veel succes George Bush ('The Thief-in-Chief') aan de schandpaal genageld. Moore over Bush: 'Vroeger werden politici pas oplichters als ze in functie waren. Bush kwam voorverpakt.'

Met zijn boek *Stupid White Men* en documentaires heeft hij het journalistieke pad verlaten en zich bekeerd tot het politieke activisme. Zijn documentaire *Fahrenheit 9/11* trok binnen en buiten Amerika volle zalen. Tegenover de trouwe Bush-hatende

Moore-aanhangers stonden waarschijnlijk evenveel rechtse Amerikanen die in zijn boeken en films juist een extra aansporing zagen om wel op George Bush te stemmen.

De toon in deze scheldboeken en pamflettistische films is een graadmeter voor de verbetenheid en het diepgewortelde wantrouwen in de Amerikaanse politiek. Op de Amerikaanse radio gaat het ook van jetje. De VS is eigenlijk geen televisieland; het is vooral ook een radioland. In 1970 waren er 2200 FM-zenders, nu bijna 6000. Er zijn dus veel meer radio- dan tv-zenders. Inhoudelijk valt er op de radio veel te genieten. De naam TalkRadio – 'PraatRadio' – is overigens niet terecht. Zeg maar gerust: SchreeuwRadio. En het is bijna altijd rechts geschreeuw. Vóór George Bush, de doodstraf en vrij wapenbezit. Tégen belastingen, homohuwelijk, rechten voor vrouwen en eigenlijk alles wat maar vaag progressief is.

Rechts in Amerika is geen variant op Hans Dijkstal, Erica Terpstra of Gerrit Zalm. Die zijn daarvoor niet conservatief genoeg en vooral véél te beschaafd. Op TalkRadio bestaat geen middenweg. Nuances zijn taboe. Miljoenen Amerikanen luisteren er elke dag naar: 'Eindelijk iemand die de waarheid zegt.'

Een van de toppers is Rush Limbaugh. Hij is op 600 zenders te horen. Zijn politieke filosofie is simpel: 'Ronald Reagan was de grootste president van deze eeuw.' En over vrouwen: 'Feminisme was uitgevonden om ook onaantrekkelijke vrouwen vooruit te helpen.' Limbaugh viel lelijk door de mand toen bleek dat hij – ondanks al zijn opvoedende praatjes – verslaafd was aan illegaal gekochte pijnstillers. Hij kreeg een ontwenningskuur en hervatte zijn show.

De conservatieve presentatoren van deze programma's doen net alsof ze vreselijk benadeeld worden door hun linkse medeburgers. Ze manoeuvreren zich in een slachtofferrol. Het heeft te maken met het vijandbeeld dat die behoudende presentatoren voor hun onophoudelijke scheldpartijen nodig hebben. Luisteraars vullen een groot deel van de zendtijd met hun zelden genuanceerde mening. Hoe bozer de luisteraars zijn hoe beter het is voor het programma.

TalkRadio beleefde gouden tijden tijdens de jaren van Clinton.

De opstandige hormonen van de president zorgden voor vele uren fanaat rechts gemopper. Wat missen ze Bill! Ze hopen stiekem al op Hillary-2008. Dan kunnen ze weer jaren vooruit.

Maar voorlopig zijn ze druk met het aan de schandpaal nagelen van critici van Bush. Wee degene die in het openbaar iets akeligs over hem zegt. Presentator Bill O'Reilly: 'De linkse malloten overtuigen niemand met hun beledigende aanvallen. Ze minachten de president. Bush reageert zelden op die beledigingen. Hij is verstandig en gaat ervan uit dat onafhankelijk denkende Amerikanen niet onder de indruk zijn van die giftige aanvallen.'

Linkse Amerikanen slaan nu terug. Komiek Al Franken en tv-ster Jerry Springer zijn de *big shots* van Air America, een linkse tegenhanger voor al het rechtse talkradiogeweld. Het slaat redelijk aan, maar is bij lange na niet zo populair als de conservatieve shows. De beslissende factor is: hoe grof durf je te zijn? Dan wint rechts.

Alle media op een kluitje voor een natte hond

Het was een rottweiler en hij had het niet naar zijn zin op die wiebelige ijsschots midden op een rivier bij Newark in New Jersey. Amerika keek gefascineerd toe. Wordt hij op tijd gered? Of zien we zich zo meteen live een klein dierendrama voltrekken?

De tv-stations waren op volle oorlogssterkte. De nieuwshelikopters hingen boven de plek des onheils en miljoenen tv-kijkers zagen de bibberende hond van de schots in de armen van zijn koene redders glibberen.

Het was minder dan een maand voor het uitbreken van de Irakoorlog. Er was nieuws uit Afghanistan en het was onrustig op Wall Street, maar heel Amerika zat naar een kleddernatte rottweiler op een ijsschots te koekeloeren.

Zenders met 24 uur nieuws zijn een zegen voor de mensheid als ze hun werk goed doen. Dat is niet altijd het geval en het hondenverhaal is een subliem voorbeeld. Een nieuwsbaas ziet die beelden via de satelliet binnenkomen en roept: 'Kijk, die malle hond. Great stuff! Gooi het op de zender.' Hij weet immers: hier kijken mensen liever naar dan naar alweer een discussie over Irak of de economie. Vijf seconden later gaat de hond heel Amerika over. Concurrerende tv-stations schrikken. 'Holy cow! Dit mogen we niet missen.' En tien seconden later zenden ze het óók allemaal uit. De politiemensen noemden de hond Lucky!

Het proces tegen een popster was ook zo'n voorbeeld. Ja hoor, het is nieuws als een muziekidool wordt beschuldigd van seksueel misbruik. Maar moeten een paar duizend journalisten daar weken achtereen kamperen en de wereld per uur op de hoogte houden van de laatste vulgaire details uit de rechtzaak? De hele wereld keek mee. Ook Nederland, waar The King of Pop tevens voorpaginanieuws was. Nederlandse correspondenten lieten ook het echte wereldnieuws voor wat het was om zich gretig te werpen op de slaapkamergeheimen van Jacksons Neverland Ranch.

Het is een soort pupillenvoetbal. Daar rennen 22 jochies op een kluitje achter de bal aan. Helaas werkt de journalistiek vaak niet anders. Nieuwsbazen volgen liever de concurrentie dan dat ze zelf iets origineels bedenken. Het komt voort uit de angst iets te missen. Dus brengt iedereen een of twee verhalen en verwaarloost de rest. De volgende keer is het een spectaculaire moordzaak, een auto-ongeluk, windhoos, modderlawine of seksschandaal. Ook als de politie ergens een vluchtende misdadiger op de snelweg achtervolgt kan het hele land steevast met live helikopterbeelden meegenieten. Is dit belangrijk nieuws? Meestal niet, maar dat telt niet. De vraag is: willen kijkers het zien?

In de berichtgeving over verkiezingscampagnes gaat het vaak niet anders. Ook dan rijden alle satellietwagens van de grote tv-stations achter dezelfde politieke stofwolk aan. Geruchten worden verheven tot nieuws; halve waarheden zijn niet taboe, want je kunt een halfuur later als 'Breaking News' brengen dat het allemaal net een tikkeltje anders was. Vroeger heette dat een journalistieke blunder, nu is het een 'news update'. Als je er dreigende muziek bij laat horen en opgewonden roept: 'This is the Latest from Channel Four Action News!' heeft niemand wat in de gaten. Ook bij de laatste verkiezingscampagne keken we weer weken naar roddel en achterklap over wat de kandidaten tientallen jaren daarvoor hadden uitgespookt. De campagnes spelen hier handig op in en lieten soms zelf dit soort kwaadaardige geruchten verspreiden.

Toch zou het niet eerlijk zijn alleen dit deel van politieke berichtgeving te belichten. Wie een beetje moeite doet, kan in de Amerikaanse media veel over politiek te weten komen. De grote debatten waren integraal zonder reclame op tv. De kranten en tijdschriften schrijven diepgaand over de kandidaten en het internetaanbod is oneindig. Op zondagochtend kun je kiezen uit vijf zenders die allemaal een soort *Buitenhof* uitzenden. De 24-uurs kabelstations zenden *fluffy* onderwerpen uit, maar er is ook veel serieuze informatie en analyse.

Linkse critici zeggen dat de grote mediabedrijven die eigenaar van de tv-stations zijn de inhoud dicteren met een voorkeur voor rechtse opinies en vederlichte tv-verhaaltjes. Dat is iets te makkelijk en strookt niet met de werkelijkheid. Het is te oneerlijk Amerikaanse media af te doen als inhoudsloze lawaaifabrieken. Veel Amerikanen die oppervlakkig kijken, zien inderdaad alleen rottweilers en andere onbeduidende ongein, maar wie een beetje zijn best doet, ziet en hoort veel meer.

De verkiezingen van 2004 hadden een recordopkomst. Veel kiezers waren boos en bang. Radio, tv en kranten berichtten over die ongekend spannende race. Wie er kennis van wilde nemen, kon uit veel goeds kiezen.

5 *Op leven en dood:* Straf & boete binnen en buiten de gevangenis

MAKEN VUURWAPENS AMERIKA VEILIGER?

MACHTIGE LOBBYGROEPEN TEGEN STRENGERE WETTEN

Er zijn nog nooit zo veel vuurwapens in Amerika geweest.
Tegelijk is de misdaad in 27 jaar niet zo laag geweest.
National Rifle Association – NRA

Er is een ware epidemie van vuurwapengeweld.
Het Congres en de President moeten een einde maken
aan deze cultuur van de dood.
Brady Campaign to Prevent Gun Violence

Er is geen westers land met zo veel vuurwapens, zo veel moorden en zo weinig politieke wil om die dodelijke spiraal te doorbreken. Het is een lange, bloedige traditie. Er stierven in de afgelopen 100 jaar meer mensen door vuurwapens in de dorpen en steden van Amerika dan op alle slagvelden waar de VS oorlogen uitvochten.

Toch koesteren de meeste Amerikanen hun vuurwapen. Ze vinden dat ze er recht op hebben. Strengere wapenwetten zijn kansloos. De lobbygroepen voor vrij wapenbezit zijn oppermachtig. Hun pleidooi sluit naadloos aan bij het wijdverbreide gevoel van angst en onveiligheid.

George Bush zocht in Irak vergeefs naar massavernietigingswapens. Als hij vanuit het Witte Huis naar buiten loopt kan hij ze zo vinden, want Washington DC is een van de dodelijkste steden van Amerika, elke nacht is het raak, er is geen nieuwsuitzending op de plaatselijke televisie zónder moord en doodslag.

De stad Washington heeft strenge wapenwetten, maar minder dan een mijl verderop aan de overkant van de rivier ligt Virginia, een staat waar elke staatsburger zonder strafblad zo wapens kan kopen. De zwarte handel in dodelijk schiettuig groeit en bloeit dan ook en de centrale overheid doet er niets tegen.

De controle op wapenwinkels is slap en er is geen registratie van vuurwapens zodat nooit is te achterhalen wie een pistool of geweer heeft gekocht. Er is in de VS niet eens een burgerlijke stand, want Amerikanen zijn trots op hun land, maar wantrouwen de overheid. Het idee van zo'n wapenregistratie stuit Amerikanen helemaal tegen de borst, want dan voel je je niet meer vrij in je eigen land.

Wapenbezit gaat terug naar mythe van de cowboys

Waar komt wapenbezit in de VS vandaan? Het ligt voor de hand daarbij terug te grijpen op het Wilde Westen. Daar schoten ze er – als we de cowboyfilms mogen geloven – dag in dag uit lustig op los. Maar dat beeld van de dappere cowboys die nooit misschoten, is een mythe. De heldhaftige romantiek is verzonnen. Er waren ooit op zijn hoogst tienduizend cowboys. Velen waren zwart of Mexicaans, ze hadden maatschappelijk geen aanzien en zwierven in grote eenzaamheid met hun kudden over eindeloos lege vlakten. Meestal was er in de wijde omgeving niemand op wie ze kónden schieten. Het geflatteerde beeld van de stoere Marlboroman bij ondergaande zon bestond alleen in boeken en later in films en tv-series. De ronddolende armoedzaaiers die model stonden voor dit *all-American* ideaalbeeld hadden zich er vast niet in herkend.

In de films zien we massale schietpartijen, maar ook dat is grotendeels bij elkaar gefantaseerd. Zelfs in het beruchte Dodge City liggen op de begraafplaats vooral mensen die door natuurlijke oorzaak zijn gestorven. In veel steden golden strenge wapenwetten en veel ranches waren vuurwapenvrij. Je ziet het in geen enkele cowboyfilm, maar in menig stoffig wildwestdorp moesten de cowboys hun wapen inleveren voor ze er binnen mochten rijden.

Natuurlijk werd er wel eens geschoten, maar dat ging ook weer anders dan John Wayne en Clint Eastwood ons met veel acteertalent doen geloven. In de films zien we aangeschoten 'Good Guys' en 'Bad Guys' met een van pijn vertrokken gezicht fluks opstaan, lenig hun paard bestijgen en energiek over de weidse prairie weggalopperen. Dat is ook kletskoek. Bill Bryson schrijft in zijn boek *Made in America:* 'Kogels waren in de negentiende eeuw zo langzaam en zo zacht dat ze zelden mooi strak door het lichaam van het slachtoffer heen gingen. Integendeel, ze sprongen als een flipperbal heen en weer. Ze kwamen naar buiten door een vuistgroot gat alsof je door een stuk papier hebt gestompt. Zelfs als de kogel op miraculeuze wijze vitale organen had gemist, dan nog zou het slachtoffer in een kolossale shocktoestand terechtkomen en in enkele minuten doodbloeden.'

In de negentiende eeuw begonnen vuurwapens hun opmars in de Amerikaanse samenleving. Steeds meer moorden werden niet meer met messen, stokken of blote handen gepleegd, maar met vuurwapens. Het was een onvermijdelijk bijverschijnsel van de razendsnelle industrialisatie van Amerika die ook moderne wapenfabrieken mogelijk maakte. Er was ineens veel geld te verdienen. In banken en de nieuwe industrie ging meer geld om dan in de boerenmaatschappij van vijftig jaar daarvoor. Geen wonder dat in dat nieuwe Amerika misdaad en dodelijk geweld floreerden, met als hoogtepunt – we zitten dan inmiddels in de twintigste eeuw – de Roaring Twenties.

Amerikanen hebben hun voorliefde voor vuurwapens nooit opgegeven. De geest van de pioniers uit de achttiende eeuw waart nog rond. Die trokken door onontgonnen, barre vlaktes in de jaren dat we in Nederland al keurige polders met strakke slootjes en rechte kanalen hadden gegraven. Nederland was al 'af' toen ze in grote delen van Amerika nog moesten beginnen. Dat leidt tot een hele andere mentaliteit.

Je hoort het Amerikanen nog steeds zeggen: 'We doppen graag onze eigen boontjes. Daarbij hoort verdediging van huis en gezin. Desnoods met geweld. Dat recht mag je ons niet ontnemen.' 40 procent van de Amerikaanse gezinnen heeft dan ook een vuurwapen in huis. Op het platteland komt het meer voor dan in steden. De ware pionier gaat nooit ongewapend naar bed.

Vuurwapens populair onderwerp voor rechtse politici

Strengere vuurwapenwetten waren lang een populair onderwerp voor progressieve politici. Dat verandert snel; ze worden steeds voorzichtiger. Het is een van de vele voorbeelden van de sterk naar rechts opgeschoven agenda in de Amerikaanse politiek.

In 2002 voerde Kathleen Kennedy campagne om gouverneur van Maryland te worden. Zij is de dochter van Robert Kennedy en weet dus wat wapengeweld betekent. Haar vader werd in 1968 immers doodgeschoten, evenals haar oom John in 1963. Maar zelfs Kennedy, een voorstander van strenge wapenwetten, vermeed het woord 'gun control' en had het liever over 'gezondverstandwetten ('common sense gun laws').

Het was niet lang na de aanslagen van elf september, wapenverkopen waren recordhoog en de angst zat er bij veel Amerikanen goed in. Vandaar de politieke omzichtigheid waarmee Kathleen Kennedy het onderwerp aanpakte. Ze was niet de enige. Veel meer Democraten gaan er voorzichtig mee om uit angst te worden afgeschilderd als een doetje die criminelen liever vertroetelt dan opsluit. Kathleen Kennedy verloor de verkiezing van een Republikein die tégen strengere wapenwetten is.

Hoe terughoudend voorstanders van strengere wapenwetten zijn, blijkt ook uit de tactiek van de actiegroep Handgun Control. Het begrip 'handgun control' is kennelijk al te radicaal en stoot mensen af. De naam van de actiegroep was heel bekend, maar toch heeft de organisatie de naam veranderd en heet nu heel braafjes Brady Campaign to Prevent Gun Violence.

Het verwijst naar James Brady, die perschef was van Ronald Reagan. Brady raakte zwaar gewond bij de aanslag op de president in 1981. James en Sarah Brady voeren sindsdien actie tegen het bijna ongehinderd wapenbezit in de VS. Dat is een moeizame strijd, ze hebben het politieke en maatschappelijke tij tegen. Sarah Brady zegt: 'We moeten het gevecht met deze dodelijke epidemie opnieuw aangaan. Te veel Amerikanen hebben de hoogste prijs moeten betalen omdat we gefaald hebben bij het onderwijzen van Amerikanen over de gevaren van vuurwapens.'

Maar op de website van de conservatieve NRA, de tegenhanger

van de Brady Campaign, staat juist onomwonden dat vuurwapens Amerika veiliger maken: 'More guns, less crime.' De machtige National Rifle Association, die vier miljoen leden heeft, preekt hel en verdoemenis elke keer als er een plannetje opduikt om het vuurwapenbezit te beperken of minder gevaarlijk te maken. De organisatie heeft in George Bush een goede vriend in het Witte Huis. Nieuwe wapenwetten lossen niets op, zegt de NRA. '*Nieuwe* wetten houden de carrières van politici in leven. Naleving van *bestaande* wetten houdt Amerikaanse burgers in leven.'

De pro-wapenlobby heeft een overwegend conservatieve, godsdienstige achterban. Regelmatige kerkgangers hebben vaker een wapen dan Amerikanen die niet naar de kerk gaan. Het maakt deel uit van de brede conservatieve coalitie die de Amerikaanse politiek zo sterk beïnvloedt. 'Praise the Lord and pass the ammunition' is een strijdkreet waarvoor de Democraten nog geen eigen alternatief hebben bedacht.

Pizzabezorger dankzij pistool nog in leven

De overvaller stond ineens met een getrokken pistool voor zijn neus. Er was geen tijd om na te denken; het eerste schot moest raak zijn. Ronald Honeycutt had net pizza's afgeleverd toen het gebeurde. Het flitste door hem heen: 'Ik wil niet als nummer in de moordstatistieken eindigen.' Hij greep zijn 9mm pistool en schoot tien keer. Dat was afdoende. Honeycutt is een van de tientallen miljoenen Amerikanen die nooit zonder vuurwapen de deur uit gaat.

De rechter ontsloeg Honeycutt van rechtsvervolging. Hij was niet schuldig aan moord, want hij handelde uit zelfverdediging. Maar de 39-jarige werknemer van Pizza Hut was wel zijn baan kwijt, omdat zijn werkgever medewerkers verbood gewapend op het werk te verschijnen. Die regel had Honeycutt overtreden.

Honeycutt brengt intussen – met een wapen op zak – pizza's rond voor een andere baas. 'Ik heb het grondwettelijk recht een wapen te dragen. Als ik dan toch dood moet, dan sterf ik liever terwijl ik mezelf verdedig.'

Dit is een boeiend voorbeeld waar voor- en tegenstanders van strenge wapenwetten argumenten aan ontlenen. De anti-wapenlobby zegt: 'Zie je wel wat er kan gebeuren als zo veel mensen gewapend over straat gaan. Dring het aantal wapens terug en registreer het wapenbezit, zodat het voor criminelen moeilijker wordt een vuurwapen te bemachtigen. Je kunt nu veel te makkelijk een dodelijk wapen kopen. Vuurwapens kosten mensenlevens.'

Met hetzelfde voorbeeld in de hand zegt de pro-wapenlobby over de schietpartij met Ronald Honeycutt: 'Maar goed dat hij een wapen mocht dragen, anders was hij nu dood geweest. Amerikanen moeten zichzelf kunnen verdedigen. Registratie van wapens heeft geen zin, want misdadigers komen er toch wel aan. De laatste vijftien jaar is het aantal wapens gestegen en de misdaad gedaald. Vuurwapens sparen mensenlevens.'

Bill Clinton was de held van de progressieve actiegroep die toen nog Handgun Control mocht heten. Al heel snel in zijn eerste ambtstermijn kwam hij met een voor Amerikaanse begrippen revolutionaire wet. Bij de aanschaf van een vuurwapen zou er voortaan een 'instant background check' plaatsvinden. Heel simpel: even kijken of de aspirant-koper een oplichter, bankrover, moordenaar of kinderverkrachter is.

Dat klinkt logisch maar het verzet was groot. Clinton zette niettemin door en meer dan honderdduizend ex-misdadigers, die geen vuurwapen mochten hebben, werden op deze manier gesnapt.

Niemand weet zeker of het van beslissende invloed is geweest, maar veel politieke analisten denken dat die wapenwet en het rampzalig mislukte plan voor de gezondheidszorg fataal waren voor de president. Het leverde de Republikeinen munitie om de progressieve president keihard aan te vallen. Kort daarna verloor zijn Democratische partij voorgoed de meerderheid in het Huis van Afgevaardigden. Vanaf dat moment was de politieke speelruimte van Clinton drastisch ingeperkt. De Republikeinen hielden hem politiek permanent onder schot.

Als het om politieke emoties rond vuurwapens gaat, moet de arme Al Gore hier genoemd worden. Gore sprak zich vaak voor strengere wapenwetten uit. Zo stemde hij (vergeefs) voor strengere regels voor wapenshows en was hij voorstander van sloten op vuurwapens om ongelukken met kinderen te voorkomen. Dat was heel principieel van hem, maar hij verloor in 2000 mede daardoor de verkiezing van George Bush. Door zijn 'softe' vuurwapenstandpunt was hij kansloos in staten als Arkansas, West-Virginia en zelfs zijn thuisstaat Tennessee. Zou Al Gore tot president gekozen zijn als hij zijn principes over wapenbezit even had ingeslikt?

John Kerry probeerde de fouten van Clinton en Gore te vermijden. Hij wist dat hij zou worden afgemaakt in de meedogenloze propaganda van de vuurwapenlobby. De NRA schreef dat er nooit eerder een presidentskandidaat was geweest die zo anti-vuurwapens was. Kerry besloot daarom op jacht te gaan en de wereldpers mocht mee. Hij vertelde dat hij de trotse bezitter van een aantal vuurwapens was, maar de journalisten mochten er niet bij zijn toen er echt werd geschoten.

Schoot de presidentskandidaat eigenlijk wel echt zelf? Of probeerde hij weer eens van twee politieke walletjes te eten? Aan de ene kant de strijdbare wapenbezitter uithangen om rechtse kiezers te paaien, maar tegelijk niet als een NRA-achtige wapenfanaat overkomen, wat de Democratische achterban kan irriteren. Het toont aan hoe omzichtig Democraten omgaan met het vuurwapenvraagstuk.

Maken wapens ons leven veiliger?

Kennesaw is een klein stadje even buiten Atlanta in de staat Georgia. Er is iets unieks aan Kennesaw: er is daar een plaatselijke verordening die elk gezin verplicht een vuurwapen in huis te hebben. Voor de bewoners van Kennesaw is dat niets nieuws, de regel bestaat al sinds 1982.

Kennesaw heeft sindsdien recordlage misdaadcijfers. Of je het nu vergelijkt met de rest van Georgia of met de hele VS, het is daar hartstikke veilig. Weinig inbraken, weinig gewelddadige overvallen. Komt dat door die malle regel dat iedereen een vuurwapen moet hebben? Niemand weet het.

Critici zeggen dat het niet veel voorstelt, want er wordt heus niet gecontroleerd of inwoners van Kennesaw de wet naleven. De laatste tien jaar zijn er veel nieuwe mensen komen wonen die er soms niet eens vanaf weten. Maar de verdedigers van de Kennesaw-wet zeggen: Het werkt wel! Criminelen gaan liever een dorp verderop. Ze houden niet van gewapende slachtoffers. Wapens – ook al worden ze niet gebruikt – schrikken af.

Voor- en tegenstanders van strenge wapenwetten komen elk met statistieken om het eigen gelijk te bewijzen. 'Een gewapende maatschappij is een veiliger maatschappij', zegt de conservatieve NRA. Maar de Brady Campaign beweert het omgekeerde: 'Meer wapens = meer misdaad.'

Er is geen pasklare oplossing voor het vuurwapenprobleem van Amerika. Vermindering van het aantal wapens lijkt een logische stap, maar is minder gemakkelijk dan het lijkt. Het stuit op heftig (gewapend!) verzet van de tientallen miljoenen wapenbezitters.

Je zou willen dat de naar schatting 230 miljoen vuurwapens die in de VS in omloop zijn pardoes zouden verdwijnen. Maar dat doen ze niet en de meeste Amerikanen willen dat ook helemaal niet. In hun hoofd zit de onwrikbare overtuiging dat privé-bezit van wapens goed is.

Veelzeggend is het recente debat over het weer op de markt brengen van 'assault weapons'. Dit zijn halfautomatische vuurwapens waarmee je heel snel achter elkaar veel kogels kunt afschieten. Zijn dit vuurwapens waarmee een oppassende burger zijn huisgezin beschermt? Is dit schiettuig geschikt om konijnen, kwartels, herten of beren te schieten? Zijn ze handig voor sportschutters? Niet echt. Toch was politiek Washington in rep en roer toen een verbod op deze wapens verlengd dreigde te worden.

Het verbod van deze 'Rambowapens' is inmiddels opgeheven. Ze mogen weer gewoon geïmporteerd en verkocht worden. De politiek zwichtte opnieuw voor de druk van de 'gunlobby'. Politiechefs van enkele zeer criminele steden (Atlanta, Los Angeles,

Philadelphia en Washington DC) smeekten vergeefs het verbod te handhaven: 'Als het verbod verdwijnt zullen de wapens die het lievelingswapen zijn van terroristen, drugdealers en bendeleden terug zijn op de straat. Nu Homeland Security een steeds belangrijker taak wordt van onze dagelijkse missie als wetshandhavers willen we ervan verzekerd zijn dat deze aanvalswapens niet opnieuw in de verkoop komen.'

De kritische actiegroepen keken hoopvol naar president Bush die wel eens had laten doorschemeren voor het verbod op deze agressieve wapens te zijn. Maar Bush zweeg omdat hij wist dat het Congres de verlenging van het verbod toch zou wegstemmen. Hij kon het onderwerp zonder politiek getouwtrek naast zich neerleggen.

De altijd strijdbare NRA heeft berekend dat in de jaren van dalende misdaad het aantal privé-vuurwapens met meer dan 60 miljoen steeg. Per jaar worden 4,5 miljoen nieuwe vuurwapens verkocht. Stel dat de daling van de misdaad niettemin doorzet. Dan zullen veel Amerikanen dat zien als de bevestiging van de NRA-wet van 'meer wapens = minder misdaad'. Waar haalt een linkse politicus dan de argumenten vandaan om toch voor strengere wapenwetten te pleiten?

Amerika is een land dat binnen de eigen grenzen en ver daarbuiten graag tot de tanden bewapend door het leven gaat. Amerikanen schamen zich daar niet voor. Integendeel, ze zijn er trots op. Een bumpersticker geeft weer eens de bondigste analyse: 'God, guns & guts made America great. Let's keep 'm all three.'

HET NADEEL VAN DE TWIJFEL:
AMERIKA STRAFT MISDADIGERS HARD

Ex-gevangenen stemrecht ontnemen doet denken
aan de middeleeuwse praktijk misdadigers te verbannen.
Mensen worden voorgoed buiten de maatschappij
geplaatst.
Uit The New York Times

Misdadigers hebben geen recht meer om te stemmen.
Ze hebben de wet overtreden en mogen niet de kans krijgen
nu mee te beslissen over wetten voor anderen.
Roger Clegg, Center for Equal Opportunity

Amerika is een land van discipline en respect. Zo gauw een Amerikaan in uniform in je buurt komt, stop je met logisch nadenken. Orders van dames en heren met een pet volg je snel en strikt op.

Maak geen grappen tegen 'oom Agent'. Dat wordt uitgelegd als gebrek aan respect en daar houden geüniformeerde Amerikanen niet van. Op een bord bij vliegveld-security stond opgesomd wat allemaal strafbaar was. Een van de strikte verboden: 'Grappen maken over de verboden.'

In de Amerikaanse samenleving geldt het recht van de sterkste. Maar in het openbare leven zijn Amerikanen beleefd en voorkomend. Ze laten elkaar voorgaan en helpen anderen waar ze kunnen. Het Nederlandse voordringen is hier onbekend.

Op een kruising wachten automobilisten hier netjes op hun beurt. Die kruispunten zijn voer voor psychologen. Heel vaak is er de '4-way stop'. Je komt aanrijden, stopt en wacht op auto's die net ietsje eerder stopten. Pas als het jouw beurt is, rijd je door. Wat is het leven soms overzichtelijk. Er is zelden een brutale BMW, kapitale Cadillac of proleterige Pontiac die voorpiept. Amerikanen zijn op dit vlak het toppunt van beschaving.

Elk Amerikaans kind ziet vele duizenden moorden en vechtpartijen op televisie, maar op scholen geldt voor wapens 'zero tolerance'. Elke afbeelding die doet denken aan geweld is taboe. Een plastic geweertje aan een sleutelhanger is verboden. Een T-shirt met een verkeerde opdruk mag alleen binnenstebuiten aan.

Hetzelfde geldt voor drugs. Onschuldige aspirientjes of een pil tegen buikpijn vallen binnen het verbod. Een jongen die als grap een potje met keukenkruiden mee naar school nam (het leek op marihuana) werd geschorst. De school zag er de humor niet van in.

Discipline wordt er bij kinderen dus vroeg in gehamerd en daarbij worden soms – voor Europese begrippen – heel strikte methoden niet geschuwd. Op Middle School (twaalf tot veertien jaar) kan tamelijk onschuldig fysiek geweld volgens het schoolreglement al reden zijn de politie te bellen. De regels worden soms op absurde wijze uitgelegd. Het begint al op de lagere school. Twee jongens van negen en tien jaar werden gearresteerd omdat ze op school een tekening maakten waarop een medescholier te zien was die werd mishandeld en opgehangen. Er stonden ook schuttingwoorden op. De jongens werden in handboeien afgevoerd.

Een leerlinge van dertien jaar in Texas kon vertrekken omdat ze een mesje bij zich had om tijdens de lunch haar appel te snijden. Een meisje van vijftien dat spijbelde raakte bewusteloos nadat de politie haar met een stungun een elektrische schok van 15.000 volt had gegeven. Een 14-jarige scholier in Annapolis, Maryland, werd gearresteerd omdat hij sneeuwballen gooide naar meisjes die hem hadden gevraagd daarmee te stoppen. Als het beleid wordt elke puber die sneeuwballen gooit in de boeien te slaan, dan zitten de gevangenissen na elke sneeuwstorm overvol. Maar de politie heeft geen spijt: 'Als je iets gooit en de andere persoon wil dat niet, dan is dat mishandeling.'

Ook als volwassene moet je oppassen. Zo gauw Amerikanen een uniform aantrekken, krijgen ze een hooghartige houding van 'met mij valt niet te spotten'. Dat ondervond de 23-jarige Sakinah

Aaron. Ze liep op een busstation en praatte naar de zin van een veiligheidsman iets te luid in haar mobiele telefoon. Hij waarschuwde haar, ze ging door en lag voor ze het wist met handboeien aan op de grond. Aaron, die drie maanden zwanger was, zat uren op het politiebureau voor ze werd vrijgelaten met een aanklacht wegens wanordelijk gedrag.

Dit zijn bizarre incidenten, maar ze zijn ook weer niet zo uitzonderlijk. Ze passen perfect in een maatschappelijk klimaat waarin overtreding van regels hard wordt afgestraft. Zo mogen jongeren in de VS tot hun eenentwintigste jaar geen druppel alcohol drinken. Ze rijden dan al vijf jaar auto, kunnen de doodstraf krijgen en mogen stemmen, trouwen en vechten in het leger, maar de verantwoordelijkheid om te drinken krijgen ze niet. Studenten die de regel overtreden kunnen ervoor van de universiteit worden gestuurd. Bij herhaalde overtreding beland je in de gevangenis.

Het bezit van een paar gram marihuana en een hasjpijpje kan al ernstig genoeg zijn voor een jarenlange celstraf. Het past allemaal in het gezagsgetrouwe denken van Amerikanen. Ze snappen dan ook niets van onze Nederlandse coffeeshops en niet elke Amerikaan gelooft je als je vertelt dat het gebruik van softdrugs in het zo tolerante Nederland niettemin veel lager ligt dan in de VS. Ze kunnen zich amper voorstellen dat een gedoogbeleid soms beter werkt.

Omgekeerd kunnen Nederlanders zich weer niets voorstellen bij het Amerikaanse gedoogbeleid ten aanzien van vuurwapens. In Amerika mag je wel schieten, maar niet drinken. In Europa drinken, maar niet schieten.

Misdaadgolf veroorzaakte volle gevangenissen

Het is niet verbazend dat in zo'n maatschappelijk klimaat helemaal hard wordt opgetreden tegen mensen die echt iets verkeerds hebben gedaan. In de jaren tachtig en negentig was er een misdaadepidemie in de VS. De achterbuurten van grote steden veranderden in 'killing fields'. Amerika leefde in de greep van de angst voor moord en doodslag.

Het resulteerde in ware opsluitgekte. Zware misdadigers verdwenen natuurlijk achter de tralies, maar ook honderdduizenden niet-gewelddadige veroordeelden werden lang opgesloten. Het was een paniekreactie van politici die zich opgejaagd voelden door angstige kiezers.

Er werden honderden nieuwe gevangenissen gebouwd. Het is een van de snelst groeiende bedrijfstakken in Amerika, hoewel critici zich nu afvragen of het niet ietsje minder kan. Vergrijzing in gevangenissen is een groeiend probleem. Het aantal oudjes achter de tralies neemt snel toe. Hoe crimineel is een 65-plusser nog? Heeft het zin al die oudjes vast te houden? De meeste zijn wel uitgeraasd en erg duur in onderhoud. Gevangenissen zijn ingericht op gezonde jongeren, niet op ongezonde bejaarden.

Sommige gevangenissen hebben noodgedwongen verpleegafdelingen voor hulpbehoevende *inmates* waar ze 24 uur per dag verzorgd worden. Een gevangene van boven de zestig jaar kost 70.000 dollar per jaar. Dat is bijna drie keer zoveel als een jongere gevangene. Dat geld kan beter besteed worden aan begeleiding van die jongere gevangenen, maar de woede over de misdaadgolf ebt nog na en politici willen niet het verwijt krijgen dat ze 'watjes' zijn.

Moord op 12-jarig meisje: duizenden gevangenen krijgen levenslang

Polly Klaas was altijd al bang geweest ontvoerd te worden. Ze kon er vaak niet door slapen. Het voorgevoel van Polly klopte; ze werd ontvoerd vanuit haar ouderlijk huis in een stadje in de buurt van San Francisco.

De 12-jarige Polly bleef wekenlang zoek en de moordenaar werd slechts door toeval ontmaskerd. Richard Allen Davis was eerder veroordeeld voor zedenmisdrijven, overvallen, inbraken en ontvoering, maar hij was steeds vervroegd vrijgelaten.

Wekenlang leefde Amerika in de greep van het verhaal van Polly. De woede was groot toen bleek wat voor criminele carrière

Davis achter de rug had voordat hij Polly vermoordde. Waarom was deze man niet levenslang opgesloten?

Politici reageerden voortvarend. Er kwam een wet die herhaling van het Polly Klaas-drama moest voorkomen. Het werd de fameuze 'Three Strikes You're Out'-wet, die de kiezers van Californië in een referendum met overweldigende meerderheid goedkeurden. Na drie strafbare feiten wordt een crimineel uit de samenleving verwijderd en tientallen jaren of levenslang opgesloten, zonder de kans op gratie. Het idee sloeg in heel Amerika aan. Zo'n dertig staten volgden het voorbeeld van Californië.

De politieke reactie op het drama van Polly Klaas was begrijpelijk, maar schoot erg ver door. De wet gold in Californië ook voor wetsovertreders die een niet-gewelddadig feit pleegden. Leon Andrade bijvoorbeeld beging zijn derde strafbare feit toen hij voor 150 dollar videobanden (onder meer Batman, Assepoester en Sneeuwwitje) gapte. Het waren kerstcadeautjes voor zijn nichtjes. Andrade kreeg vijftig jaar gevangenisstraf. Hij was op dat moment 37 jaar en komt dus op zijn zevenentachtigste vrij. Zijn vonnis is tot in de hoogste instantie (het hooggerechtshof) bekrachtigd.

Er zijn meer vergelijkbare gevallen. Er zit iemand vast voor het stelen van een paar golfclubs. Een andere veroordeelde verdween voor vele jaren in de gevangenis nadat hij twee keer was gepakt voor inbraken en zijn fatale derde fout beging toen hij een paar gympies pikte. Een andere winkeldief ging er met een paraplu en een fles drank vandoor. De waarde van de gestolen goederen: 43 dollar. De straf: 25 jaar cel.

Critici zeggen dat de wet bedoeld is voor barbaren als Richard Allen Davis, niet voor tasjesrovers, inbrekers en winkeldieven. De kosten van de wet zijn onevenredig hoog. Marc Mauer, van The Sentencing Project (een progressieve organisatie die justitievraagstukken bestudeert) is tegen de wet. 'Sinds de wet er is, daalde misdaad in Californië fors, maar dat is een landelijke trend. Het was al aan de gang voordat de wet werd aangenomen. Als de wet een afschrikkend effect had gehad, was de daling groter geweest, maar dat zien we helemaal niet.'

Voorstanders van de wet vinden dat je beroepscriminelen radicaal de pas moet afsnijden. Officier van justitie Gordon Spencer: 'De wet is een fantastisch hulpmiddel. Er zijn gruwelijke verkrachtingen van vóór deze wet. Die misdrijven zouden toen onder de "Three Strikes"-wet niet hebben plaatsgehad. De wet maakt Californië veiliger.'

Spencer is niet zo geïnteresseerd in dat enkele geval waarbij de wet onevenredig zwaar uitpakt. Wie verdienen er bescherming? Wie krijgen het voordeel van de twijfel? Onschuldige, oppassende burgers van Californië of misdadigers die keer op keer hebben laten zien zich niet aan de wet te kunnen houden? Iemand als Leon Andrade ging steeds weer in de fout en wist wat hem te wachten stond, net als de meer dan 7500 andere veroordeelden in Californië die vanwege de Polly Klaas-wet lang vastzitten. Als de wet er eerder was geweest had Richard Allen Davis toen in de gevangenis gezeten en was Polly Klaas nu nog in leven.

Amerika is het land met de meeste gevangenen

In geen land ter wereld is zo veel misdaad en zitten zo veel mannen en vrouwen zo lang in de gevangenis. Straffen zijn in de VS gemiddeld vijf keer langer dan in Europa. De explosie in het aantal gevangenen is iets van de afgelopen 25 jaar. Daarvoor hadden de VS ongeveer evenveel gevangenen als veel andere westerse landen. De VS staan nu wereldwijd eenzaam op kop, vóór landen als Rusland, Cuba, Suriname en Zuid-Afrika, die allemaal in de mondiale toptwintig staan.

Nederland staat op de lijst van het International Centre for Prison Studies op de honderdderde plaats. Er zitten in de VS bijna zes keer meer mensen achter de tralies (715 per 100.000 inwoners) dan in Nederland (123 gevangenen per 100.000 inwoners).

Marc Mauer van The Sentencing Project vindt het een schande dat in de VS meer dan twee miljoen mensen vastzitten. 'We zijn het rijkste land in de geschiedenis van de mensheid en we hebben de meeste gevangenen. Het zegt veel over onze benadering van sociale problemen en ongelijkheid.'

Het is ook weer niet helemaal verbazend dat de VS veel gevangenen hebben. Het aantal misdrijven is ook na de sterke daling van de laatste vijftien jaar nog altijd hoog. Een vergelijking: in Amsterdam vonden in 2004 ruim twintig moorden plaats. In Washington DC, dat ongeveer evenveel inwoners heeft, ruim tweehonderd. Het tienvoudige dus en dat is nadat Washington in de laatste vijftien jaar al veel minder moorddadig geworden is. Het was twintig jaar geleden nog veel erger.

Amerika denkt heel anders over boete en straf dan Europa. Wraak speelt in het Amerikaanse systeem een grote rol en straf moet vooral echt straf zijn. Of gevangenen na hun vrijlating als oppassende burgers door het leven kunnen gaan, was tot nu toe amper een onderwerp van politiek debat. Politici beginnen daar liever niet over, want voor je het weet denken kiezers dat je een slapjanus bent die verstandige gespreksgroepen wil in plaats van kloeke celblokken met prikkeldraad. 'Geef ze een flinke douw', was steeds het devies van politici, die dankzij dat *law* & *order*-thema verkiezingen wonnen.

Ze vertelden er niet bij dat tweederde van de gevangenen binnen een paar jaar weer de fout in gaat en opnieuw achter de tralies belandt. Dat is een foutmarge die in andere bedrijfstakken onaanvaardbaar zou zijn.

Die Amerikaanse hervormers kunnen geen voorbeeld nemen aan Nederland. Want ons 'softe' Nederlandse beleid doet het niet beter. Maarliefst 70 tot 80 procent van de Nederlandse gevangenen gaat binnen zes jaar weer in de fout. Minister van Justitie Donner vindt die hardnekkige recidive zorgwekkend. De zekerste manier om het op korte termijn te verminderen is de straffen drastisch te verlengen. Zo lang een misdadiger vastzit pleegt hij geen overvallen, inbraken of moorden. Maar zo'n 'Amerikaanse oplossing' past niet in de Nederlandse aanpak.

Gevangenen krijgen zelden een herkansing

Clyde Charles werd midden in de nacht gearresteerd op een landweggetje ergens diep in Louisiana. Kort daarvoor was in de buurt een blanke vrouw verkracht. Clyde ontkende maar het slachtoffer wees hem als de dader aan. Een blanke jury (10 vrouwen en 2 mannen) veroordeelde de zwarte Clyde. Hij kreeg levenslang in de beruchte Angola State Prison. Daar zou hij naamloos sterven.

Het leven leek tegen Clyde Charles samen te spannen tot er een tv-documentaire over hem werd gemaakt en vrijwillige advocaten zijn zaak nog eens gingen onderzoeken. Clyde had immers geen strafblad en de bewijsvoering was dun. Was hij wel schuldig? Dankzij de hulp van idealistische advocaten kwam na negentien jaar DNA-materiaal van de verkrachting boven tafel waaruit zonneklaar bleek dat Clyde onschuldig was. De gevangenispoort zwaaide open, hij kreeg 10 dollar mee voor de bus en was een vrij man.

Maar hij kreeg zijn leven niet goed op orde. Voor een ongeschoolde ex-gevangene is de arbeidsmarkt niet erg gastvrij en hij kreeg nog een schok te verwerken. DNA-onderzoek wees maanden na zijn vrijlating de échte schuldige aan: zijn broer Marlo. Al die jaren had hij Clyde in de gevangenis laten rotten en niks gezegd.

Clyde raakte op drift, zwierf van het enige sukkelige baantje naar het andere en kreeg op een avond ruzie met Arnold, een andere broer. Het liep uit op een steekpartij waarbij hij zijn broer met een diepe messteek verwondde. Hij kreeg vijftien jaar gevangenisstraf.

Zijn advocaten bleven zich voor hem inspannen want de jaren die hij onschuldig vast zat, moesten toch meegerekend worden? De rechter vond dat ook, Clyde kwam vrij en kreeg zelfs een schadevergoeding van 200-duizend dollar. Allemaal dankzij de advocaten die zich zijn lot aantrokken. Clyde heeft duizenden naamloze lotgenoten die zo'n herkansing nooit krijgen.

Het justitiële systeem is het hardst tegen Amerika's kanslozen. Ze hebben geen geld voor een goede advocaat en zijn aangewezen op een raadsman die de staat ter beschikking stelt. Die advocaten hebben amper tijd, zijn nauwelijks gemotiveerd en worden slecht betaald.

Het Amerikaanse systeem van 'plea-bargaining' verergert dat nog eens. Een verdachte bekent dan een deel van de ten laste gelegde misdrijven en wordt voor de rest vrijgesproken. Er komt niet eens een rechtszaak. Dat is handig voor een advocaat, want die is lekker snel van de zaak af. Maar het is rampzalig voor een verdachte die niet eens de kans krijgt zich te laten verdedigen en ondanks flinterdun bewijsmateriaal en onder grote druk bekent.

Abortus: wapen in strijd tegen misdaad?

Amerika is opgelucht over de scherpe daling van de misdaad van de laatste vijftien jaar. Maar waarom is er eigenlijk zo veel minder criminaliteit? Komt het door het verminderen van de cocaïne-epidemie, strengere wapenwetten, het opsluiten van zo veel criminelen of door beter politieoptreden? Dat speelt allemaal vast mee, maar er is nog een theorie. Rechts Amerika wil er niet van horen, maar het is te interessant om onbesproken te laten.

Het Amerikaanse hooggerechtshof bepaalde in 1973 dat abortus niet langer verboden was. Direct steeg het aantal legale abortussen naar ruim een miljoen per jaar en later zelfs tot anderhalf miljoen. Dat zijn er heel veel. Het is zo'n 40 procent van het jaarlijkse aantal geboorten.

Door de uitspraak van het hooggerechtshof daalde het aantal ongewenste kinderen met één klap fors. Veelzeggend is dat het aantal adoptiekinderen na 1973 fiks daalde. Als alle geaborteerde baby's gewoon geboren waren, zouden die ongewenste kinderen aan het begin van de jaren negentig tussen de zestien en negentien jaar geweest zijn.

Dat is de leeftijd waarop Amerikaanse jongeren in risicogroepen (zwarten, latino's, jeugdbendes) de meeste moorden en andere zware misdaden plegen. Juist in de jaren negentig en daarna was er een spectaculaire daling van het aantal gewelddadige misdrijven van ruim vier miljoen in 1990 naar rond de twee miljoen in 2003.

Een aantal staten maakte abortus niet pas in 1973 legaal, maar al in 1970. Het ging om Alaska, Californië, Hawaii, New York en Washington. De daling van het aantal moorden zette uitgerekend daar eerder in. Sommige onderzoekers schatten dat bijna de helft van de vermindering van de misdaad te danken is aan het legaliseren van abortus. Hoe meer abortussen er in een staat waren, hoe groter de daling in misdaad twintig jaar later was.

Het is opvallend dat dit verband tussen abortus en misdaad politiek nauwelijks aandacht krijgt hoewel de bewijsvoering ervoor nogal sterk is. Het is ook serieus onderzocht door wetenschappers van de universiteiten van Yale en Chicago. Maar deze opvallende gegevens komen geen enkele politieke groepering echt goed uit.

Conservatieve Amerikanen zijn natuurlijk blij met de daling van de misdaad, maar ze zijn ook heel erg tegen abortus. Ze willen het zelfs in de grondwet verbieden. Progressieve Amerikanen zijn ook blij met minder misdaad en blijven voor abortus. Maar ze zullen wel drie keer uitkijken voor ze abortus verdedigen met het anti-misdaadargument. Dan krijgen ze voor de voeten gegooid dat ze ongeboren levens opofferen voor politieke doeleinden.

Maakt harde benadering plaats voor slimme aanpak?

Minder misdaad, meer gevangenen. Dat is het beeld van de afgelopen vijftien jaar. Rechtse politici kraaien victorie. Ze laten het abortusargument achterwege, maar concentreren zich op het nuttige effect van strengere wetten en langere straffen. Ze hebben voor een deel gelijk. Ook linkse politici en wetenschappers erkennen dat het opsluiten van honderdduizenden wetsovertreders Amerika veiliger maakte.

Er is ook kritiek van deskundigen die zeggen dat *hard* optreden ('be *tough*') niet altijd verstandig is. Er zijn steeds meer initiatieven voor een *slimme* aanpak ('be *smart*') waarbij je meer let op de kansen van een gevangene op een succesvolle terugkeer in de samenleving. Het is een aanpak waarbij de straf- en wraakgedachte plaatsmaakt voor het streven de gevangene voor te bereiden op een gewoon leven in de samenleving.

In een aantal staten dringt het besef door dat niet nutteloze *opsluiting*, maar nuttige *vrijlating* van gevangenen mede het doel van het justitiële systeem moet zijn. Een vaste baan, drugshulpverlening en huisvesting voor ex-gevangenen maken de samenleving veiliger. Het onvoorbereid loslaten van duizenden gefrustreerde en boze ex-misdadigers is veel gevaarlijker.

Amerikaanse politici moeten daar wel over nadenken, omdat het gevangenissysteem onbetaalbaar wordt. In de staat Washington laten ze gevangenen die zich goed gedragen of cursussen afmaken eerder vrij. Ze geven een behandeling aan ex-verslaafden. Deze 'softe' benadering is ook niet langer alleen de politieke hobby van linkse actiegroepen en Democratische beleidsmakers. In conservatieve staten als Alabama, Kansas, Colorado en Missouri zie je diezelfde nieuwe benadering. John Vratil, een Republikein uit Kansas, zei: 'We komen tot de ontdekking dat er een slimmere manier is om met criminelen om te gaan dan ze voor de rest van hun leven op te sluiten.'

Gedetineerden worden voor klussen buiten de gevangenis ingezet. Tot voor kort was er in Alabama en Arizona nog de beruchte 'chaingang'. De gevangenen – soms gekleed in een zwart-wit streepjespak – werden aan elkaar geketend. Die vernederende behandeling maakt plaats voor een andere aanpak. Ze geven de gevangenen iets zinnigs te doen. Dat bespaart de overheid miljoenen dollars.

In Oregon helpen ze bij het bestrijden van bosbranden. In Californië worden ze ingezet bij reddingswerk na modderlawines en overstromingen. In Alaska trainen gevangenen honden voor de sledetaces daar. In Florida zijn ze actief bij het redden van bedreigde zeeschildpadden. In Iowa kweken ze planten. In Missouri richten ze blindengeleidehonden af en in Tennessee helpen vrouwelijke gevangenen met het kalmeren van wilde asielhonden zodat ze naar een nieuw baasje kunnen.

Het is een bescheiden politieke ommekeer die met veel minder politiek en publicitair rumoer gepaard gaat dan destijds de campagne om gevangenen juist harder te straffen, hoewel de nieuwe aanpak niet zonder risico is. Eén gruwelijke misdaad van een vrijgelaten gevangene kan de balans weer doen omslaan. Dan ontstaat weer het Polly Klaas-effect. Critici voorspellen zelfs een nieuwe misdaadgolf als de gevangenis zijn afschrikwekkende werking verliest en de ouderwetse chaingang plaatsmaakt voor een nieuwerwetse praatgroep.

De kernvraag is wie het voordeel van de twijfel krijgt. De gevangene die een nieuwe kans verdient, of het volgende slachtoffer van de vrijgelaten misdadiger? In het Nederlandse systeem krijgt de ex-gevangene vaak het voordeel van de twijfel. In de VS niet; daar worden politici direct afgerekend op de gevolgen van hun beleid. Een ex-gevangenen die weer moordt of verkracht kan fataal zijn voor een verantwoordelijk gouverneur of officier van Justitie.

Criminelen levenslang van stemrecht uitgesloten

Misdaad blijft in de VS een gevoelig onderwerp. Als een politicus moet kiezen tussen het *lange*-termijnbelang van gevangenen en zijn eigen politieke belang op de *korte* termijn, blijft de verleiding groot voor het laatste te kiezen. In de VS is de criminaliteit, ook na de daling van de laatste vijftien jaar, een veel groter probleem dan in Nederland. Gemakkelijke oplossingen zijn er niet. Het is een zaak van de lange adem.

In de VS woedt de discussie over de vraag hoe serieus je ex-gevangenen als medeburgers neemt. In veertien staten verliezen ex-gedetineerden voor de rest van hun leven het recht om te stemmen. De boodschap aan deze veroordeelden is dat ze ook na het uitzitten van hun straf nog steeds niet meetellen. Ze horen er nooit meer echt bij.

In Florida zijn door deze regel 600.000 mannen van stemrecht uitgesloten. Daar zijn heel veel zwarte mannen onder die in meerderheid een voorkeur hebben voor de Democraten. Er is de theorie dat als zij in 2000 wel hadden mogen stemmen Al Gore en niet George Bush de verkiezing gewonnen had. We zullen het nooit weten.

In een aantal staten waait ook op dit vlak een nieuwe wind; in de afgelopen jaren hebben vijf staten ex-gevangenen hun kiesrecht teruggegeven. Het past bij de groeiende trend ex-gevangenen daadwerkelijk een herkansing te geven.

Het is opvallend dat de Democraten daar amper een punt van maken, terwijl het landelijk om bijna vier miljoen stemmen gaat. Vinden ze het niet belangrijk? Durven ze niet? Het laatste lijkt waarschijnlijk.

DOODSTRAF GAAT WEER LEVENSLANG MEE: *EXECUTIES WORDEN STEEDS MINDER WREED*

Tweederde van de Amerikanen is voor de doodstraf.
Een meerderheid vindt dat de doodstraf eerlijk wordt toegepast.
Bijna de helft is voor meer executies.
Gallup Poll

De katholieke theologie beschouwt
de doodstraf niet als immoreel.
Er zijn geschriften die zeggen dat
de doodstraf bij groot onrecht noodzakelijk is.
Antonin Scalia, lid Supreme Court

Waarom is er eigenlijk zo veel drukte over de doodstraf? De kans dat je als moordenaar in de VS de doodstraf krijgt is heel klein. Het aantal doodvonnissen daalt gestaag. Per jaar zijn er 14.000 moorden in Amerika; het aantal executies is daar een schijntje van. Een paar jaar geleden waren er nog bijna 100 executies per jaar, nu amper 60.

Veel politici hebben de schrik te pakken. Ze willen de doodstraf handhaven, maar zijn ook als de dood een onschuldige te executeren. Het lijkt allemaal in het voordeel van de 3300 veroordeelden in Amerika's dodencellen en van de ijverige actiegroepen die zich al jaren boos maken over de racistische toepassing van de doodstraf.

Door de lange juridische procedures halen sommige veroordeelden hun executie niet eens. Ze eindigen niet in de executiekamer, maar blazen heel kalm in een gevangenisbed hun laatste adem uit. De oudste bewoner van de dodencel is LeRoy Nash. Hij wacht al 23 jaar op zijn executie en is inmiddels 89 jaar. Nash heeft last van zijn gewrichten, is halfdoof en lijdt aan een hartkwaal.

Er zitten steeds meer oudjes in de dodencel. De oudste vrouw in de dodencel is Blanche Moore in North Carolina. Ze is 72 en zit vast voor een moord uit 1986. Er ontstaat door al die 65-plussers op *death row* het zoveelste dilemma rond de doodstraf. Amerika worstelde al met de vraag of je *jonge* criminelen die hun misdrijf pleegden toen ze zestien of zeventien jaar waren, mag doden. Het hooggerechtshof heeft dat ongrondwettig verklaard. Nu duikt ook de vraag op of je *oude* gevangenen die bijvoorbeeld aan alzheimer lijden mag ombrengen. Gaat een demente bejaarde straks in een rolstoel naar de executiekamer? Dit zijn de lastige randgevallen.

Ondanks al die discussies blijft een solide meerderheid van Amerika voor de doodstraf. Van afschaffing is geen sprake. De doodstraf wordt van enkele gruwelijke kantjes ontdaan en kan daarna weer levenslang mee.

'Stille nacht' in de dodenkamer

Ten slotte nog een keer dominee Jim Brazzil: 'Er was een veroordeelde die "Stille nacht. Heilige nacht" wilde zingen. Hij sprak zijn laatste woorden. De gevangenisdirecteur gaf het signaal om de executie te beginnen en hij zong "Stille nacht". Hij kwam bij "het lieflijk kindje met goud in het haar". Hij kreeg "kindje" er nog uit en dat was zijn laatste woord.'

Kenneth Dean is burgemeester van Huntsville, Texas. Nergens in de VS worden zo veel doodvonnissen voltrokken als in zijn stad. Hij woonde 120 executies bij: 'Sommigen zijn heel kalm. Anderen erg in de war. Weer anderen huilen. Het is een unieke baan. Niet veel mensen willen dit doen. Ik geloof in wat ik doe. Als ik het moreel fout vond, deed ik het niet. Het hoeft immers niet. Ik doe het vrijwillig.'

Openbare terechtstellingen behoren tot het verleden. Wel zijn er familieleden en vrienden van de veroordeelde en zijn slachtoffer(s) aanwezig. Er zijn ook altijd enkele journalisten bij. Van elke executie verschijnen gedetailleerde verslagen in de krant. Bij voor- en tegenstanders blijft de fascinatie met de doodstraf. In een radiodocumentaire van National Public Radio (NPR) kwamen ervaren executiegetuigen aan het woord.

Michael Graczyk, een verslaggever van Associated Press, is de recordhouder. Hij is de tel een beetje kwijt, maar schat dat hij bij ongeveer 170 executies was. 'Een moeder stortte een keer volledig in. Zo vlak voor me. Ze zakte in elkaar. Het leek alsof ze stuiptrekkingen had.'

Caroll Picket is nu gepensioneerd en was jaren dominee in het *death house* van Huntsville. Hij woonde 95 terechtstellingen bij. 'In het begin is elk geval een naam. Het gaat nog als je er 3 per jaar doet. Maar als het maar doorgaat, zo achter elkaar bam - bam - bam, 35 per jaar, dat is heel veel.'

Fred Allen was in de gevangenis lid van het 'vastbind'-team. Zes bewakers binden de veroordeelde in een paar seconden vast op de executietafel. Na 120 executies was het ineens genoeg. 'Ik huilde oncontroleerbaar. Mijn vrouw vroeg: "Wat is er aan de hand?" Ik zei: "Ik dacht aan de executie die ik twee dagen geleden deed." Ineens kwamen al die executies terug, net als bij mensen die uit de oorlog komen. Het gebeurt na drie maanden, na twee jaar of na vijf jaar, maar opeens maken ze het allemaal opnieuw mee. Ik denk er steeds vaker aan. Het waren er zóveel.'

Geen hoop voor veroordeelden: afschaffing ondenkbaar

De doodstraf wordt menselijker gemaakt. Zwakzinnigen worden niet meer geëxecuteerd, de doodstraf voor 16- en 17-jarigen is verboden en door DNA-onderzoek is er steeds minder twijfel over de schuld van veroordeelden. President Bush heeft bovendien meer geld beloofd aan verdachten die zelf geen advocaat kunnen betalen.

En er is natuurlijk maatschappelijk verzet tegen deze 'cultuur van de dood'. De katholieke kerk is tegen de doodstraf en ook onder de evangelicals gaan stemmen op om niet alleen bij abortus, maar ook bij de doodstraf principieel *pro life* te zijn. Waarom zou je alleen ongeboren leven principieel beschermen? Waarom zou het onvoorwaardelijk recht op leven ophouden zo gauw je geboren wordt? Dat lijkt niet erg consequent.

Anti-doodstrafactivisten zijn blij met deze steun. Dat is begrijpelijk, maar misschien valt er niks te jubelen, want ze worden misschien het slachtoffer van hun eigen succes. Ze zijn tegen de doodstraf en hebben als tussenoplossing altijd gepleit voor een menselijker en rechtvaardiger aanpak. Ze krijgen nu voor een deel hun zin.

Dat past weer perfect in de strategie van de vóórstanders die de doodstraf ook minder weerzinwekkend willen maken. Daarmee halen ze immers twijfelaars over de streep. Door de doodstraf van zijn onappetijtelijke kantjes te ontdoen maak je het aanvaardbaar voor miljoenen gematigde doodstrafaanhangers.

Zeven van de tien Amerikanen is voor de doodstraf, ook jongeren en vrouwen willen in ruime meerderheid de 'uiterste straf' behouden. Zelfs onder aanhangers van de Democratische partij, waar je doorgaans de tegenstanders aantreft, is een kleine meerderheid voor de doodstraf. Afschaffing is voorlopig dus ondenkbaar. Sterker, een opleving van de doodstraf lijkt waarschijnlijk als meer Amerikanen ervan overtuigd raken dat de doodstraf met voldoende waarborgen is omgeven. Van de 50 staten hebben er 38 de doodstraf. Niet veel politici durven daaraan te tornen.

In de achttiende eeuw kreeg je in Pennsylvania de doodstraf alleen voor moord en verraad. In Virginia, nu nog steeds een van de meest trouwe doodstrafstaten, brachten ze je al naar de galg voor het stelen van een kip of het illegaal handeldrijven met indianen. In die tijd was het vanzelfsprekend dat de doodstraf stond op brandstichting, roofovervallen, overspel en seks met beesten.

Net als nu was het aantal executies in de zuidelijke staten het hoogst en ook toen kregen onevenredig veel zwarten de doodstraf. Er waren al staten – Michigan, Rhode Island, Wisconsin – die de doodstraf afschaften. In Wisconsin was de aanleiding een executie waarbij de veroordeelde meer dan vijf minuten kronkelend aan de strop hing.

Later kwam de elektrische stoel ('Old Sparky'), waarmee het ook nogal eens misging. De pijnloze, dodelijke injectie is er vanaf 1982. Niet alle aanhangers van de doodstraf waren daar blij mee.

Republikein Locke Burt verzette zich in Florida tegen afschaffing van de elektrische stoel: 'Een pijnloze dood is geen straf.'

De toegewijde voorstanders halen hun gelijk uit de bijbel. Er is, zeggen ze, een hele reeks teksten in Oude en Nieuwe Testament die bewijzen dat God ook voor de doodstraf is. De doodstrafaanhangers maken zorgvuldig onderscheid tussen *to kill* en *put to death* (doden). Het eerste mag niet, het laatste wel. Ook volgens de joodse leer mag de doodstraf.

De voorstanders zeggen een beetje moe te worden van de actiegroepen die eropuit zijn strafprocessen te vertragen en misdadigers met juridische trucs vrij te krijgen. Columnist Mike Royko schreef het heel hard op: 'Laat die elektrische schokken komen; druppel het gif er maar in. Ik heb veel achting voor het menselijk leven, daarom ben ik voor de doodstraf. Moord is de ergst denkbare misdaad, dus is elke straf minder dan de doodstraf een belediging voor slachtoffer en maatschappij.'

De doodstraf is niet alleen bedoeld als afschrikking, maar ook als genoegdoening voor nabestaanden. Een overlevende van de dodelijke aanslag in Oklahoma City, waarbij 168 mensen omkwamen, zou bij dader Tim McVeigh graag een van de ledematen amputeren en hem daarna ophangen boven scherp, snelgroeiend bamboe. Een man wiens moeder was vermoord zei over de dader: 'Het klinkt misschien gemeen. Maar ik zou hem voor zijn leven willen zien smeken.'

Er zijn ook nabestaanden die wraak afwijzen en juist voor verzoening pleiten. Bud Welch verloor een dochter bij de aanslag in Oklahoma en gaat nu als anti-doodstrafactivist het land rond: 'Ik vrees voor ons land. We moeten anders aankijken tegen de doodstraf en mogen niet toestaan dat radicale religieuze groepen onze sociale agenda bepalen.'

Er zijn meer misdaadslachtoffers die tegen de doodstraf zijn. Marie Deans wil ook afschaffing van de doodstraf, hoewel haar schoonmoeder is vermoord. 'Ik wil graag weten waarom we goed zijn in het doorgeven van geweld en slecht in het doorgeven van liefde.' Renny Cushing verloor zijn zoon door moord. Hij is nu actief in de organisatie Murder Victims Families for Reconciliation (MVFR). 'We verkrachten toch ook geen verkrachters of breken de benen van mensen die een auto-ongeluk veroorzaken. Hoe kun je door te doden laten zien dat doden verkeerd is.'

Presidentskandidaat John Kerry was in 2004 een beetje wiebelig over de doodstraf. Hij was tegen, maar vond dat terroristen wel de doodstraf verdienen. Maar waar ligt de grens? Iemand die een bom plaatst bij een legerbasis, school of abortuskliniek. Is dat een terrorist? Als een blanke gek de bom plaatst is het waarschijnlijk een misdadiger. Maar wat als hij Ali of Mohammed heet, een snor heeft en uit Iran of Syrië komt? Is het dan een terrorist? Kerry had geluk dat het thema geen rol speelde in de campagne. Er werd nooit over doorgevraagd.

Debat onbeslist: schrikt doodstraf criminelen af?

In het debat over de doodstraf gaat het vaak over het nut van de doodstraf. Spaart het levens doordat moordenaars zich laten afschrikken? Voor- en tegenstanders zeulen dikke pakken wetenschappelijk onderzoek met zich mee om hun gelijk te bewijzen.

Democraat Janet Reno, minister van Justitie onder president Clinton, zegt dat de doodstraf niet afschrikt: 'Ik heb mijn hele leven gevraagd naar studies die aantonen dat de doodstraf afschrikt. Ik heb geen onderzoek gezien dat dit standpunt ondersteunt.' Maar Republikeins senator Orin Hatch van Utah komt tot de tegengestelde conclusie: 'Alle geldige wetenschappelijke gegevens laten voortdurend zien dat de doodstraf wel een sterk afschrikkende werking heeft.' Een andere voorstander, professor John McAdams uit Milwaukee, zegt: 'Als je een moordenaar executeert en het stopt andere moordenaars, dan red je onschuldige levens. En als dat níét zo is, heb je een moordenaar geëxecuteerd. Wat is het probleem?'

Ook sommige Democraten zijn voor de doodstraf en geloven in de afschrikkende werking. Ed Koch, Democraat en oud-burgemeester van New York bijvoorbeeld. In de staat New York is al heel lang geen executie meer geweest. Koch: 'Als de doodstraf wel een mogelijkheid is, houden moordenaars zich misschien in. Neem de tragische dood van Rosa Velez; ze was toevallig thuis toen een man, Luis Vera, in haar appartement in Brooklyn een inbraak pleegde. "Ja, ik heb haar neergeschoten", bekende Vera later. "En ik wist dat ik er niet de elektrische stoel voor zou krijgen."'

Ook de in Europa nog altijd populaire Bill Clinton is voor de doodstraf. Hij onderbrak in 1992 zijn verkiezingscampagne voor een snelle trip naar thuisstaat Arkansas waar hij toen gouverneur was. Hij moest de executie goedkeuren van de zwakzinnige Rickey Ray Rector die voor zijn galgenmaal notentaart als toetje koos. Rickey liet het nog even staan en op weg naar de executiekamer vroeg hij bewakers de taart vooral goed te bewaren. Hij wilde het later die avond alsnog lekker oppeuzelen. Hij had geen idee.

Mogelijk bewijs van onschuld niet onderzocht

Van veel veroordeelden staat de schuld vast, maar er duiken steeds meer twijfelgevallen op. Was bijvoorbeeld Roger Keith Coleman schuldig? Verkrachtte en vermoordde hij in 1981 zijn schoonzusje Wanda McCoy? De ex-mijnwerker heeft zelf tot in de executiekamer ontkend. Zijn laatste woorden in 1992 waren: 'Hier wordt een onschuldige man gedood.'

DNA-tests waren niet eenduidig. Ze wezen in de richting van Coleman, maar zekerheid was er niet. De autoriteiten in Virginia doen er nu alles aan de waarheid níét te achterhalen. Democratisch gouverneur Mark Warner treuzelt al jaren en geeft maar geen toestemming voor een nieuwe DNA-test. Als Coleman onschuldig is, is dat een blamage voor politie en justitie. Coleman is dan ten onrechte gedood en de echte moordenaar van Wanda McCoy loopt vrij rond. Coleman zei minuten voor zijn dood: 'Wanneer mijn onschuld is bewezen zullen Amerikanen zich – net als de burgers van alle andere beschaafde landen – realiseren wat een onrecht de doodstraf is.'

De anti-doodstrafbeweging vraagt niet voor niets steeds aandacht voor gevangenen die ten onrechte veroordeeld zijn. Een tegenvaller is dat er nooit een executie van een gevangene is geweest waarvan later met 100 procent zekerheid is aangetoond dat hij onschuldig was. Dat zou publicitair een geweldige troef zijn.

In de afgelopen jaren zijn veel veroordeelden uit de dodencel gelaten. Door beter DNA-onderzoek neemt hun aantal de laatste jaren toe. In de *State of the Union* die president Bush in januari 2004 uitsprak zat een opvallende passage. Hij kondigde aan meer geld uit te trekken voor DNA-onderzoek dat kan aantonen of een verdachte wel of niet schuldig is. Ook wil de president meer geld voor verdachten die zelf geen advocaat kunnen betalen. Dat was vooral opmerkelijk omdat George Bush behoort tot de solide aanhangers van de doodstraf. Vanwaar de ommezwaai van de president? Waarom doet hij nu waar de anti-doodstraflobby al zo lang om vraagt? Er zijn twee verklaringen: of hij is echt bezorgd en vindt het onrechtvaardig dat zo veel gevangenen geen goede advocaat hebben en hun het recht wordt ontnomen DNA-materiaal te laten testen. Of het is een voorbeeld van politieke sluwheid van Bush. Doodstrafactivisten hebben last van de akelige publiciteit over onderbetaalde, luie advocaten en al die gevangenen die na DNA-onderzoek onschuldig bleken te zijn. Door de critici ietsje tegemoet te komen neemt Bush hen de wind uit de zeilen. Hij maakt de doodstraf 'rechtvaardiger'.

Nederlanders geven graag af op het barbaarse Amerika dat lukraak misdadigers executeert. Maar hoe groot is de kloof in het denken echt? In de VS is 70 procent voor de doodstraf. In Nederland is dat niet eens zoveel lager: 50 procent is niet principieel tegen de doodstraf. In de VS is de steun voor de doodstraf gedaald, maar in Nederland groeit de steun voor herinvoering van de doodstraf. Vooral onder de aanhang van conservatieve partijen (Wilders, VVD, LPF) is een fikse meerderheid voor de doodstraf. Bij het CDA is het fiftyfifty. Alleen de kiezers van linkse partijen zijn in meerderheid tegen, zo blijkt uit peilingen van Maurice de Hond. Als de kiezers van de regeringspartijen het voor het zeggen hadden zou het huidige kabinet voor invoering moeten ijveren.

Nederland en de VS zijn voor een deel onvergelijkbaar. De misdaad in Nederland valt vergeleken met de VS erg mee; het aantal moorden is in de VS vier keer zo hoog. Stel dat in Nederland het aantal moorden ineens zou verviervoudigen. Hoe boos en angstig is Nederland dan? Zou steun voor de doodstraf groeien tot de 70 procent die we nu in de VS zien?

En wat te denken van de gevolgen van een grote terreuraanslag in Nederland? Hoe reageren Nederlanders als ons land zijn eigen 'elf september' krijgt? Verdienen de daders dan de doodstraf? Of blijven we boos en verontwaardigd over die wrede Amerikanen en hun onmenselijke doodstraf? Misschien zijn de verschillen helemaal niet zo groot.

Om principiële en humanitaire redenen heeft een vorige generatie politici besloten de optie van de doodstraf te schrappen. Het hoort niet thuis in ons beschaafde Europa, vonden ze. Amerikaanse voorstanders van de doodstraf bekritiseren Europa daarvoor. Ze vinden het idioot dat de doodstraf in het Europees Handvest is verboden. Het uitsluiten van de doodstraf lijkt moreel wel chic, maar is ondemocratisch en elitair. Je geeft de kiezers niet de kans zich vóór de doodstraf uit te spreken, zeggen deze critici. Politici in de VS hebben een mening over de doodstraf en worden daar door de kiezer op afgerekend. In Europa wordt doodstraf politiek doodgezwegen.

De wereld blijft niettemin schande spreken van de 'middeleeuwse praktijken' in de VS. Geen ander westers land heeft immers nog de doodstraf. Maar wat kan het Amerikaanse politici schelen dat de rest van de wereld hen beschimpt? Die politici bestuderen dagelijks de opiniepeilingen in Boston, Buffalo, San Francisco en Sioux Falls. Wat het hoogstaande morele oordeel is in Amsterdam, Londen, Berlijn en Parijs laat hen koud.

6 *Amerika en de wereld:* Brute tiran of baken van hoop

IMMIGRATIE GEEN PROBLEEM MAAR UITDAGING: *MILJOENEN NIEUWKOMERS ZIJN VAN HARTE WELKOM*

> Het vermogen vreemdelingen op te nemen
> kan beslissend zijn voor de vraag of
> geïndustrialiseerde landen groeien of stagneren.
> Businessweek *over immigratie*

> Amerika is 'the last best hope for the world'.
> Het is een groots geschenk aan de wereld
> dat we moeten bewaren en koesteren.
> *Dinesh D'Souza, publicist, immigrant uit India*

Zonder immigranten zou Amerika in het *verleden* nooit zijn ontstaan, in het *heden* niet bestaan en in de *toekomst* niet voortbestaan. Bijna elke Amerikaan heeft voorouders die ooit vol hoop en verwachting naar De Nieuwe Wereld kwamen. Er is in de VS dan ook geen sprake van het beperken van immigratie. Integendeel.

Iedereen denkt aan de late negentiende en vroege twintigste eeuw als dé bloeiperiode van de immigratie. Maar het grootste aantal immigranten is van heel recente datum. Sinds 1990 kwam er een recordaantal van 15 miljoen legale immigranten binnen. Daarbij zijn de miljoenen illegalen nog niet meegerekend.

Er zijn actiegroepen die zich met hand en tand verzetten tegen meer immigranten. 'Ze zullen de Amerikaanse cultuur verstikken en overheersen. Amerika verwordt dan tot een chaotisch derdewereldland', zeggen ze. Maar hun invloed is gering. De overwegende opinie is dat immigranten Amerika groter, sterker en welvarender hebben gemaakt.

President Franklin Roosevelt (Nederlandse achternaam) zei: 'Onthoud alsjeblieft dat we allemaal afstammen van immigranten en revolutionairen.' President John Kennedy (van Ierse komaf) zei: 'Overal hebben immigranten de samenhang van de Amerikaanse samenleving verrijkt en versterkt.' Mediamagnaat Rupert Murdoch (Australiër van geboorte, sinds 1985 Amerikaan): 'Laten we onze immigranten bedanken. Ik maak me geen zorgen over de miljoenen immigranten die hier willen komen. Ik ben pas bezorgd als ze ons land niet meer aantrekkelijk vinden. Immigranten houden de Amerikaanse Droom levend. Die Droom is binnen bereik van eenieder die ervoor wil werken.'

Grinschgl, Grintzias, Grobowski, Grodecki, Grolero, Grosso...

Een Amerikaans telefoonboek vertelt het verhaal. Wat staat er in het plaatselijk telefoonboek zoal in de buurt van de naam Groenhuijsen? Daar vind je oud-landgenoten: Groelseman, Groen, Groeneveld en Groninger. Maar ook: Grinschgl, Grintzias, Grisier, Groban, Grobowski, Grodecki, Grohl, Grolero, Grosjean, Grossl, Grosso en Grossmann.

Of neem de namenlijst van de leerlingen van een openbare lagere school in een voorstad van Washington DC. Het telefoonboek van de Verenigde Naties kan niet internationaler zijn: Aguilar, Alvear, Antonelli, Ascanio, Barsegian, Behnke, Bouvier, Broido, Bugliarelli, Bustillo, Cassibry, Castillo, Choy en Chung. En dan ben je pas bij de 'C', heb je alleen de niet-Engels klinkende namen te pakken. Bovendien is dit een blanke wijk met naar verhouding weinig immigranten.

Waar komen al die mensen met 'vreemde' namen vandaan? Hoevelen van hen zijn buiten Amerika geboren? Vast een flink aantal, want van de 280 miljoen Amerikanen zijn er ruim 30 miljoen buiten de VS geboren.

Hispanics zijn sinds kort de grootste minderheid en bepalen steeds meer het maatschappelijk leven in staten als Florida, Texas en Californië (in de wandeling heet het al Mexifornia). Er zijn nu meer Hispanics (39 miljoen) dan African-Americans (37 miljoen). En niet alleen in aantal streven ze de zwarte minderheid voorbij. De tweede en derde generatie latino's (dus de kinderen en kleinkinderen van de immigranten) bereiken bijna het welvaartsniveau van de gemiddelde blanke Amerikaan. Ze volgen daarmee het pad omhoog dat immigranten al tweehonderd jaar volgen.

Natuurlijk is het succes van vroegere immigranten geen garantie dat de nieuwe immigranten hetzelfde bereiken. Veel latino's zijn nog steeds ongeschoold, arm, crimineel en werkloos, maar de voortekenen voor de hele groep Hispanics zijn gunstig. Er zitten veel geboren ondernemers bij. Tien procent van nieuwe ondernemingen in de VS is in handen van Hispanics en er zijn al meer dan anderhalf miljoen latinobedrijven. Bijna dertigduizend Hispanics verdienen meer dan een miljoen dollar per jaar. Het zijn ijverige werknemers; ze nemen in de bouw, horeca, hotels, landbouw en tuinaanleg steeds meer laagbetaalde banen over van zwarte Amerikanen.

Een nog groter succesverhaal is dat van de Aziatische immigranten. In aantal (13 miljoen) blijven ze ver bij de Hispanics achter, maar ze doen het beter dan elke andere groep immigranten. Ze zitten in de wetenschap, de gezondheidszorg, het bedrijfsleven, de advocatuur en de media waar hun inkomens ver boven het landelijk gemiddelde liggen. Op universiteiten scoren Aziatische studenten onveranderlijk het hoogst. Ze verslaan andere immigranten en blanke Amerikaanse studenten. Dit zijn de professoren, topartsen en directeuren van morgen. Het aantal Aziaten dat succesvol is in de politiek groeit ook snel.

De toevloed van legale en illegale immigranten in de VS blijft groot. President Bush wil een paar miljoen illegalen een tijdelijke werkvergunning geven. Dat is begrijpelijk, want de Amerikaanse economie draait voor een flink deel op immigranten. Mede daardoor blijven de lonen aan de onderkant van de arbeidsmarkt laag. Waarom zou je het schamele minimumloon verhogen als miljoenen Hispanics er maar wat graag de handen voor uit de mouwen willen steken?

Minister van Defensie Donald Rumsfeld kreeg er in de hele wereld ongenadig van langs toen hij neerbuigend sprak over 'Old Europe'. Hij bedoelde de oude en nieuwe leden van de Europese Unie, maar had het net zo goed kunnen hebben over de letterlijke betekenis van 'oud'. Want Europa is oud en wordt steeds ouder. Er worden te weinig kinderen geboren en de groeiende groep bejaarden word snel ouder. Dat is op den duur onbetaalbaar. Anders dan de VS leeft Europa op een demografische tijdbom. In de hele wereld neemt de groei van de bevolking af zo gauw in een land de welvaart toeneemt. Europa verliest tot 2050 naar schatting 100 miljoen inwoners (alle Europese landen meegerekend, niet alleen de EU). In diezelfde jaren groeit de Amerikaanse bevolking met 140 miljoen naar 420 miljoen; andere schattingen voorspellen zelfs 500 miljoen Amerikanen. De meeste economen zien de grote stromen immigranten als een zegen.

Zo'n 25 jaar geleden heeft zich een demografische revolutie voorgedaan. De VS hadden toen nog een lager geboortecijfer dan Europa. In Europa zette de trend door die je overal in rijkere landen ziet: meer welvaart, minder kinderen. Amerika werd de uitzondering: meer welvaart, méér kinderen. Vanaf 1980 werd de kloof steeds groter. Veel immigranten hebben grote gezinnen, maar Amerikanen zelf kregen ook meer kinderen dan Europeanen. Het wordt mede verklaard door de sterke godsdienstigheid in de VS en het optimisme van Amerikanen over de toekomst van hun land.

Nederland heeft – anders dan de VS – last van pessimisme. *Elsevier* beschreef het zo in een artikel over emigratie onder de kop 'Bye, bye Nederland': 'De emigratie uit Nederland is sinds de jaren zestig niet zo groot geweest. "Ellendeland" heeft te veel regels, te hoge belastingen, te dure huizen en te weinig ruimte, respect en veiligheid. In een overvolle, defecte trein, in de stromende regen, in 15 kilometer file of in een afgeladen supermarkt denkt iedereen aan emigreren.'

Steeds meer Nederlanders zetten *denken* om in *doen*: ze vertrekken. De emigratie uit Nederland is in tientallen jaren niet zo hoog geweest. Er zijn nu meer emigranten (bijna 50.000) dan immigranten (ruim 20.000).

In de VS is het omgekeerd. De stroom immigranten is niet te stoppen. Elk jaar verloot de VS 50.000 werkvergunningen aan burgers uit landen die in de huidige groep immigranten ondervertegenwoordigd zijn. Een aantal latinolanden is uitgesloten van de loterij. Toch zijn er maar liefst 10 miljoen aanmeldingen voor de loterij. Als landen als Mexico, Haïti en El Salvador wel meededen, was dit aantal nog hoger. Opvallend is ook het aantal aanmeldingen uit de moslimwereld. Kennelijk haat niet iedereen daar Amerika. Uit die landen kwamen 2,5 miljoen aanmeldingen van mensen die dolgraag in de VS willen wonen en werken. De eerste loterij na de aanslagen van elf september liet een recordaantal inschrijvingen zien: 13 miljoen. Internationale enquêtes wijzen de VS steevast aan als het meest gehate land ter wereld. De enquêteurs zijn duidelijk niet bij aspirant-immigranten geweest.

Medicijnen, rollators, geraniums, vogelkooien en vissenkommen

Immigratie bepaalt mede de bevolkingssamenstelling van een land. Europa staat aan de vooravond van een demografische implosie, hoewel in Nederland de klap minder hard aankomt dan in andere landen. Onze bevolking wordt weliswaar snel ouder, maar groeit tot 2030 nog van 16 naar 17 miljoen; pas daarna gaan we krimpen. Nederlanders planten zich ijveriger voort dan Duitsers, Italianen en Spanjaarden die veel harder in bevolkingsaantal dalen. Duitsland verliest tot 2050 zo'n 3,5 miljoen inwoners, Spanje 4 miljoen en Italië maar liefst 13 miljoen. Dat verzwakt de positie van Europa ten opzichte van de VS.

Niemand weet wat de gevolgen zijn van een sterk krimpende bevolking. Als in vroeger eeuwen de bevolking kleiner werd, was dat het gevolg van armoede, natuurrampen of epidemieën; nu is meer welvaart de oorzaak.

Door minder geboortes komt er op den duur steeds minder jong en fris talent. Dat verlamt de economie en verstikt vernieuwing. De balans tussen werkenden en niet-werkenden hangt steeds schever. Dat is in Europa nog eens extra nadelig, omdat het sociale stelsel daar al veel luxer en duurder is dan in de VS.

Sommige optimisten zien in een krimpende bevolking een prachtige kans een schoner milieu en meer duurzame economie te krijgen. Maar dat kost veel geld en dan blijf je nog zitten met de enorme aantallen oude mensen die je moet betalen. Hoe aantrekkelijk is het te investeren in een economie waar het aantal werkenden gestaag terugloopt en de eigen afzetmarkt slinkt en veroudert?

Als er niets verandert wordt de Europees-Amerikaanse bevolkingskloof steeds groter. Hoge geboortecijfers zoals in de VS versterken zichzelf als de kinderen van nu over 25 jaar zelf kinderen krijgen. Het omgekeerde is ook waar. Nu minder kinderen betekent dat over 25 jaar een nog groter tekort aan jonge vaders en moeders ontstaat. Na een paar generaties wordt het effect dramatisch. In 2050 is de gemiddelde leeftijd in de VS 37 jaar; in Europa 53. De gemiddelde leeftijd is nu ongeveer hetzelfde.

In vergelijking met Amerika heeft Europa weinig immigranten, toch is er in Europa nu al veel verzet tegen al die vreemdelingen. De slogan 'vol = vol' spreekt veel mensen aan. Een regering die de gevolgen van een krimpende bevolking wil opvangen moet het omgekeerde propageren: snel grotere gezinnen en vooral meer immigranten. Dat is in de VS allang geaccepteerd beleid, maar in Europa politiek onverkoopbaar.

In de VS wordt regelmatig gepubliceerd over de weerzin van veel Europeanen tegen meer immigranten, maar Amerikanen hebben gemakkelijk praten. In de VS groeit de economie veel sneller en kunnen nieuwkomers door het lage minimumloon en ontbreken van ontslagbescherming sneller aan de slag. Minstens even belangrijk is dat de VS vergeleken met Europese landen veel meer ruimte heeft. Als Nederland de bevolkingsdichtheid van de VS had, woonden er geen 16 miljoen maar slechts 1,2 miljoen mensen. Dan is er ruimte genoeg voor immigranten.

Het omgekeerde geldt ook. Als Amerika de bevolkingsdichtheid van Nederland had zouden in de VS geen 280 miljoen, maar ruim 4 miljard mensen wonen. Amerika zou uitpuilen en uit zijn voegen barsten. Wie is dan nog voor soepele immigratieregels? Elke weldenkende politicus zou onmiddellijk voor een immigratiestop pleiten.

De VS wijken niet alleen in aantal immigranten af van Europa. De VS laten alleen immigranten toe die nuttig zijn voor de economie: ze zitten aan de onderkant van de arbeidsmarkt waar ze slecht betaalde smerige baantjes hebben en aan de bovenkant waar economen, artsen en wetenschappers topbanen hebben. In beide gevallen is keihard werken de enige manier om het hoofd boven water te houden.

In Nederland zien we het omgekeerde beeld. Daar zijn immigranten onevenredig vaak werkloos en kosten ze de samenleving geld.

Immigranten vechten voor Amerika

Ena Gomez is geboren in Ecuador, maar woont al jaren in Amerika. Ze werd aangetrokken door een reclame op televisie waarin het leger jonge mannen en vrouwen opriep zich te melden voor een militaire carrière. Ena werkte in knullige baantjes in een hotel en een fastfoodrestaurant. Daar had ze genoeg van. Ze tekende bij het leger, doorliep de training en is nu jaren later zelf een van de duizenden soldaten die fulltime bezig zijn met het werven van nieuwe rekruten voor de landmacht.

Het leger kan vrouwen als Ena Gomez goed gebruiken. Ze spreekt Spaans en legt gemakkelijk contact met latino's, omdat ze hun gewoonten en cultuur goed kent. Tijdens de militaire training heeft ze moeten doorzetten, maar ze kijkt er nu tevreden op terug. 'Uiteindelijk ben ik beter af', zegt ze.

Er zijn veel latino's die dolgraag soldaat willen worden. Jose Guitierrez uit Guatemala was zo iemand. Hij had maar één doel in het leven: hij wilde naar Amerika. In 1997 kwam Jose illegaal het land binnen en zwierf van het ene naar het andere baantje. Hij tekende bij de US Marines en werd uitgezonden naar Irak. Hij werd gedood in een tankgevecht in Irak en ontving pas na zijn dood als eerbetoon de Amerikaanse nationaliteit.

Je hoeft geen Amerikaans staatsburger te zijn om soldaat te worden. Er zijn veel immigranten die soldaat worden om daarmee sneller hun staatsburgerschap te krijgen. Meer dan 30.000 soldaten (2 procent van het totaal, er zijn ook Nederlanders onder) hebben een andere nationaliteit. President Bush heeft de procedure om Amerikaans staatsburger te worden voor deze soldaten versneld.

The American Dream – Waarom geen Dutch Dream?

De immigranten met hoge opleidingen en veel talent komen gemakkelijker binnen door bijvoorbeeld een uitnodiging van een universiteit of een bedrijf. Dan begint de jacht op dat ene begeerde document: *The Green Card,* die een buitenlander het recht geeft in de VS te wonen en te werken. Immigratieadvocaten strijken duizenden dollars per aanvrager op. Maar zelfs minimumloners schrapen dat graag bij elkaar om niet langer het risico te lopen over de grens te worden gezet.

Het systeem van weinig sociale zekerheid en een belabberd minimumloon verplicht immigranten hun uiterste best te doen het op eigen kracht te rooien. Het geeft hun een heel andere start dan immigranten in Europa. Voor de VS is er het voordeel dat ze goedkoop zijn. Voor de immigranten geldt dat ze trots op zichzelf zijn als het hen lukt een comfortabel leven op te bouwen. Vaak gaat de individuele trots als vanzelf over in de collectieve vaderlandsliefde. Er is een belangrijk psychologisch verschil tussen immigranten die naar Amerika komen en de buitenlanders die naar Nederland komen. Het gepraat over 'The American Dream' klinkt voor Europeanen als een afgekloven cliché, maar voor veel immigranten die naar de VS komen is het juist een baken van hoop, een springlevend ideaal.

Waarom hebben wij geen 'Dutch Dream'? Hoeveel Marokkanen en Turken denken daarover na? Hoeveel Nederlanders koesteren zo'n ideaal? Het bestaat nauwelijks. Maar in Amerika wordt het wel serieus genomen. Weerzin tegen Amerika of de Amerikaanse cultuur ontbreekt doorgaans bij immigranten. Ze aanbidden allemaal hun eigen God, maar hebben – meestal binnen enkele generaties – één gezamenlijk vaderland.

Over dat soort vaderlandslievende gevoelens wordt in Nederland meestal lacherig gedaan. Toen premier Balkenende voor meer optimisme pleitte (als een bescheiden, Hollandse variant op Amerikaans patriottisme?) werd hij vooral uitgelachen. Onvoorwaardelijk nationaal optimisme is voor Amerikanen onmisbaar; voor Nederlanders ondenkbaar.

AMERIKA: EEN WERELDRIJK TEGEN WIL EN DANK

EUROPA VERTROUWT GEORGE BUSH NIET

De geschiedenis zal hard oordelen over degenen
die het gevaar zagen maar niks deden.
National Security Strategy van de regering-Bush

Ik houd meer van Amerika
dan van enig ander land in de wereld.
Juist daarom heb ik het recht
Amerika altijd te blijven kritiseren.
James Baldwin, schrijver

Geen wonder dat Europa en Amerika botsen. Amerika is arrogant; Europa verdeeld. Dat is lastig praten. Washington wordt soms een beetje moe van Europa, want wie kun je bellen als je daar de baas wilt spreken?

In Brussel moeten ze altijd eerst lang vergaderen en komen dan met een vaag tussenvoorstel waarover ze de volgende keer misschien gaan stemmen. Dit is het beeld dat veel politieke smaakmakers in Washington van Europa hebben.

EU-fans vinden die kritiek van Amerikanen erg onaardig. Ze vragen begrip voor het unieke Europese experiment. Dit was immers het continent waar de grote oorlogen van de twintigste eeuw werden uitgevochten. Europa was verscheurd. De EU is vanuit dat perspectief een ongekende prestatie.

Maar vooral conservatieve Amerikanen houden kritiek op de Europeanen. Ze vertikken het een behoorlijk leger te betalen, houden een sociaal stelsel in stand dat onbetaalbaar is en zijn nauwelijks bereid internationale taken op zich te nemen in de strijd tegen terrorisme en schurkenstaten.

Ten tijde van de Irakoorlog vertelden Amerikanen graag neerbuigende grappen over 'die laffe Fransen' die als het erop aankomt niks doen: 'Wat zetten de Fransen in een advertentie voor tweedehands wapens? Nooit gebruikt; slechts één keer laten vallen.' Of: 'Wat is de enige manier om Fransen alsnog naar Irak te krijgen? Vertel dat ze truffels in de grond hebben ontdekt.'

Die sfeer van minachting is intussen verdampt en de wereldleiders glimlachen weer naar elkaar. Maar in de Amerikaans-Europese verhoudingen is niet echt iets veranderd sinds het begin van de Irakoorlog. Dat kan ook niet, want Amerika blijft de dirigent van de wereldpolitiek. Europa speelt tweede viool.

George Bush kon in Europa wel altijd Silvio Berlusconi en Tony Blair bellen. In Italië en Engeland moest de bevolking niets van Bush hebben, maar de premiers trotseerden de publieke opinie en hielden vast aan een krachtig pro-Amerikabeleid. Ook in Nederland is de bevolking overwegend anti-Bush en de regering niet. Maar het kabinet besloot wel de Nederlandse militairen volgens plan uit Irak terug te trekken. Als het op oorlog voeren aankomt zijn de marges van de Nederlandse parlementaire democratie smal. Het is een regeringsvorm die prudente premiers voortbrengt. Geen koene krijgsheren.

Natuurlijk zijn er bij wederzijdse bezoeken mooie verklaringen over transatlantische vriendschap, maar Europa houdt grote moeite met de Amerikaanse bazigheid. Opiniepeilingen zijn onthullend: niet minder dan 60 procent van de Europeanen vindt Amerikaans leiderschap in de wereld onwenselijk. Ze willen onafhankelijker kunnen optreden. Voor Europa is Amerika geen deel van de oplossing, maar van het probleem.

Nog pikanter is de uitkomst over de verspreiding van democratie in de wereld. George Bush heeft dat tot hoeksteen van zijn beleid gemaakt. Europa ziet daar niks in. Driekwart van de Europeanen vindt het ook geen taak voor de VS en wijst daarmee een kernpunt van het Amerikaanse buitenlandse beleid af.

Dat is nogal wat, want Washington vraagt zich af wie dat dan moet doen? Had Europa liever gezien dat de Taliban en Saddam Hoessein nog aan de macht waren? Dat is kennelijk geen zorg voor de Europese bondgenoten, zeggen eurocritici in Washington. Het is een beetje de omgekeerde wereld, zeggen ze. Tientallen jaren kregen de VS kritiek van Europeanen vanwege Amerikaanse steun aan rechtse dictators en martelende generaals. Nu offert Amerika zijn zonen en dochters op voor democratie in het Midden-Oosten en is het weer niet goed.

De haarden van extremisme en terrorisme liggen veel dichter bij Europa dan bij de VS. Europa is doodsbang voor radicale immigranten uit islamitische landen die in hun eigen land geen toekomst zien. Geen wonder, de economie daar is verkalkt en de politieke structuur middeleeuws. De jonge generatie heeft de keus tussen woede en wanhoop. Dat is een gevaarlijk en explosief mengsel. Democratie en economische ontwikkeling kunnen het tij misschien keren. Europa heeft, net als de VS, belang bij modernisering van de Arabische wereld. Waarom richt de publieke opinie in Europa zich op *korte* termijn zo sterk tegen de persoon George Bush wanneer er op de *lange* termijn zulke grote belangen op het spel staan?

Uit Europese protestoptochten spreekt niettemin diep wantrouwen tegen de Amerikaanse president die slechts uit zou zijn op wereldheerschappij en goedkope olie. Voor veel Europese politici (links en rechts) vormen de onvindbare massavernietigingswapens het bewijs dat de president de zaak willens en wetens heeft opgelicht. Zijn streven naar vrijheid en democratie in het Midden-Oosten stuit op ongeloof. Europeanen vinden Bush allesbehalve een mondiale weldoener.

De president op zijn beurt voelt zich miskend. 'Ik ben heel verbaasd over het onbegrip over onze bedoelingen. Net als alle andere Amerikanen kan ik het gewoon niet geloven, want ik weet hoe goed we het bedoelen.' En oud-veiligheidsadviseur, nu minister van Buitenlandse Zaken, Condoleezza Rice, voegde eraan toe: 'Laat ik het heel direct zeggen: we begrepen er helemaal niks van.'

Europa is de droom van elke dictator

Het klimaat is vergeleken met de bittere ruzies rond de Irakoorlog enigszins ontdooid. George Bush en Condoleezza Rice hebben een charmeoffensief ingezet en de onbehouwen Donald Rumsfeld lijkt bijna een spreekverbod te hebben. Maar geen van de oude meningsverschillen is opgelost. Voor elf september 2001 ging het al grondig mis toen de VS het ABM-rakettenverdrag annuleerden, weigerden mee te doen aan het Internationale Strafhof, het klimaatverdrag van Kyoto in de prullenbak gooiden en een verdrag tegen kernproeven niet wilden ondertekenen.

Amerika ging zijn eigen gang, Europa was woedend maar de regering-Bush hield voet bij stuk. Ook over Irak hield de president zijn poot stijf ondanks de storm van protest. De oorlog is nu voorbij en iedereen hoopt op democratie en vrede. Europa helpt mondjesmaat mee aan de opbouw van Irak en Afghanistan en zit dus weer eens in de vertrouwde bijrol. Amerika kookt; Europa helpt met de afwas.

Het fundamentele geschil over Irak blijft smeulen. Dat is niet erg, want er wordt even geen oorlog gevoerd. Welk land zou Bush nu immers moeten binnenvallen? Maar als het in de komende jaren een keer misgaat met Iran, Noord-Korea of een andere netelige politieke brandhaard, ligt dat diepgaande meningsverschil weer levensgroot op tafel. Het hele spektakel dat aan de Irakoorlog voorafging wordt dan opnieuw opgevoerd. Defensieminister Donald Rumsfeld zal dan vast grijnzend zijn favoriete citaat van maffiaschurk Al Capone ten beste geven: 'Je krijgt meer gedaan met een vriendelijk woord en een pistool dan met een vriendelijk woord alleen.'

Het probleem is, zeggen Amerikaanse analisten, dat Europa het advies van Al Capone niet eens kán opvolgen. Europa heeft een defensieapparaat dat vergeleken met de geoliede Amerikaanse gevechtsmachine nauwelijks meer is dan een legerdump met verouderd materieel. Ze kúnnen helemaal geen pistool trekken. Europa is de droom van elke dictator, aldus de scherpste critici. Het is dan ook geen wonder, zeggen ze, dat de Europeanen altijd zo graag naar de VN willen. Ze hebben de militaire middelen helemaal niet voor de meer strijdbare Amerikaanse aanpak. Vergaderen bij de VN staat bovendien veel beschaafder en kost niets. Je hebt genoeg aan een vergaderzaal en een stencilmachine en krijgt nooit het verwijt dat je te hard van stapel loopt.

Europa en de VS kijken heel anders naar internationale geschillen. Het is de keus tussen vechten of vergaderen; raketten of resoluties. Europa ergert zich aan Amerika's machogedrag van 'Shoot first, ask questions later'. Maar Amerika zegt: 'We zijn een wereldwijde EHBO. Dan maak je wel eens fouten. Maar het doel van de missie – vrijheid en democratie – is onomstreden.'

Oud-Navotopman George Robertson zei het een paar jaar geleden al: 'Europa kan op eigen houtje geen oorlog voeren. Als de Europeanen niet meer aan defensie doen, zullen ze ontdekken dat ze niet langer geraadpleegd worden door de Amerikanen. Als Europeaan schaam ik me ervoor dat de Europeanen niet meer doen voor de veiligheid in de wereld.'

Robertson moet er maar aan wennen, want Europa heeft geen geld en geen zin om de militaire verlangens van de ex-Navobaas te vervullen. Donald Rumsfeld en de zijnen zouden zich trouwens een hoedje schrikken als Europa zich ineens 'Amerikaans' ging gedragen. Stel dat Europa massaal in nieuw wapentuig ging investeren. De Amerikanen moeten er niet aan denken een oorlog te voeren met een bonte verzameling Britten, Denen, Duitsers, Nederlanders, Noren, IJslanders, Italianen, Finnen en – niet te vergeten – Fransen. Wie is er dan de baas? Niemand of iedereen? Gaan de parlementen in al die Europese landjes zich ermee bemoeien? Voor Amerikaanse generaals en admiraals is dat een nachtmerriescenario. Er kan op het slagveld maar één de baas zijn. Uit politieke overwegingen vinden ze een grotere deelname van Europa misschien gewenst, maar militair zou het tot een Babylonische spraakverwarring leiden.

Presidentiële karavaan wekt ergernis

Wie wel eens op een vliegveld is geweest waar de Amerikaanse president gaat landen, net is geland of bijna opstijgt weet het. Vertraging! Niks aan te doen. Je kunt erover mopperen, maar dat helpt niet. Wacht liever rustig tot het over is.

De Duitsers waren daar iets minder ontspannen over toen president Bush langskwam en het reisschema van honderden vluchten met tienduizenden passagiers in het honderd liep. Bij zo'n presidentieel bezoek komen vaak twee van die hemelsblauwe Jumbo's, een apart persvliegtuig en een paar kolossale militaire vrachtvliegtuigen met eigen auto's, helikopters en alles wat een presidentiële entourage zoal aan 'hardware' nodig heeft. Ze laten niets aan het toeval over; het lijkt wel een bezetting. In de wijde omgeving wordt het luchtruim afgesloten, want de baas van de wereld komt eraan.

Zo'n presidentiële karavaan is indrukwekkend en een tastbaar symbool van Amerika's macht. Dat is andere koek dan een Nederlandse premier die met flapperende jaspanden het trapje van ons bescheiden regeringsvliegtuig afstommelt. Maar de Duitsers waren kennelijk niet voorbereid op de Amerikaanse invasie en dachten er zelfs over een schadevergoeding te eisen vanwege alle vertraagde en afgezegde vluchten.

Het is een onbeduidend incident, maar het tekent de verhoudingen. Vertraagde passagiers ergerden zich omdat 'der George' een middagje bij 'der Gerhardt' kwam buurten. Dat is iets te veel voor de Duitse trots. Als 'der Bill' (Clinton) was aangekomen hadden ze misschien hun koffer laten staan om te gaan juichen. 'Bush is de man waar zijn vijanden op zaten te wachten', schreef een Duitse commentator eens. Dat is raak gezegd: president Bush is voor veel Europeanen een boksbal waar ze graag tegenaan meppen.

Amerika is niet alleen het machtigste land, het is ook het meest gehate land ter wereld. Is dat toeval? Is alle kritiek op Amerika inhoudelijk? Speelt stiekem jaloezie een rol? Had een andere president veel verschil gemaakt?

In de negentiende eeuw was het net omgekeerd. Amerika was een agrarisch land en allesbehalve een supermacht. Het had geen permanent leger en bemoeide zich nog niet met het buitenland. Het centrum van de wereld lag in Europa. De piepjonge Verenigde Staten waren vooral met zichzelf bezig en volgden het advies van aartsvader George Washington: 'Het is ons vaste politieke voornemen ver te blijven van permanente bondgenootschappen met enig deel van de vreemde wereld.' Leuke formulering is dat: 'de *vreemde wereld*'. Dat was dus alles buiten de eigen grenzen.

De VS hadden in de negentiende eeuw geen buitenlandse politiek, maar werden intussen wel industrieel wereldleider. In de Eerste Wereldoorlog verschenen de VS wel op het politieke wereldtoneel en speelden meteen een prominente rol. Zonder die Europese oorlog was Amerika veel langer buiten de wereldpolitiek gebleven. De rol van militaire en politieke supermacht werd de VS door een Europese oorlog opgedrongen.

Na 1918 verschoof het economische en militaire zwaartepunt in rap tempo naar Amerika en dat is sindsdien zo gebleven. Met minder dan 5 procent van de wereldbevolking heeft de VS ruim 30 procent van de wereldproductie, 36 procent van alle defensie-uitgaven en 40 procent van alle uitgaven voor onderzoek en ontwikkeling. De VS heeft ook al jaren een hogere economische groei dan Europa.

Robert Kagan van het Carnegie Instituut schrijft in zijn boek *Of Paradise and Power* dat de spanning tussen Europa en Amerika niet moeilijk te verklaren is: de een is zwak, de ander sterk. 'Toen de VS zwak waren toonde het besluiteloosheid. Het was de strategie van de zwakte. De Europese landen waren toen machtig en geloofden in kracht en militaire glorie. Nu bezien ze de wereld door de ogen van zwakkere landen. De VS daarentegen zijn machtig en gedragen zich zoals sterke landen zich gedragen.'

Het is een boeiende parallel. In de negentiende eeuw had Amerika het te druk met zichzelf en had weinig oog voor de rest van de wereld. Nu lijkt Europa in die rol te zitten. De Europese eenwording en verdere uitbreiding van de EU slokken veel energie op; er is geen geld of energie voor een heel actieve rol in de wereldpolitiek. Robert Kagan zegt dat die Europese politieke inteelt nadelig is voor Europa. 'Europese integratie is de vijand van een Europese militaire macht en zelfs van een belangrijke Europese rol in de wereld.'

Niet alle Amerikaanse analisten zijn zo negatief over Europa. Activist en publicist Jeremy Rifkin schrijft in zijn boek *The European Dream* dat het onjuist is Europa af te doen als tweederangs wereldmacht. In de laatste vijftig jaar leverden EU-lidstaten 80 procent van de vredestroepen in de hele wereld en 70 procent van het geld voor herbouwprojecten. Dat weerlegt de Amerikaanse bewering dat Europa Amerika als enige de taak van wereldwijde politieman laat opknappen, zegt Rifkin.

Hij schrijft over het naderende einde van de Amerikaanse Droom die zo lang kon bestaan dankzij massale milieuvervuiling en een onbekommerde jacht op geld en materiële luxe. De Europese Droom is volgens hem duurzamer, meer gericht op welzijn en minder op alleen welvaart. Hij denkt dat de Europese visie meer toekomst heeft dan de Amerikaanse benadering.

Er is een opvallend verschil in de manier waarop Europa en de VS hun geld besteden. Amerika geeft heel veel uit aan defensie, maar bungelt helemaal onder aan de lijst landen die de meeste ontwikkelingshulp geven. Europa is zuinig met defensiegeld, maar gul met hulp aan andere landen en uitgaven voor het eigen AOW-stelsel. Het is maar waar je prioriteit ligt. Dit *guns or grannies*-dilemma verdeelt Europa en de VS.

Rifkin heeft een duidelijke voorkeur voor de Europese aanpak, maar haalt zijn eigen betoog deels onderuit. Want zelfs Europafan Jeremy Rifkin ziet de dreiging van een teruglopende Europese bevolking. Dat kan rampzalige gevolgen krijgen. 'De treurige waarheid is dat zonder een massale vergroting in de komende tientallen jaren van immigratie van buiten de EU het onvermijdelijk is dat Europa verpietert en sterft. Letterlijk en figuurlijk.'

Bush als kop van Jut

Veel Europeanen kijken als het om de verhouding met de VS gaat liever naar het recente verleden dan naar de verre toekomst. De oorlog in Irak blijft voor Europa de steen des aanstoots. Het was het ultieme bewijs van Amerikaanse arrogantie. Europa voelde zich ver verheven boven de rauwe cowboyaanpak van George Bush.

Een Amerikaans citaat over Irak: 'Deze tijd is niet zonder gevaar, vooral vanwege de roekeloze daden van wetteloze landen en een goddeloze as van terroristen, drugshandelaren en internationale georganiseerde misdaad. Er is geen duidelijker voorbeeld van deze dreiging dan het Irak van Saddam Hoessein. Zijn regime bedreigt het Iraakse volk, de stabiliteit in de regio en de veiligheid van ons allemaal.'

Dit lijkt een citaat van George Bush. Of Donald Rumsfeld misschien? Of Condoleezza Rice? Nee, het is de Democraat Bill Clinton in een toespraak uit februari 1998. Zijn analyse was dezelfde die George Bush een paar jaar later tot de Irakoorlog deed besluiten.

'Roekeloos rechts' in Washington verzon het niet. Clinton dacht er net zo over, maar liet het bij een aantal bombardementen, waarvoor hij overigens evenmin toestemming vroeg aan de VN. Net zoals hij geen VN-mandaat had voor gewapend optreden in Haïti, Bosnië en Kosovo (waar de Amerikanen wel met Europese Navo-partners samenwerkten). Maar de sfeer was zelden zo bedorven als rond de Irakoorlog van 2003. Anders dan Clinton en Bush waren Europeanen niet overtuigd van de dreiging van Irak en ze haalden hun gelijk toen de massavernietigingswapens van Saddam, waar George Bush vaak zo dreigend over had gesproken, er niet waren.

Heimwee naar Bill Clinton suddert na in veel Europese harten. Daarbij vergeten de Europese FOB's (*Friends of Bill*) dat hij ook geen serieuze poging deed het door Europa zo gekoesterde Kyotoverdrag geratificeerd te krijgen in de Senaat. Het verdrag was kansloos.

En het omstreden Internationale Strafhof waar George Bush later zo onaardig over deed? Het was Bill Clinton die als eerste vroeg Amerikaanse soldaten van aanklachten van die rechtbank te vrijwaren. Clinton trok ook al geld uit voor de Iraakse oppositie en tekende daartoe de 'Iraq Liberation Act'. Het was de eerste stap op weg naar de later zo omstreden *regime change.* Republikein George Bush ging door op de weg die zijn Democratische voorganger was ingeslagen.

Vooral sinds de verkiezing van George Bush stuit Amerika op een muur van onbegrip; omgekeerd voelt Europa zich door de VS niet serieus genomen. Een groep politieke analisten en ouddiplomaten uit Europa en de VS stelde begin 2005 een verklaring op met een hartstochtelijk pleidooi voor meer wederzijds begrip. 'De onderlinge meningsverschillen versterken elkaar. Het Amerikaanse beleid wekt weerzin in Europa en omgekeerd. Deze kwaadaardige ontwikkeling is voor niemand goed en moet daarom stoppen.'

Maar zelfs honderd gewichtige verklaringen kunnen het scheve evenwicht tussen Europa en de VS niet rechttrekken. Amerika ontleent vooral veel prestige en invloed aan de militaire en economische overmacht. Daar zit de kern van de tegenstelling. Amerika kan zich bazigheid veroorloven. Europa kan niet veel meer doen dan daar geïrriteerd op reageren.

Michael Ignatieff van Harvard University omschrijft de positie van zwaargewicht Amerika zo: 'Het is het enige land dat de wereld bewaakt met behulp van een wereldwijde militaire commandostructuur, op vier continenten een miljoen mannen en vrouwen onder de wapenen heeft, in elke oceaan machtige groepen marineschepen (*battle groups*) op wacht heeft liggen, de overleving garandeert van landen als Zuid-Korea en Israël, het raderwerk van wereldwijde handel draaiende houdt en over de hele planeet harten vervult met dromen en verlangens.'

Amerika is dus oppermachtig. Er zijn in Afghanistan en Irak nog veel problemen op te lossen, maar de militaire verovering van die landen was een fluitje van een cent voor het Amerikaanse leger. Is George Bush dus een ouderwetse, zelfingenomen veroveraar?

In de wereldgeschiedenis maakten machtige heersers zich onveranderlijk schuldig aan schaamteloos landjepik. Napoleon, Hitler, Stalin en al hun voorgangers tot in de klassieke oudheid waren uit op wereldheerschappij. Ze wilden overal de baas zijn. Amerika viel dus ook twee landen binnen. Maar Afghanistan en Irak marcheerden ze met een andere bedoeling binnen dan al die vroegere veroveraars. Die hadden geen democratie en mensenrechten op hun wensenlijstje staan, maar kwamen met de bedoeling die landen uit te buiten en er nooit meer te vertrekken. Amerika verdreef regimes in Afghanistan en Irak onder de gelijktijdige belofte er democratie en mensenrechten te vestigen en daarna zo snel mogelijk op te krassen. De geschiedenis zal leren of de ambitieuze Amerikanen dat ideaal zullen realiseren. Of krijgen sceptische Europeanen gelijk die steeds zeiden dat de Arabische wereld niet rijp is voor democratie en Amerika toch alleen maar uit is op plat eigenbelang?

Amerika: meer geduld, Europa: meer daadkracht

Amerika en Europa kunnen niet zonder elkaar. De komende jaren gaat het erom of democratie en sociale vooruitgang een kans krijgen in de Arabische wereld. Daarvoor is diplomatie nodig en politieke overtuigingskracht. Het is van onschatbare waarde als Europa en Amerika het daarover eens worden. Amerika moet iets meer geduld hebben en nederigheid tonen. Europa heeft behoefte aan meer eenheid, en ietsje meer daadkracht zou ook geen kwaad kunnen. Als die verlammende verdeeldheid blijft, geven Amerika en Europa – de twee grootste democratische blokken in de wereld – een wel heel slecht voorbeeld aan de landen waar ze juist democratie willen brengen.

Maar Europa heeft voorlopig de handen vol aan zichzelf. Amerikaanse commentatoren kijken hoofdschuddend toe hoe *Old Europe* machteloos door zijn eigen hoeven zakt. De spectaculaire uitslag van de referenda in Frankrijk en Nederland was voorpaginanieuws in de VS. Ineens lees en hoor je hier doorwrochte analyses over de EU. Opvallend, omdat de grote Amerikaanse kranten en tv-stations wel vaste correspondenten hebben in Londen en Parijs maar ondanks EU en NAVO – nauwelijks in Brussel.

Het maakt ook duidelijk hoe marginaal Amerikanen geïnteresseerd zijn in de Europese aanpak van sociale problemen, economie en milieu. Veel Amerikanen zien weinig reden de schijnoplossingen van de in politiek drijfzand rondspartelende EU-leiders als voorbeeld te nemen voor de aanpak van hun problemen.

Amerikanen kijken met amper verholen spot en groeiend onbegrip naar die besluiteloze Europeanen die zonder duidelijke baas, zonder grondwet, zonder één taal of munt (een aantal EU-landen doet niet mee aan de Euro) en sinds half juni zelfs zonder begroting amper vol kunnen houden dat ze als politiek machtsblok een serieuze concurrent van de VS worden. Amerika blijft nog wel even de baas in de wereld.

AMERIKAANSE LEGER IS ONVERSLAANBAAR:
GEDUCHT WAPEN OP SLAGVELD EN IN POLITIEK

Als ik militaire actie onderneem is het afdoende.
Ik schiet geen raket van 2 miljoen dollar
in een lege tent van 10 dollar
om de kont van een kameel te raken.
George Bush

Het moet regel zijn in een oorlog
dat je iemand van dichtbij moet zien en
hem goed moet leren kennen
voordat je hem mag doodschieten.
Kolonel Potter in tv-serie M*A*S*H

Amerika heeft het duurste en modernste leger ter wereld. Amerika geeft op zijn eentje bijna evenveel aan defensie uit als de rest van de wereld samen. De wereldwijde wapenwedloop is voorbij. Amerika won.

De defensiebegroting van de VS stijgt gestaag. Amerika geeft per dag ruim een miljard dollar aan defensie uit. Daarin zijn de kosten van de Irakoorlog en operaties in Afghanistan niet eens meegerekend. In Europa wordt tot groot ongenoegen van de VS op defensie bezuinigd. Ook uit opiniepeilingen blijkt het verschil: Europeanen willen niet meer uitgeven aan defensie, Amerikanen wel.

Amerika heeft verstand van oorlog voeren. De bloedigste oorlog was de Burgeroorlog van 1861-1865 waarbij meer dan een half miljoen doden vielen. In de Eerste Wereldoorlog stierven 116.000 Amerikanen. In de Tweede Wereldoorlog ruim 400.000. In Korea 54.000. In Vietnam 58.000. In de Golfoorlog 363. In de Irakoorlog waren in juni van 2005 ruim 1700 Amerikanen gesneuveld.

De Amerikaanse strijdkrachten hebben ruim een miljoen beroepssoldaten onder de wapenen; daarnaast is er een miljoen reservisten. Ze hebben een gewone baan en zijn op afroep beschikbaar. Tijdens de Irakoorlog waren ruim 150.000 reservisten opgeroepen, soms voor meer dan een jaar aan een stuk.

Liever soldatenloon dan miljoenencontract

Zijn toekomst was verzekerd. Pat Tillman was nog geen 25 jaar oud, maar hoefde zich financieel geen zorgen meer te maken. The Arizona Cardinals boden hem een contract van 3,5 miljoen dollar; hij zou een ster worden in het footballteam in Phoenix.

Maar Tillman belandde in een vuurgevecht in Afghanistan. Een paar van zijn maatjes brachten het er levend vanaf; Pat Tillman niet. Zijn dood veroorzaakte heftige emoties, waarbij bewondering overheerste voor de topatleet die zijn miljoenensalaris opgaf om voor een soldatenloon van amper 30.000 dollar in een vreemd, gevaarlijk land zijn leven te wagen.

Hij nam zijn besluit tijdens de huwelijksreis met zijn vrouw Marie. Pat wilde niet praten over dat besluit om vrijwillig voor drie jaar dienst te nemen. Tv-interviews sloeg hij af, want hij nam dienst uit liefde voor zijn vaderland; daar hoef je niet dik over te doen. Het zat in de familie, want zijn broer Kevin, die uitkwam voor het footballteam Cleveland Indians, nam ook vrijwillig dienst.

Elf september veranderde alles voor hem. Er zijn, besefte hij, belangrijker dingen in het leven dan geld en sportroem. 'Mijn overgrootvader was in Pearl Harbor. Een groot deel van mijn familie heeft in oorlogen gevochten. Ik heb op dat vlak helemaal niks gedaan, maar heb veel respect voor wie dat wel deed.'

Hij ging eerst naar Irak en kwam daar ook al in gevechten terecht. Hij had daardoor eerder van zijn contract afgekund. Er waren footballclubs die hem dolgraag als speler wilden hebben. Tillman bleef in het leger. Zijn volgende missie was in Afghanistan; het zou zijn laatste zijn.

Het verhaal van Pat Tillman kreeg veel aandacht in de Amerikaanse media. Ondanks de trieste afloop was het een opbeurend voorbeeld voor veel Amerikanen die zich zorgen maken over het succes van de strijd tegen terrorisme. De Iraakse verkiezingen van januari geven voorzichtig hoop op een democratische afloop, maar de aanslagen en ontvoeringen gaan door en ruim de helft van de Amerikanen vindt dat president Bush nooit aan de oorlog had moeten beginnen. Het was niet de moeite waard, zeiden ze. Dat legt een zware politieke hypotheek op de operatie in Irak waar nog steeds 150.000 Amerikaanse soldaten dag in dag uit met gevaar voor eigen leven hun werk doen.

In de landelijke politiek is Irak in het voorjaar van 2005 minder omstreden dan een jaar eerder. De Democraten, die voor de verkiezingen van 2004 veel kritiek hadden, durven niet echt dwars te liggen. Senator Hillary Clinton bijvoorbeeld is intussen een prominente defensiewoordvoerder en steunt president Bush. Ze bezoekt Irak en komt tot deze conclusie: 'We zijn eraan begonnen en moeten het karwei daar afmaken. Nu weggaan zendt een verkeerde boodschap naar de Irakezen en de terroristen.'

In deze periode vraagt Gallup aan Amerikanen hoe het gesteld is met hun vaderlandsliefde. Je zou verwachten dat het avontuur in Irak en de duizenden gewonden en doden die liefde heeft bekoeld. De resultaten zijn opvallend: 83 procent is nog steeds 'extreem of zeer vaderlandslievend'. Republikeinen én Democraten zijn in overgrote meerderheid nog apetrots op hun land.

Wie goed oplet ziet overal in Amerika tekenen van deze on-Europese liefde voor leger en vaderland. Bij stomerijen hangt een bordje op de deur: 'Amerikaanse vlaggen worden gratis gereinigd', en zou er een land zijn waar bij meer huizen elke dag de vlag uithangt? Er is geen Amerikaans klaslokaal zonder dit symbool van nationale trots. Er gaat geen schooldag voorbij zonder de eed van trouw.

Vooral ten tijde van elf september en de Irakoorlog was een simpele autorit al leerzaam. Achter op auto's zitten stickers met simpelweg de Stars & Stripes of het opschrift: 'We support our troops'. Over het beleid van de regering-Bush worden boekenplanken volgeschreven, maar een bumpersticker zegt het bondiger: 'USA: Love it or leave it', of: 'Celebrate Freedom'. Deze stickers zijn te koop bij – heel veelzeggend – The *Victory* Store.

Op autobumpers is ook kritiek op George Bush te lezen: 'Iraq is free, but we still have Bush', en: 'Stop Bush before he kills again'. Sommige Amerikanen hebben heimwee naar de voorganger van Bush. Een bumpersticker zegt: 'No one died, when Clinton lied'.

Het is geen wetenschappelijk bewijs, maar afgaande op zo'n autoritje zijn de automobilisten die anti-Bush zijn sterk in de minderheid. Veel vaker zie je stickers met het opschrift: 'These colors don't run', of: 'Don't mess with the US'. Zullen er ooit vergelijkbare trotse stickers over de EU op autobumpers verschijnen?

Nederlanders doen niet aan vaderlandsliefde. Onze verzorgingsstaat is vanzelfsprekend; daar ben je niet dankbaar voor of trots op. Geen wonder, je hebt er niet je best voor gedaan en geen persoonlijke offers voor gebracht. We zien de sociale premies op onze maandelijkse salarisstrook en dat is het wel. Emotioneel heb je daar niks mee. Hoeveel Nederlanders zien het nog als bijzondere verworvenheid?

Toch vinden we nationale trots niet per se verkeerd. In een enquête zei de helft van de Nederlandse ondervraagden die Amerikaanse vaderlandsliefde 'een goede eigenschap' te vinden. Links (PvdA, GroenLinks, SP) houdt er minder van dan rechts (VVD, LPF). Opvallend was het antwoord op de vraag of Nederlanders zelf 'meer vaderlandslievend willen zijn'. Ja, zegt bijna 60 procent. Het minst: GroenLinks (23 procent), SP (35) en PvdA (42). Het vaderlandslievendst zijn LPF (79 procent), VVD (76) en CDA (74).

Familieleden leven elke dag in angst

Ze leven voortdurend in angst. Vreemd bezoek op een ongewoon moment van de dag kan rampspoed betekenen. Het leger heeft er speciale officieren voor in dienst, die in hun gesteven uniform strak in de pas het tuinpad oplopen. Echtgenotes, vaders, moeders, zonen en dochters weten dan al wat er komen gaat. Voor de honderdduizenden gezinnen die op een militaire basis wonen is het een bekend ritueel. Weer een dode, weer een gezin in rouw.

Er sterven niet alleen mannen in Irak, ook vrouwen. De moeder van de 14-jarige Rohan Osbourne bijvoorbeeld. Zijn vader zette hem de volgende dag af bij zijn school in Texas. Daar weten ze wat de martelende onzekerheid voor jonge kinderen betekent. De dood is altijd dichtbij, want driekwart van de leerlingen op deze school heeft een of twee ouders die op Fort Hood werken, de nabijgelegen legerbasis. Velen zitten in Irak; tientallen soldaten van deze basis kwamen al om. Rohan excuseerde zich tegenover zijn leraar. 'Ik zal niet veel werk af krijgen vandaag. Mijn mama is gisteren doodgeschoten in Irak.'

Het gebeurt bijna elke dag ergens in Amerika dat kinderen horen dat een van hun ouders niet terugkomt. Vaak zijn het gezinnen die al generaties lang in het leger zitten. Het is hun vak, hun bestaan en ze weten niet anders. In die families is geen ruimte voor twijfels of kritische vragen. Plicht en dienstbetoon staan voorop.

De familie van majoor Chris Phelps uit Kansas is er een voorbeeld van. Hij was in Irak en stuurde een foto van zichzelf naar huis waarop hij voor een kapotgebombardeerd gebouw stond. Hij hield voor de grap een groot stuk karton omhoog: 'Ik wou dat je hier was, pap.'

Kendall Phelps nam de grap serieus en meldde zich aan bij de marine met het verzoek in Irak te worden ingedeeld bij de eenheid van zijn zoon. Zijn verzoek werd ingewilligd. Kendall wist waarvoor hij tekende, want hij was al vele jaren in het leger en vocht in Vietnam. Twee gezinnen leven nu in onzekerheid over hun lot. Vader Kendall (57) heeft vier volwassen kinderen onder wie Chris (34) die zelf ook vier kinderen heeft. Hun vrouwen zijn niet verbaasd, ze weten dat het hun mannen in het bloed zit.

Lisa de vrouw van Chris blijft achter met kinderen van twee tot zes jaar. 'Ik ben doodsbang. Maar ik ben de vrouw van een marinier. Ik sta op, haal mijn kinderen uit bed en zal sterk zijn.'

Ook in de maanden dat er elke dag slecht nieuws komt uit Irak, blijven in Amerikaanse media verhalen opduiken van soldaten die zich grote opofferingen getroosten. Veel Nederlanders griezelen van de emotionele verhalen die schuilgaan achter de oorlog. Het is, vinden ze, een beetje klef, overdreven zelfs. Maar juist die individuele geschiedenissen maken weer eens duidelijk hoe groot de ideologische kloof is tussen de VS en Europa.

Johnnie Cheannault uit de buurt van Nashville, Tennessee, gaat naar Irak en laat daarvoor zijn gezin achter. Dat is niets bijzonders; dat doen duizenden vaders. Maar die hebben vast niet zoals Johnnie en zijn vrouw Ronda elf kinderen in leeftijd variërend van acht maanden tot zestien jaar. Cheannault: 'Na elf september was er veel hulp nodig. Mijn land heeft zoveel voor mij en mijn gezin gedaan. Waarom zou ik niet wat tijd vrijmaken en iets terugdoen?' Zijn vrouw Ronda is het met hem eens: 'Het is mijn rol hem te steunen. Zo staat dat in de bijbel. Het is belangrijk dat de kinderen zien dat hij geen laffe angsthaas is die wegloopt voor de taak waar hij zich vrijwillig voor opgaf.'

Kapitein David Rozelle verloor een voet en een deel van zijn been toen zijn Humvee op een landmijn reed. Negen maanden had hij nodig om thuis in de VS te genezen en te revalideren. David zwemt, fietst en doet aan gewichtstraining. Hij rent ook weer en liep zelfs de New York Marathon uit. Intussen meldde hij zich aan voor een tweede legering in Irak.

Zijn vrouw Kim is blij met zijn keuze: 'Hij is niet veranderd. Ik heb tijdens de genezing steeds goed opgelet of hij niet verbitterd en depressief werd.' David wil niets liever dan terug naar Irak. Hij zegt: 'Ik heb daar een klus te doen. There is a war to win.' Hij wordt de eerste geamputeerde soldaat in Irak in een leidinggevende functie. Zijn boek *Back in Action* is een bestseller.

De meeste militaire families steunen de president door dik en dun. Andere twijfelen misschien, maar laten het niet merken, omdat je dan in het militaire milieu, waar gezag en gehoorzaamheid vanzelfsprekend zijn, algauw een buitenbeentje bent. Militaire gezinnen die wel openlijk kritiek hebben, hebben zich verenigd in de organisatie Military Families Speak Out (MFSO). Ze zijn in de minderheid, maar daarom niet minder strijdbaar. MFSO zegt dat 2000 militaire families zich als lid hebben opgegeven.

Een moeder die haar zoon in Irak verloor was woedend toen

het tijdschrift *Time* George Bush tot 'Persoon van het Jaar' uitriep. 'Ze eren de persoon die ons land met een nodeloze oorlog heeft verraden. Hij is verantwoordelijk voor de dood van mijn zoon.' MFSO eist van de regering dat alle Amerikaanse soldaten worden teruggehaald. De organisatie zegt niet tegen het leger te zijn. 'We zijn voor het leger, maar tegen deze oorlog.'

Amerika heeft ook dienstweigeraars. Hun besluit soldaat te worden was een kolossale vergissing. Brandon Hughey is negentien jaar. Hij was zeventien toen hij tekende. De nacht voordat zijn eenheid naar Irak vertrok deserteerde hij en vluchtte naar Canada. Hughey: 'Sommige mensen willen me hiervoor opknopen. Ik heb inderdaad getekend en had het idee dat ik mijn land ging verdedigen. Maar ik wilde geen mensen vermoorden voor een zaak waar ik niet in geloof om maar te voldoen aan de verplichtingen van mijn contract.'

In oorlogen vallen weer doden

Dit is voor de Amerikanen de dodelijkste oorlog sinds Vietnam. Jonge mannen en vrouwen die voor een paar jaar tekenden dachten nauwelijks na over de kans dat ze echt zouden vechten, laat staan sneuvelen. Irak heeft dat ingrijpend veranderd; er vallen elke dag doden en dat schrikt af. Duizenden *recruiters* reizen scholen en universiteiten af op zoek naar nieuwe soldaten, maar sinds het begin van de Irakoorlog hebben ze het moeilijk.

Het leger betaalt extra hoge premies voor nieuwe rekruten. Soldaten die na het einde van hun contract bijtekenen strijken tienduizenden dollars extra op. Toch dreigen er tekorten; bij de luchtmacht en de marine valt het nog wel mee, maar bij de landmacht is het probleem nijpend en dat is niet verwonderlijk. Amerikaanse tv-kijkers zien bijna elke dag bloedige aanslagen waar vooral soldaten van de landmacht slachtoffer van worden. Dat is geen goede reclame voor een legerloopbaan. Vooral onder zwarte Amerikanen die in het leger sterk oververtegenwoordigd zijn zitten veel tegenstanders van de oorlog. In die groep loopt het aantal aanmeldingen dan ook snel terug.

Discussie over herinvoering dienstplicht

De oorlog in Irak leidde tot een opleving van de discussie over herinvoering van de dienstplicht. Democratisch Congreslid Charles Rangel is er voorstander van: 'Het is niet verwonderlijk dat het aantal rekruten daalt. De financiële premies zijn niet aantrekkelijk genoeg voor jonge mensen uit hogere milieus. In toenemende mate vechten armen in onze oorlogen. De welgestelden blijven thuis. Het is niet eerlijk dat één bevolkingsgroep alle offers brengt.'

Rangel wil twee jaar dienstplicht. Wie niet in het leger terechtkan moet toch opkomen. Die jongeren kunnen allerlei burgerplichten vervullen. Het zal er niet van komen, want het verzet is te groot. Beroepssoldaten die voor een militaire loopbaan kiezen kunnen nu eenmaal beter vechten dan jongens die geen zin hebben en maar kort in het leger zijn. Het zijn vergeleken met de beroepsmilitairen slechts amateurs.

Vietnam was de laatste oorlog met veel Amerikaanse doden. Daarna deed het elektronische leger zijn intrede. Geleide raketten deden het vuile werk, piloten gooiden van veilige hoogte precisiebommen en onbemande vliegtuigjes maakten verkenningsvluchten boven vijandelijk gebied. De Topgunhelden zitten nu in een bunker achter een joystick. Het beroep van soldaat leek ineens minder gevaarlijk. In de Golfoorlog vielen slechts 365 doden, de meeste door ongelukken. Irak heeft dat beeld ingrijpend veranderd: er vallen weer doden door sluipschutters, landmijnen, mortieraanvallen en zelfmoordcommando's.

Dat is het slechte nieuws; het goede nieuws is dat de medische zorg op het slagveld sterk is verbeterd. Door die moderne medische zorg zijn er minder zwaargewonden en minder doden. Het leger heeft overal Intensive Care Units beschikbaar. Gewonden worden binnen een paar uur overgevlogen naar een militair ziekenhuis in Duitsland. Ze revalideren daarna in de VS. In de Tweede Wereldoorlog stierf een op de drie van alle gewonde militairen, in Vietnam een op vier, in Irak ongeveer één op acht. Eind juni 2005 waren er bijna 13.000 Amerikaanse soldaten gewond en sneuvelden er bijna 1700.

Sergeant Joey Bozik (26) is een van de zwaargewonden die in een vorige oorlog vast was omgekomen. Zijn tank werd door een mijn getroffen en zijn lijf lag aan stukken. Hij verloor beide benen en een arm. Hoe zou zijn vriendin Jayme Peters reageren?

Joey en Jayme hadden amper tijd samen gehad. Ze hadden elkaar kort daarvoor via internet ontmoet toen Joey in Afghanistan was. Ze waren maar een paar weken bij elkaar geweest maar wisten al zeker dat ze de rest van hun leven samen wilden zijn. Ze waren sportfanaten en verheugden zich op een leven buiten.

Joey vertelde Jayme in het ziekenhuis dat ze maar een andere man mét armen en benen moest zoeken, maar Jayme zei dat ze nog evenveel van hem hield. Zo gauw hij voldoende hersteld was, rolde hij in zijn invalidenkarretje met zijn bruid naar het altaar.

Joey: 'Waarom zou ik gaan zitten mopperen dat het leven oneerlijk is? Ik heb al zo veel tegenslag gehad. Waarom zou ik mezelf meer pijnigen?' Allerlei psychologen wilden hem komen helpen maar Joey bedankte. Hij heeft zelfs geen spijt van zijn korte militaire loopbaan. 'Ik zou precies hetzelfde doen. Ook als ik had geweten dat ik drie ledematen zou verliezen.'

Er zijn veel toegewijde militaire families in de vs. De immens populaire senator John McCain is daar een voorbeeld van. Zijn vader en grootvader waren beroepssoldaat. John herinnert hoe zijn vader hem naar de marine-academie van Westpoint reed. Hij peperde zijn zoon in waar het echt om draait in het leven van een Amerikaans soldaat: *Honor, character, duty.*

John McCain betaalde daar een hoge prijs voor. Hij werd neergeschoten boven Noord-Vietnam en zat onder erbarmelijke omstandigheden jaren gevangen in het beruchte Hanoi Hilton. In de familie McCain is de militaire toewijding ongebroken. John McCain rijdt dit najaar met zijn zoon Jack naar Westpoint. Onderweg zal hij hem indringend onderwijzen over diezelfde waarden die hij altijd hoog hield: *Honor, character and duty.*

Miljoenen Amerikanen hebben een baan in of dankzij het leger. Mede daarom is het leger in de politiek onomstreden. Natuurlijk er zijn schandalen. De martelingen in de gevangenis van Abu Graib liggen vers in het geheugen. Er zijn groepsverkrachtingen geweest en gevallen van discriminatie van homo's. Maar Amerika bewondert zijn leger en geen politicus durft met echt harde bezuinigingen te komen. Elke keer als president Bush om miljarden dollars extra vraagt, wordt zo'n verzoek zonder noemenswaardig politiek debat goedgekeurd. Het gaat om de vrijheid van Amerika en veiligheid in de wereld; dan speelt geld geen rol.

Een politicus móét dus wel legervriendelijk zijn, omdat hij anders kansloos is bij verkiezingen. Amerika heeft bijvoorbeeld 25 miljoenen veteranen. Ze vormen een machtige politieke lobby, ook omdat veteranen in hoge achting staan bij de rest van de bevolking.

De laatste verkiezingscampagne liet zien hoe belangrijk de veteranen zijn. John Kerry, zelf een Vietnamveteraan, trad veelvuldig op met militaire *buddies* om maar te laten zien dat hij – anders dan de Republikeinse straatvechters wilden doen geloven – geen slappe, linkse politicus was en de vastberadenheid had Commander-in-Chief te zijn.

Maar de tegenaanval van rechts was hard en effectief. Conservatieve veteranen kwamen met tv-spotjes die Kerry meedogenloos aanpakten. Ze waren dodelijk voor de Democratische kandidaat en tastten zijn geloofwaardigheid aan. Wil je deze man als opperbevelhebber? Na het zien van de uiterst tendentieuze spotjes zeiden veel kiezers: 'Liever niet. We nemen geen risico. Geef ons maar George Bush.' Kerry bleek niet opgewassen tegen de politieke massavernietigingswapens van de Republikeinen.

GEORGE BUSH: STUNTEL OF STAATSMAN

DANKZIJ GOD TWIJFELT HIJ NOOIT

Tegen de studenten die eervolle vermeldingen hebben
en onderscheidingen zeg ik: goed gedaan.
Tegen de studenten die amper een voldoende haalden zeg ik:
ook jij kunt president van Amerika worden.
George Bush

Ik heb altijd Republikeins gestemd.
Dit is de eerste keer dat ik echt denk
dat God aanwezig is in het Witte Huis.
Gary Walby, Republikein Florida

Europeanen ergerden zich aan Ronald Reagan, maar ze moesten ook een beetje om hem lachen. Hij was wat 'aaibaarder' dan de man die nu zo veel irritatie wekt bij Europese bondgenoten. Om George Bush wordt niet gelachen. Integendeel, hij maakt mensen kwaad en wekt weerzin. Spandoeken en protestborden bevatten zelden fijngevoelige politieke analyses, maar het 'Bush = Hitler' ging wel erg ver. Hij is 'de grootste terrorist ter wereld', riep een ander spandoek. Bush stond ook afgebeeld met een Osama-baard. In een demonstratie werd een Amerikaanse vlag meegevoerd waarop de witte sterren waren vervangen door doodshoofden en hakenkruizen.

De man in het Witte Huis, van wie menigeen voor zijn verkiezing in 2000 dacht dat hij een volgzame domoor was, heeft zijn critici verbaasd. Hij is geen kleurloze meeloper, maar zet de toon met een ambitieuze agenda in eigen land en ver daarbuiten. Het is een 'love him or hate him'-president. Hij belooft democratie te brengen in landen waar vrouwen worden onderdrukt en mannen met willekeur heersen. Bush streeft naar ontwapening van gevaarlijke en onberekenbare regimes teneinde de wereld veiliger te maken en presenteert een miljardenplan om aids te bestrijden.

Maar het wantrouwen tegen Bush zit diep. Hij is, zeggen de critici, alleen maar uit op goedkope olie, hij probeert zijn vriendjes in Texas aan vette contracten te helpen en heeft de wereld met list en bedrog een rampzalige oorlog verkocht. In zijn boek over de *Lies of George Bush* schrijft David Corn, redacteur van het linkse tijdschrift *The Nation:* 'George W. Bush vertelt grote en kleine leugens en laat bewust dingen weg. Hij doet de waarheid geweld aan. Soms per ongeluk, meestal met opzet.'

De blunders van de spionagediensten, de onvindbare massavernietigingswapens, de bloedige chaos in Irak en het Abu Graibschandaal zijn allemaal bewijzen voor de Bush-critici dat hij een ramp is voor de wereld. Amerika heeft er door Bush geen vrienden, maar slechts vijanden bij gekregen. Hij maakt de wereld niet veiliger maar gevaarlijker.

In eigen land zweeft de publieke opinie in het voorjaar van 2005 rond de beruchte grens van 50 procent. Minder dan de helft van de Amerikanen steunt het Irakbeleid van de president. Dat is niet best, maar het lijkt Bush niet te hinderen. Hij houdt vast aan de uitgestippelde koers.

Na de omstreden verkiezingen van 2000 dachten veel analisten: zijn overwinning is flinterdun. Hij kan geen ambitieuze plannen doorvoeren. Ze kenden George Bush nog niet. Hij kwam binnen de kortste keren met kolossale en omstreden belastingverlagingen en lapte internationale afspraken aan zijn laars.

Zijn tegenstanders ergeren zich aan alles, zelfs zijn fysieke gedrag. Zijn malle hinniklachje bezorgt menigeen de kriebels. Hij zit er wijdbeens bij als een schaftende boerenknecht. De volkse Texasstijl staat vooral veel Europeanen tegen. Zijn klunzige versprekingen zijn, volgens de vele Bush-haters, het bewijs van zijn beangstigende domheid.

Europa snapt dan ook niks van de Amerikanen die in meerderheid toch weer op hem stemden. De Britse krant *The Daily Mirror* ging heel ver met een kop op de voorpagina de dag na de verkiezingen van november 2004: 'Hoe kunnen 59.054.087 mensen zo dom zijn?' Die Europese kritiek brengt Bush-aanhangers vast niet aan het twijfelen. Integendeel, het bevestigt hen in het oordeel dat een politieke discussie met Europa nauwelijks zin heeft.

Dat geldt ook in eigen land. De Republikeinen hebben nu zo'n solide meerderheid dat ze de Democraten links kunnen laten liggen. De politieke oppositie staat vrijwel machteloos tegenover de president die meer zelfvertrouwen lijkt te hebben dan ooit. Als hem wordt gevraagd of hij ergens spijt van heeft blijft het stil. Heeft hij fouten gemaakt? Dan antwoordt de Opperbevelhebber dat hij niets kan bedenken. Hij twijfelt ook niet vaak. In het boek *Bush in oorlog* van Bob Woodward zegt de president over zijn leiderschap na de aanslagen van 11 september: 'Ik weet dat het moeilijk voor u is om het te geloven, maar ik heb niet getwijfeld over onze aanpak. Ik heb niet getwijfeld. Er is bij mij geen twijfel dat we de juiste weg bewandelen. Geen enkele twijfel.'

Voor hij in 2000 aantrad zei George Bush dat hij de toon in het politieke wereldje van Washington wilde veranderen. Hij had een hekel aan alle verbittering en afgunst; er moest verzoening en samenwerking komen. De toon is inderdaad veranderd, maar in omgekeerde richting. Washington is een politieke slangenkuil en de saamhorigheid die na de aanslagen van elf september opbloeide is verschrompeld. Wantrouwen overheerst en er is op Capitol Hill meer dan ooit een sfeer van haat en nijd.

'Ik houd van Amerika, Bush en Jezus'

Hardy Billington uit Massachusetts griezelde bij het idee. Hij las in de krant dat er een serieus plan was homo's in zijn staat te laten trouwen. Dat zou Hardy niet laten gebeuren, en hij had president Bush nodig om het onzalige plan om zeep te helpen. Hij gaf 830 dollar van zijn eigen geld uit aan een groot bord dat hij aan de rand van zijn dorp Poplar Bluff neerzette en waarop hij de president uitnodigde naar Massachusetts te komen. Samen met een conservatieve dominee ging hij aan de slag en verzamelde tienduizend handtekeningen. Dat bericht drong door tot de mensen in het Witte Huis die het reisschema van de president maken.

Korte tijd later stonden in het plaatselijke park 20.000 mensen de president op te wachten.

Billington sprak hen toe: 'Amerika is het beste land ter wereld. President Bush is de grootste president die ik ooit heb gekend. Ik houd van mijn president. Ik houd van mijn land. En, nog belangrijker, ik houd van Jezus Christus.'

De massa ging op de banken toen de president het podium beklom en de menigte toesprak. 'Er zijn in de geschiedenis van een land rustige tijden. Dan wordt er niet veel verwacht van de leiders van zo'n land. In zo'n periode leven wij nu niet. We hebben vastberadenheid nodig en een diep geloof in de waarden die ons land groot maken.'

Amerikanen weten dan wat hun Commander-in-Chief bedoelt. Hij heeft het over goddelijke inspiratie, want zonder Gods leidende hand zou Amerika stuurloos zijn. Hardy Billington keek terug op het presidentiële bezoek: 'Ik geloof dat God alles controleert. God gebruikt de president om het kwaad in te dammen en dit land te beschermen. Ik geloof dat de president een instrument is in de handen van God.'

Billington kan over dit gevoelige onderwerp zeggen wat hij wil, maar de president moet behoedzamer zijn. Hij is een diepgelovig mens die elke dag bidt en aan bijbelstudie doet. Maar voor een democratisch gekozen president is het politiek riskant te suggereren dat de – niet-verkiesbare – God over zijn schouder meeregeert.

Bush weegt zijn woorden zorgvuldig. Een dominee die privé met Bush sprak beweert dat de president letterlijk tegen hem zei: 'God wil dat ik president ben.' Dat zou net over de schreef zijn. Bush zelf omzeilt het probleem in het openbaar handig. 'Ik ga de oorlog zeker niet met God rechtvaardigen. Niettemin bid ik dat ik het zo goed mogelijk doe als boodschapper van zijn wil.'

De president heeft zijn politieke succes wel aan God te danken. Tot zijn veertigste leidde hij een losbandig leven. Billy Graham, de dominee die al heel lang waakt over het zielenheil van Amerika's leiders, haalde Bush ertoe over zijn hart voor Jezus open te stellen. Het bracht rust en discipline in het leven van de wilde Bush. Hij zegt: 'Als ik toen niet opgehouden was met drinken, zou ik nu geen president zijn. Ik kon dat alleen doen dankzij de genade van God. Achter alles wat er gebeurt zit een opdracht en een doel van een rechtvaardige en trouwe God.'

Bush schoot na die bekering naar het andere uiterste door. Alcoholische chaos maakte plaats voor strakke discipline. Bush schijnt een record te hebben gevestigd. Nooit eerder in de geschiedenis ging een president zo vaak zo vroeg naar bed. Zelden heeft een president ook zo vaak zo vroeg op de *treadmill* in de kelder van het Witte Huis gestaan. Niemand kan de geldigheid van dit record controleren, maar zeker is dat Bush met ongekende discipline werkt. Van zijn medewerkers eist hij dat ook. Er heerst een ijzeren tucht in het Witte Huis. Dames dragen niks boven de knie. Heren mogen met hun kostuums variëren tussen blauwachtig grijs en grijsachtig blauw. Op veel kantoren is op vrijdag *dress-down day,* dan mag het allemaal wat informeler. Niet in het Witte Huis van George Bush. Daar kom je altijd op tijd, is er bijbelstudie, bid je aan het begin van een belangrijke vergadering en houd je je strikt aan de kledingvoorschriften. George blijft altijd 'Mister President'. Als hij binnenkomt sta je op en je gaat pas zitten als de baas daartoe met een simpele hoofdknik het sein geeft.

In de Bush-hofhouding is weinig ruimte voor frivoliteiten. Hij wil een contrast zijn met voorganger Bill Clinton die altijd overal te laat kwam en tijdens urenlange vergaderingen rond middernacht met de benen op tafel pizza's zat weg te proppen.

Dat is andere koek dan de bijna militaire commandoaanpak van Bush. Hij heeft de belofte orde en fatsoen in het Witte Huis terug te brengen waargemaakt. George Bush heeft een managementstijl van *total control.* Oud-medewerker van Bush David Frum beschrijft in zijn boek *The Right Man* hoe in het Witte Huis de tijd per 5 minuten is ingedeeld. Je hebt een afspraak met iemand om vijf over halftwee. Of om tien voor tien. Geen minuut eerder, geen minuut later. Vergaderingen lopen nooit uit. Ze zijn wel vaak eerder afgelopen. Improvisatie ontbreekt en twijfel is taboe. Het is een strak geleide operatie waarbij denken soms ondergeschikt lijkt aan doen

George Bush is besluitvaardig, maar niet nieuwsgierig. Dat is de kern van zijn stijl van leidinggeven. Onaangename feiten en dwarse meningen vertragen maar. Zijn aanhangers vinden dat het beste bewijs voor zijn politieke talent en vastberaden leiderschap. Zijn tegenstanders worden gek van de eigenwijsheid van de koppige Texaan ('the toxic Texan').

Democratisch senator Carl Levin zegt: 'Hij is slim genoeg om zijn baan te doen. Waar ik me echt zorgen over maak is zijn gebrek aan nieuwsgierigheid als het om ingewikkelde vraagstukken gaat.' Ook in de aanloop naar de Irakoorlog waren senatoren op bezoek bij de president. Het ging over de vraag of ze voor of tegen de oorlogsresolutie zouden stemmen. Dat was een ongekend belangrijk besluit. Een Republikeinse senator herinnert zich de ontmoeting met de president. Die komt binnen en zegt: 'Ik wil dat jullie voor mijn plan stemmen en we gaan er niet over discussiëren.' Toen een senator vragen begon te stellen werd hij bijna weggesnauwd: 'Ik ga er niet met jullie over in debat.' Bush kreeg zijn zin. Republikeinen en Democraten stemden in grote meerderheid voor zijn oorlogsresolutie.

Bush lijdt amper onder zijn gebrek aan feitenkennis. Hij weet dat hij weinig weet en is niet bang 'domme' vragen te stellen. Hij is niet zoals Bill Clinton een wandelende politieke encyclopedie. Bush is ook geen Al Gore die elk spannend debat wist te verknallen door een brei van koele cijfers en saaie feiten over zijn gehoor uit te storten. Bush is de man van de oneliners, oppervlakkig, maar effectief.

Na elf september propte hij zijn filosofie in compacte slogans: 'Je bent voor ons of je bent tegen ons.' 'Jaag ze op en rook ze uit.' De politieke boodschap moet in een krantenkop passen of in een quote van vijf seconden in het tv-nieuws. Bush krijgt nooit het verwijt dat mensen niet snappen wat hij bedoelt.

De president leeft in een gerieflijke politieke cocon. De permanente beveiliging schermt hem af van het dagelijks leven van de 280 miljoen andere Amerikanen. Maar Bush heeft de beschermende *bubble* ook geluiddicht gemaakt. Hij ontmoet geen tegenstanders. Tijdens de verkiezingscampagne hield hij veel 'discussie'-bijeenkomsten waar alleen zorgvuldig geselecteerde *Bushies* waren uitgenodigd. Die stelden opgewekte vragen nadat ze de president eerst uitbundig hadden geprezen.

Dat is een ongekend verschil met een Nederlandse politieke cultuur waar een minister of premier vaak persconferenties geeft en op elk moment naar de Kamer kan worden ontboden. Een Amerikaanse president gaat nooit naar het parlement (het Congres) om verantwoording af te leggen en er is ook geen premier die in discussie gaat met het parlement. Een Amerikaanse president komt één keer per jaar langs op Capitol Hill om zijn State of the Union uit te spreken. Dan is er de ene na de andere staande ovatie, maar weer geen debat.

De president is eraan gewend dat zijn optredens in het land vlekkeloos verlopen. Het zijn Hollywoodachtige opvoeringen waarbij niets aan het toeval wordt overgelaten. De *handlers* van de president zijn dagen tevoren in zo'n zaal om alles te perfectioneren.

Vroeger ging een president op een podium staan, hield een toespraak, liet zich toejuichen en vertrok. Er hing een stemmig toneelgordijn en ze zetten een paar kleurige vlaggen neer en dat was het dan wel. Die tijd is voorbij.

Het showelement werd al vergaand opgevoerd onder Ronald Reagan (een ex-acteur tenslotte), maar is nu onder George Bush geperfectioneerd. Tijdens de campagne worden honderdduizenden dollars aan belichting besteed. De meest onaangename, grauwe veemarkthal wordt omgetoverd tot een warm tv-plaatje.

Veelzeggend zijn ook de grote banieren achter Bush waarop het thema van de dag staat. 'Peace and security' lees je bij een toespraak over internationaal beleid. 'Jobs and prosperity' bij een toespraak over de economie.

Er staat ook altijd klapvee op zo'n podium. Dat zijn trouwe partijgangers die er uren wachten voor overhebben om achter de president te staan. Ook daar is over nagedacht. Er is altijd een mix van blank, bruin en zwart en een paar uniformen (leger, politie, brandweer, ziekenbroeders) doen het ook altijd goed. Er moeten genoeg vrouwen zijn en als het over onderwijs gaat staat er steevast een clubje schoolkinderen mee te klappen.

Het gaat ook wel eens mis. Van dat ene spandoek op het Amerikaanse vliegdekschip waarop werd gesuggereerd dat de oorlog in Irak voorbij was ('Mission Accomplished') liggen ze op het Witte

Huis vast nog wel eens wakker. Het beeld is honderden keren op de Amerikaanse tv vertoond, omdat daarna pas de lange reeks bloedige aanslagen begon. Na de oorlog vielen er meer Amerikaanse doden dan tijdens de oorlog.

De Democraten nemen die showtechnieken over. Rally's van John Kerry werden met een bijna identiek draaiboek opgebouwd inclusief de uniformen en de politiek correcte raciale mix. Michael Deaver, ooit de media-adviseur van Ronald Reagan, zegt: 'Ze begrijpen dat het om zijn hoofd gaat, maar wat je achter dat hoofd ziet is minstens even belangrijk.'

Bush rechtlijnig in keuze van adviseurs

Bush is in nog één opzicht rechtlijnig en gedisciplineerd. Hij is trouw aan mensen die trouw zijn aan hem. In de aanloop naar de verkiezingen van 2004 bleek uit opiniepeilingen dat Dick Cheney een negatieve factor was. Bush zou in de *polls* stijgen als hij Cheney zou dumpen en daarvoor in de plaats een man als oud-burgemeester Rudolph Giuliani zou aanwijzen als vice-president. Het gebeurde niet.

En had het niet voor de hand gelegen Donald Rumsfeld met pensioen te sturen? Hij was verantwoordelijk voor de beschamende martelingen in de Abu Graib-gevangenis in Bagdad. Hij liet geen gelegenheid onbenut om Europese bondgenoten te schofferen en Rumsfeld bood zelf een paar keer aan te vertrekken. Maar de orders van de baas waren duidelijk: 'Blijven!' En zo geschiedde.

Dit is het zoveelste bewijs van de strakke regie van George Bush. De vrolijke drinkebroer van vroeger is nu een gedisciplineerde manager. Hij doet zich niet slimmer voor dan hij is, maar overtreft intussen de verwachtingen die voor- en tegenstanders van hem hadden. Het is politiek altijd handig de verwachtingen aanvankelijk een beetje te dempen. Als ze denken dat je een uilskuiken bent moet je dat vooral zo laten. Ze komen er wel achter. Dat is precies wat Ronald Reagan destijds deed. Hij was de dommige, bejaarde B-acteur die per ongeluk president werd. Reagan bestreed het niet en liet de media naar hartenlust met hem spotten. Intussen poetste een team van handige media-adviseurs zijn imago steeds verder op. Hij was mateloos populair, Amerika hield van hem, herkoos hem voor een tweede termijn en had hem voor een derde termijn gekozen als de wet het had toegestaan.

Met Bush ging het net zo. Hij zei het zelf zo treffend in één van die moppige Bush-versprekingen: 'They mis-underestimated me.' Inderdaad, er zijn veel misvattingen over deze onderschatte president. Je kunt hem bewonderen of haten, maar na zijn eerste termijn moeten voor- en tegenstanders toegeven dat hij weet wat hij wil en meer controle heeft dan menigeen in 2000 had gehoopt of gevreesd.

Tegenstanders schilderen George Bush graag af als een marionet van zijn eigen conservatieve coterie. De presidentiële adviseurs (Cheney, Rumsfeld, Rice) zijn slimmer dan de baas zelf, maar dat doet aan zijn leiderschap niets af. Twee ervaren Washington-analisten, Ivo Daalder en James Lindsey, concluderen in hun boek *America Unbound* over Bush: 'De man uit Midland was niet de stroman in andermans revolutie. Hij is The Oval Office binnengekomen zonder te weten welke generaal de baas is in Pakistan, maar gedurende zijn eerste tweeënhalf jaar als president was hij niet de pop, maar de poppenspeler. George Bush leidde zijn eigen revolutie.'

Bush is een man met een missie. Kort voor de Irakoorlog citeerde hij een brief die zijn vader in 1990 kort voor de Golfoorlog schreef. Hij moest beslissen of hij soldaten naar het slagveld zou sturen. In de brief aan zijn vijf kinderen schreef Bush senior dat hij worstelde met dat besluit. Hij besloot door te zetten, ook al waren er ook toen veel luidruchtige protesten.

De huidige president volgt dezelfde lijn. 'Ik heb lang en diep nagedacht over het verlies aan mensenlevens, maar ik ben er diep van overtuigd dat het risico van nietsdoen – dat betekent: achteroverleunen en zeggen: laten we hopen dat Saddam verandert – veel groter is dan het risico van een actie om hem te ontwapenen.'

De tegenstanders van de president gruwen van zijn zelfingenomen 'wie-doet-me-wat'-houding. Zijn beleid heeft rampzalige gevolgen, want als geen ander lapt hij internationale samenwerking aan zijn laars. Door zijn onverantwoorde beleid groeien onze kinderen op in een onveilige wereld. Hij gaat, zeggen ze, de geschiedenis in als *arrogante leugenaar*.

Zijn fans daarentegen roemen zijn politieke lef en het baanbrekende werk om democratie in het Midden-Oosten te vestigen. Het is maar goed dat hij zich niets aantrekt van alle ongefundeerde, linkse kritiek in eigen land en Europa, zeggen ze. Bush aanvaardt tenminste zijn verantwoordelijkheid en doet echt wat. De aanhangers van de president voorspellen: als het George Bush lukt om zelfs maar de helft van zijn ambitieuze agenda te realiseren gaat hij als *gevierd staatsman* de geschiedenis in.

7 Slot

NEDERLANDERS EN AMERIKANEN WILLEN NIET RUILEN: *VS ZIJN EEN HARD LAND MET GOEDE MANIEREN*

They tell me:
Everything isn't black and white.
Well, I say, why the hell not?
John Wayne, cowboy-acteur

Part of the magic is
that I look so totally artificial.
But I am so totally real.
Dolly Parton, countryzangeres

Als nuchtere Nederlander blijf je vreemd aankijken tegen de opgewektheid waarmee 280 miljoen Amerikanen zichzelf en hun land verheerlijken. Is het blinde zelfgenoegzaamheid? Bewonderenswaardig optimisme? Een veilig houvast? Amerika is een 'self-congratulating society'. Amerikanen zijn tevreden, méér dan tevreden met zichzelf. Iedereen speelt een glansrol in zijn eigen Goed Nieuws Show. Dat vinden wij een beetje gek, maar die sfeer van 'We are doin' great!' geeft ook kracht en energie aan toekomstgerichte burgers.

Ja, Amerikanen zwaaien eindeloos met de vlag en heffen bij elke denkbare gelegenheid het volkslied aan. Dat is meer dan uiterlijk vertoon. Ze geloven in zichzelf en hebben een gevoel van nationale trots dat in Nederland – en in Europa al helemaal – ontbreekt. Premier Balkenende waarschuwt zelfs voor de 'verkruimeling' van Europa.

Nederland blaakt niet van trots. Het is het land van het zuinige 'niks-te-klagen'. We kijken niet erg uit naar onze eigen toekomst. Een recente Nederlandse enquête is onthullend: een meerderheid van de bevolking heeft geen vertrouwen in overheid en kabinet en is bezorgd over misdaad en veiligheid. Het Europese ideaal kent weinig toegewijde fans, Nederland raakt economisch verder achterop en de bevolking zal in de toekomst minder gelukkig zijn.

Die wijdverbreide ontevredenheid zie je in Nederland weerspiegeld in heftige politieke schommelingen. Pim Fortuyn, Geert Wilders en Peter R. de Vries zorgen voor wilde verschuivingen in de opiniepeilingen. Geen wonder, veel kiezers hebben het 'alles moet anders'-gevoel. In de VS maakt het politieke systeem waarin twee partijen de dienst uitmaken snelle veranderingen onmogelijk. Bovendien zijn Amerikanen niet zo veranderingsgezind. De conservatieve overheersing in Washington ook geleidelijk tot stand gekomen.

Daar komt bij dat de Amerikaanse kiezers niet te veel aan de inrichting van hun samenleving willen morrelen. Voor grote ingrepen is zelden een politieke meerderheid. Dat verklaart de geringe politieke druk om de gezondheidszorg te hervormen, het milieu aan te pakken of de rechtspositie van werknemers te verbeteren. Amerikanen willen een activistische centrale overheid op het gebied van defensie, misdaadbestrijding en nationale veiligheid, maar daar moet het ook wel bij blijven.

Gaat Nederland meer op Amerika lijken? Zijn de VS een voorbeeld voor ons? Nederlanders proberen van twee walletjes te eten. Aan de ene kant willen we ons sociale stelsel handhaven en zijn we afkering van harde, Amerikaanse oplossingen. Aan de andere kant is een meerderheid van de Nederlanders wel voor grotere inkomensverschillen, meer prestatiebeloning en grotere druk op werklozen en WAO-'ers om aan de slag te gaan. Willen Nederlanders écht grotere inkomensverschillen en prestatiebeloning? Of bedoelen we – in de geest van het 'poldermodel' – dat iedereen er een beetje op vooruit moet gaan, de een hoogstens ietsje meer dan de ander? In de VS betekent prestatieloon dat je keihard winnaars én verliezers aanwijst. Dat is on-Nederlands.

Ons land is de laatste 15 jaar wel in Amerikaanse richting opgeschoven. Lagere belastingen voor de rijken, meer ruimte voor het bedrijfsleven, de aanpak van de WAO, grotere druk op werklozen en verlaging van uitkeringen waren 25 jaar geleden ondenkbaar, maar zijn nu politiek bijna onomstreden. Omgekeerd schuiven de VS niet in Europese richting op, integendeel. Amerikanen voelen niets voor het Europese 'knuffelstelsel' dat volgens hen nietwerken onvoldoende bestraft of zelfs aanmoedigt. In de VS worden de schaarse verworvenheden van werknemers verder ingeperkt. Vakbonden zijn machteloos en bij veel grote Amerikaanse bedrijven worden regelingen voor pensioen en ziektekosten botweg geschrapt of gekortwiekt. De bazen van die bedrijven geven de werknemers geen keus: 'We verlagen de loonkosten, anders gaan we in de wereldwijde concurrentie kopje-onder en verliezen we allemaal onze baan.'

Amerika: een hard land met goede manieren

Wie op zoek is naar verschillen tussen culturen moet erachter zien te komen waar burgers zoal over mopperen. Nederlanders klagen, behalve over het weer, over kleine criminaliteit zoals inbraken, straatroof en vandalisme, waar veel onschuldige burgers slachtoffer van worden. Daar hoor je Amerikanen zelden over. Dat is begrijpelijk, want het komt in de VS – in tegenstelling tot zware misdaad – veel minder voor. De Nederlander klaagt ook vaak en luidruchtig over buitenlanders die misdadig zijn, zich niet aanpassen en werkloos blijven. Amerikanen hoor je daar niet over. Er zijn heel veel buitenlanders in de VS, maar ze geven zelden overlast. Ze werken keihard en hebben nergens anders tijd voor.

Veel Nederlanders mopperen ook dat de meeste ándere Nederlanders zo onaardig en onbeschoft zijn geworden. Ze dringen voor en maken elkaar bij het minste of geringste ongemak voor rotte vis uit. Dat is in de VS heel anders. Wie hier nooit is geweest, vindt het ongelofelijk (vraag het aan Nederlanders die de VS wel bezochten), maar het is echt waar: Amerikanen zijn bijna altijd ontzettend behulpzaam en beleefd. Nederlanders zeggen dan dat die vriendelijkheid allemaal nep is: 'Ze menen het niet echt, hoor. Het is heel oppervlakkig.' Nee, dan de Nederlandse ober ('Mijn collega komt zo bij u') of de snauwende, kauwgom kauwende caissière ('Zegels?'). Wees eerlijk: wat is prettiger? (Met excuus aan alle Nederlandse obers en caissières die wel vriendelijk zijn.)

Amerikanen zeggen zelden iets onaardigs, dringen niet voor, bieden vreemdelingen hulp aan en gedragen zich netjes in het verkeer. Amerikanen zullen van andermans kleding, kapsel of keukeninrichting nooit zeggen dat ze het spuuglelijk vinden. Het ergste wat ze uit hun mond krijgen is dat het 'very different' is. Een nietsontziende werkgever kan een werknemer op staande voet ontslaan, maar hij zal hem even later op een verkeerskruising beleefd voor laten gaan, zelfs als hij zelf geen voorrang heeft.

In Nederland is dat anders. Bij ons is de overheid zorgzaam en meelevend. Nederlanders verwachten dat de overheid bij elke tegenslag (ziekte, ontslag, echtscheiding, een ongeluk) te hulp schiet. We gaan uit van collectieve solidariteit en schuilen met zijn 16 miljoenen onder onze welvaartsparaplu. Op *collectief* vlak zijn we vriendelijk en reuze solidair, maar anders dan in Amerika ontbreekt in Nederland vaak *individuele* aardigheid.

Het geïrriteerde ongeduld op straat en het oer-Hollandse 'Hé, klootzak, kun je niet uitkijken' zijn in de VS ondenkbaar. Amerika is een *harde* samenleving met *goede* manieren. Nederland is een *zorgzame* samenleving met *slechte* manieren. Wat leren we van elkaar?

Gaat het goed of slecht met Amerika?

Even voor de discussie. Je kunt op twee manieren tegen de Amerikaanse samenleving aankijken:

1 Het gaat *slecht* met Amerika: De armoede neemt, na een jarenlange daling, weer toe. Miljoenen immigranten zijn arm, worden uitgebuit en verdienen nauwelijks het minimumloon. Amerika heeft meer dan twee miljoen gevangenen en toch er is nog veel misdaad. Er is wel geld voor nieuwe gevangenissen, maar niet voor nieuwe scholen. Het onderwijs bevoordeelt nog steeds rijke, blanke kinderen. Het tekort op de begroting is 'killing' en het handelstekort wordt steeds groter. Amerika leeft sociaal in de negentiende eeuw.

2 Het gaat *goed* met Amerika: In de afgelopen vijftig jaar is de armoede procentueel bijna gehalveerd; de meeste immigranten

verwerven na jaren van armoede uiteindelijk hun deel van de Amerikaanse droom. De misdaad is de laatste vijftien jaar spectaculair gedaald. Door nieuwe gevangenissen en het harde strafsysteem is Amerika veiliger. Nooit eerder gingen zo veel kinderen – blank en zwart – naar high school en universiteit. De economische groei is hoog en door een gezonde economie zal het overheidstekort vanzelf slinken. Amerika is – veel beter dan Europa – opgewassen tegen de uitdagingen van de 21ste eeuw.

Beide scenario's zijn natuurlijk een beetje overdreven, maar politici gebruiken ze niettemin gretig. De argumenten uit het *slechte* scenario zijn populair in Democratische kring. Het gaat goed met de Democraten als het slecht gaat met Amerika. Dat is geen benijdenswaardige politieke uitgangspositie. De Republikeinse aanhangers van Bush gebruiken graag de gegevens uit het *goede* scenario. Dat optimisme past beter bij de Amerikaanse mentaliteit. De kiezers hebben bij de laatste verkiezingen dat optimisme steeds beloond.

Maar bij zo veel politiek succes liggen arrogantie en zelfoverschatting op de loer. Dat kan weerstand wekken bij gematigde kiezers die zich niet thuis voelen bij de agressieve gelijkhebberigheid van Religieus Rechts. Deze beweging vindt dat de leer van de bijbel tot in alle hoeken en gaten van de Amerikaanse samenleving moet doorklinken. Dit leidt steeds vaker tot ayatollahgedrag: republikeinse gelovigen zijn zo overtuigd van hun eigen gelijk dat ze hun politieke en religieuze 'gelijk' ook aan andersdenkenden opleggen.

Bioscopen durven geen films meer te vertonen waarin de (onbijbelse) evolutieleer van Darwin voorkomt. Anti-abortusapothekers weigeren recepten voor anticonceptie en morning-afterpil, omdat die in strijd zijn met hun 'pro-life'-standpunt. Schoolboeken moeten eerst door de censuur van bijbelvaste activisten. Religieuze groepen zetten rijke christenen aan om 'linkse' radio- en tv-stations op te kopen teneinde deze om te vormen tot megafoons van hun politieke boodschap.

De druk neemt toe om het homohuwelijk in de grondwet te verbieden en samenlevingscontracten van homo's onmogelijk te maken. Er was zelfs een bezorgde tv-dominee die zich boos maakte over de kinderserie *Teletubbies*. Vooral het poppetje met de paarse driehoek op zijn hoofd kon uitgelegd worden als 'verheerlijking van de homoseksuele levensstijl'. Ook Sponge Bob Square Pants kwam niet door de anti-homocensuur. Heeft de televisie in conservatieve christelijke gezinnen geen 'uit'-knop?

Democraten: geen boodschap, geen leider

De opmars van rechts lijkt onstuitbaar. Democraten putten moed uit de slinkende aanhang van de president die (begin juni 2005) onder de fatale grens van 50 procent is gezakt. De onzekere economie, de hoge benzineprijzen en het aanhoudende geweld in Irak spelen daarbij een grote rol, maar de Democraten profiteren amper van de groeiende kwetsbaarheid van de president. Ze hebben geen boodschap en geen leider.

Ze moeten hopen op een economische of politieke crisis, anders ziet het er bij de congresverkiezingen van 2006 opnieuw somber uit. 2008 is nog ver weg, maar de strijdbare Bush-troepen zullen er letterlijk alles aan doen om te voorkomen dat voor de tweede keer in de geschiedenis een Bush in het Witte Huis wordt opgevolgd door een Democraat met de achternaam Clinton.

En zo zien we Amerika energiek rechtsaf slaan. Bijbel in de ene hand, vuurwapen in de andere. Vol zelfvertrouwen en zonder zich echt te bekommeren om de kritiek vanuit de rest van de wereld. Waarom zouden we, zeggen Amerikanen, veranderen? We zijn met onze aanpak de beste, de grootste en de sterkste geworden. Wie doet ons dat na? Cowboy-acteur John Wayne vatte het treffend samen: 'They tell me everything isn't black and white. Well, I say why the hell not?'

De rest van de wereld moet niets hebben van die Amerikaanse eigenwijsheid en kijkt geërgerd naar alle oppervlakkige malligheid van dit land. Amerikanen op hun beurt snappen niet dat Europeanen hun goede bedoelingen en oprechte idealen vaak zo slecht begrijpen. Europeanen gaan te veel af op uiterlijkheden. Het is zoals zangeres Dolly Parton over zichzelf zei: 'Part of the magic is that I look so totally artificial. But I am so totally real.'

VERANTWOORDING

Dit boek is de weerslag van twaalf jaar wonen, werken en reizen in de VS. Ik heb veelvuldig geput uit mijn eigen ervaring, maar ook gebruikgemaakt van de waarnemingen en opinies van anderen. Reacties op dit boek zijn welkom op GekkeAmerikanen@aol.com.

Dank ben ik verschuldigd aan mijn NOS-bazen Gerard Dielessen en Hans Laroes, die me tussen twee banen de rust gunden waarin ik dit boek kon schrijven. Er waren meelezers die me hielpen met de concepttekst: Ronald Boot, Eelco Bosch van Rosenthal, Karin van der Cammen, Boudewijn van Eenennaam, Hans Groenhuijsen, Paul Hilbers, Rutger Mazel, Kees Rietmeyer, Karin van Steegeren, Rob Swartbol, Henk van Veen, Jur van der Vlugt, Ton Vriens en Sander Warmerdam. Hun kritische opmerkingen – hoewel soms tegenstrijdig – hielden me scherp en behoedden me voor enkele uitglijers. Dank ook aan Maurice de Hond die de Nederlandse opinie over Amerikanen peilde.

Zonder mijn vrouw Karin was dit boek er nooit gekomen. Na al die jaren is Amerika een beetje van ons samen. Bas, Francine en Daan hadden gehoopt dat ik na beëindigen van mijn baan als NOS-correspondent even wat minder druk zou zijn. Te vaak hoorden ze de laatste maanden: 'Daddy werkt weer aan zijn boek.'

Bethesda, Maryland, USA
mei 2005

LITERATUUR

Alterman, *What liberal bias? The truth about bias and the news,* 2003

Banner, Stuart, *The death penalty. An American History,* 2002

Barone, Michael, *The almanac of American politics 2002,* 2002

Boorstin, Daniel, *The Americans. The Colonial Experience,* 1958

Brock, David, *The republican noise machine. Right-wing media and how it corrupts democracy,* 2004

Brock, David, *Blinded by the right. The conscience of an ex-Conservative,* 2002

Bruce, Tammy, *The new thought police. Inside the left's assault on free speech and free minds,* 2001

Bruce, Tammy, *The death of right and wrong,* 2003

Bryson, Bill, *Made in America. An informal history of the English language in the United States,* 1994

Buchanan, Patrick, *The death of the west. How dying populations and immigrant invasions imperil our country and civilization,* 2002

Conason, Joe, *Big lies. The right-wing machine and how it distorts the truth,* 2003

Corn, David, *The lies of George Bush. Mastering the politics of deception,* 2003

Coulter, Ann, *Liberal lies about the American right,* 2002

Coulter, Ann, *Treason. Liberal treachery from the Cold War to the war on terrorism,* 2003

Crier, Catherine, *The case against Lawyers,* 2002

Crispin Miller, Mark, *The Bush dislexicon. Observations on a national disorder,* 2001

Critser, Greg, *Fat land. How Americans became the fattest people in the world,* 2003

Daalder, Ivo en James Lindsey, *America Unbound. The Bush revolution in Foreign Policy,* 2003

D'Souza, Dinesh, *What's so great about America?,* 2002

Downie Jr., Leonard en Robert Kaiser, *The news about the news. American Journalism in peril,* 2002

Easterbrook, Greg, *The progress paradox. How life gets better while people feel worse,* 2003

Ehrenreich, Barbara, *Nickel and Dimed. On (not) getting by in America,* 2001

Fawcett, Edmund en Tony Thomas, *America and the Americans,* 1982
Fout, John C. en Maura Shaw Tantillo, *American sexual politics. Sex gender and race since the Civil War,* 2003
Flynn, Daniel, *Why the left hates America. Exposing lies that have obscured our nation's greatness,* 2002
Frank, Thomas, *What's happening in Kansas? How conservatives won the heart of America,* 2004
Frank, Thomas, *One market under God. Extreme capitalism, market populism and the end of economic democracy,* 2000
Franken, Al, *Lies and the Lying Liars who tell them. A fair and balanced look at the right,* 2003
Frum, David, *The surprise presidency of George W. Bush,* 2003
Gordon, John Steele, *An Empire of Wealth. The epic history of American power,* 2004
Greenberg, Stanley B., *The two America's. Our current political deadlock and how to break it,* 2004
Hannity, Sean, *Let Freedom Ring. Winning the War of Liberty over Liberalism,* 2002
Howard, Philip K., *The collapse of the common good. How America's lawsuit culture under minds our freedom,* 2001
Kagan, Robert, *Of paradise and power. America and Europe in the new world order,* 2003
Lewis, Charles, *The Buying of the President 2004,* 2004
Lifton, Robert Jay & Greg Mitchell, *Who owns death? Capital punishment, the American conscience and the end of excutions,* 2000
Lipset, Seymour Martin, *The First New Nation,* 1979/1973
Lipset, Seymour Martin, *American Exceptionalism,* 1996
McDougal, Walter, *Freedom just around the Corner. A new American History 1585-1828,* 2004
Mickletwait, John en Adrian Wooldridge, *The Right Nation. Conservative power in America,* 2004
Moore, Michael, *Stupid White Men,* 2001
O'Reilly, Bill, *The O'Reilly factor. The good, the bad and the completely ridiculous in American life,* 2000
Petterson, Thomas E., *The vanishing voter. Public involvement in an age of uncertainty,* 2002
Phillips, Kevin, *Wealth and Democracy. A political history of the American rich,* 2002
Phillips, Kevin, *American dynasty. Aristocracy, fortune and the politics of deceit in the house of Bush,* 2004
Prejean, Helen, *The death of innocents. An eyewitness account of wrongful executions,* 2005
Prestowitz, Clyde, *Rogue Nation,* 2003
Priest, Dana, *The mission. Waging war and keeping peace with America's mi-*

litary, 2003 Radelet, Michael L. e.a., *In spite of innocence. The ordeal of 400 Americans wrongly convicted of crimes punishable by death,* 1992
Rifkin, Jeremy, *The European Dream. How Europe's vision of the future is quietly eclipsing the American dream,* 2004
Rossem, Maarten van, *De Verenigde Staten in de Twintigste Eeuw,* 2001
Sandage, Scott, *Born Losers. A History of Failure in America,* 2005
Scheck, Barry e.a., *Actual innocence. When justice goes wrong and how to make it right,* 2000
Schlosser, Eric, *Fast Food nation. The dark side of the all-American Meal,* 2001
Schlosser, Eric, *Reefer Madness, Sex, drugs and Cheap Labor in the American Black market,* 2003
Schor, Juliet, *The overworked American,* 1991
Schulman, Beth, *The Betrayal of Work,* 2003
Shipler, David K., *The working poor. Invisible in America,* 2004
Tannahill, Reay, *Sex in history,* 1982
Tocqueville, Alexis de, *Democracy in America,* 2001
Verhagen, Frans, *Bush is dom en 37 andere clichés over Amerika,* 2004
Wattenberg, Ben, *Fewer. How the demography of depopulation will shape our future,* 2004
Zakaria, Fareed, *The future of freedom. Illiberal democracy at home and abroad,* 2003
Zinn, Howard, *A People's History of the United States, 1492 – present,* 1999

Andere geraadpleegde bronnen:

ABC-news
Amerika
AOL News
Atlantic Monthly
Associated Press
BBC
BeliefNet
Boston.com
Boston Globe
Business Week
Business 2.0
Fortune
CanadaNews.com
CBC
CBS
Chicago Tribune
Christian Science Monitor
Christian Today
CNN
CommonDreams.org
Dallas Morning News
Defense Review
Denver Post
Foreign Affairs
Fox News
Gallup
Geotimes
Houston Chronicle
Los Angeles Times
Miami Herald
Minneapolis Star Tribune
National Review
News-Medical.net
NBC

Newsweek
New York Times
NRC *Handelsblad*
Planet.nl
Rocky Mountain News
San Francisco Chronicle
Seattle Post
Seattle Times
SFGate.com
Time
USA *Today*
US *News & World Report*
Volkskrant
Wall Street Journal
Washington Post
Washington Times
Yahoo News

Ten slotte: Hoe schreven mensen ooit boeken zonder internet? Wie online op de hoogte wil blijven van ontwikkelingen in de VS heeft geluk. Internet is een paradijsje voor wie nieuwsgierig is naar wat zich in Amerika afspeelt. Ik heb per hoofdstuk een lijstje met leerzame sites gemaakt. Wie dat lijstje wil hebben moet onder vermelding van *'leuke linken'* mailen naar GekkeAmerikanen@aol.com.

Een paar algemene zoektips:

- www.google.com blijft de beste, de snelste *zoekmachine*.
- Google biedt ook de mogelijkheid op steekwoorden *'news profiles'* aan te maken. De resultaten komen per onderwerp automatisch dagelijks in je mailbox: www.google.com/alerts?hl=en.
- Voor een snel *nieuwsoverzicht* ben ik dol op www.news.google.com waar je tussen verschillende soorten nieuws kunt kiezen. Ook www.news.yahoo.com is goed en snel, evenals www.msnbc.msn.com en www.foxnews.com.
- Voor *overheidsstatistieken* over elk denkbaar onderwerp: www.fedstats.gov en www.census.gov.
- Gallup biedt voor weinig geld veel *opiniepeilingen* aan op www.gallup.com, inclusief een mooie wekelijkse nieuwsbrief.
- Wie alles over *economie* wil weten kan het betaalde internetabonnement op de Wall Street Journal overwegen: www.wsj.com. Voor wie dagelijks rechtse pro-Bush-commentaren wil lezen is de WSJ onmisbaar. Over economie gesproken: www.Businessweek.com en www.fortune.com zijn ook goed.
- Voor *politiek* zijn handig is www.politics.com, http://www.cnn.com/POLITICS en voor een Europese blik op de VS: http://news.bbc.co.uk/2/hi/americas/default.stm en onmisbaar voor Amerika-watchers: www.economist.com.
- Op zoek naar *regionale ontwikkelingen*? Op www.ajr.org is onder 'news sources' een overzicht van alle media per staat. Je vindt er 2000 kranten, 2500 radiostations, meer dan 1000 tv-stations en honderden tijdschriften.

• www.journalism.org geeft toegang tot informatie over *online-journalistiek*.

• Vergeet ook de *denktanks* niet. Dat klinkt misschien saai, maar deze vaak politiek geïnspireerde instituten bestuderen een bonte variëteit aan politieke, economische en maatschappelijke onderwerpen. Ze hebben vaak online-nieuwsbrieven waarop je je gratis kunt abonneren. Een overzicht van denktanks op:
http://www.lib.umich.edu/govdocs/psthink.html.

• En – ik kan het niet laten – voor de leukste bumperstickers:
www.internetbumperstickers.com, www.stickergiant.com.
Democratische stickers (ja, ook al '*Hillary 2008*') en veel Bush-haat op www.cafepress.com/beatbushgear. Pro-Bush en heel Republikeinse stickers (ja, ook al '*Arnold 2008*') op www.cafepress.com/progopgear/388910.